Projeto Ápis

LUIZ ROBERTO DANTE

Livre-docente em Educação Matemática pela Universidade Estadual Paulista "Júlio de Mesquita Filho" (Unesp-SP), *campus* de Rio Claro.
Doutor em Psicologia da Educação: Ensino da Matemática pela Pontifícia Universidade Católica de São Paulo (PUC-SP).
Mestre em Matemática pela Universidade de São Paulo (USP).
Licenciado em Matemática pela Unesp-SP, Rio Claro.
Pesquisador em Ensino e Aprendizagem da Matemática pela Unesp-SP, Rio Claro.
Ex-professor do Ensino Fundamental e do Ensino Médio na rede pública de ensino.
Autor de várias obras de Educação Infantil, Ensino Fundamental e Ensino Médio.

MATEMÁTICA

4º ANO
Ensino Fundamental

editora ática

editora ática

Presidência: Mario Ghio Júnior
Direção de Soluções Educacionais: Camila Montero Vaz Cardoso
Direção editorial: Lidiane Vivaldini Olo
Gerência editorial: Viviane Carpegiani
Gestão de área: Ronaldo Rocha
Edição: Carlos Eduardo Marques (editor), Darlene Fernandes Escribano (assistente editorial)
Planejamento e controle de produção: Flávio Matuguma, Juliana Batista, Felipe Nogueira e Juliana Gonçalves
Revisão: Kátia Scaff Marques (coord.), Brenda T. M. Morais, Claudia Virgilio, Daniela Lima, Malvina Tomáz e Ricardo Miyake
Arte: André Gomes Vitale (ger.), Catherine Saori Ishihara (coord.), Claudemir Camargo Barbosa (edição de arte)
Diagramação: Typographic
Iconografia e tratamento de imagem: Denise Kremer e Claudia Bertolazzi (coord.), Fernanda Gomes (pesquisa iconográfica) e Fernanda Crevin (tratamento de imagens)
Licenciamento de conteúdos de terceiros: Roberta Bento (ger.), Jenis Oh (coord.), Liliane Rodrigues, Flávia Zambon e Raísa Maris Reina (analistas de licenciamento)
Ilustrações: Estúdio 22, Giz de Cera, Hélio Senatore e Ricardo J. Souza
Cartografia: Eric Fuzii (coord.) e Robson Rosendo da Rocha
Design: Erik Taketa (coord.) e Talita Guedes da Silva (proj. gráfico e capa)
Ilustração de capa: Barlavento Estúdio
Logotipo: Saulo Dorico

Todos os direitos reservados por Somos Sistemas de Ensino S.A.
Avenida Paulista, 901, 6º andar – Bela Vista
São Paulo – SP – CEP 01310-200
http://www.somoseducacao.com.br

Dados Internacionais de Catalogação na Publicação (CIP)
(Câmara Brasileira do Livro, SP, Brasil)

```
Dante, Luiz Roberto
   Projeto Ápis : Matemática : 1º ao 5º ano / Luiz
Roberto Dante. -- 4. ed. -- São Paulo : Ática, 2020.
   (Projeto Ápis ; vol. 1 ao 5)

   Bibliografia

   1. Matemática (Ensino fundamental) Anos iniciais I.
Titulo II. Série

20-1345                                        CDD 372.7
```

Angélica Ilacqua - Bibliotecária - CRB-8/7057

2023
Código da obra CL 750417
CAE 721303 (AL) / 721302 (PR)
ISBN 9788508195749 (AL)
ISBN 9788508195756 (PR)
4ª edição
6ª impressão
De acordo com a BNCC.

Impressão e acabamento: Bercrom Gráfica e Editora

Uma publicação SOMOS EDUCAÇÃO

Apresentação

Como você viu nos três primeiros anos, a Matemática é parte importante de sua vida. Ela está presente na escola, em sua casa e em todo lugar.

Neste ano você vai conhecer mais um pouquinho dos números, das operações, das sequências, das figuras geométricas, das grandezas e medidas, das tabelas e dos gráficos: o mundo da Matemática.

Neste livro, você vai encontrar atividades, jogos, brincadeiras, desafios e problemas para pensar, inventar e resolver. Com isso, você descobrirá cada vez mais a beleza do mundo da Matemática.

Espero que você goste, pois este livro foi feito para você com muito carinho.

Um abraço bem forte.

O autor

Conheça seu livro

Veja a seguir como seu livro de Matemática está organizado. Depois, com um colega, folheie o livro e descubra tudo o que está apresentado nestas páginas.

Abertura de Unidade
Este livro é dividido em 9 unidades.

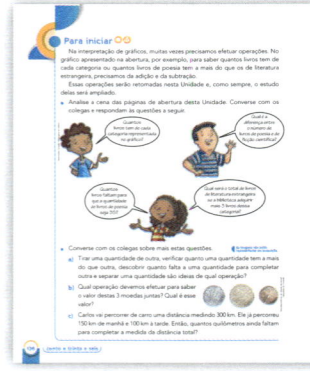

Para iniciar
Atividades que possibilitam a você um primeiro contato com o que será estudado na Unidade.

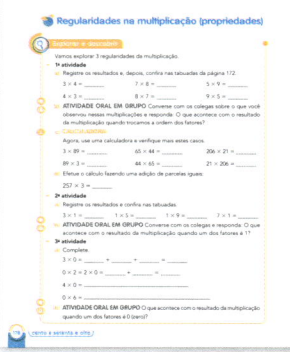

Explorar e descobrir
Atividades concretas e de experimentação que o incentivam a investigar, refletir, descobrir, sistematizar e concluir as situações propostas.

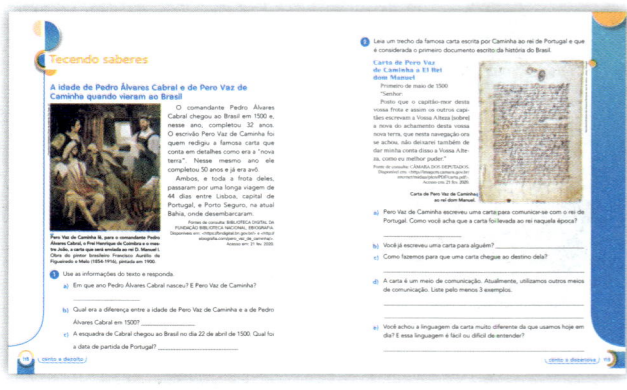

Tecendo saberes
Seção interdisciplinar que incentiva a reflexão sobre a importância da sua atuação como cidadão participativo e integrado à sociedade.

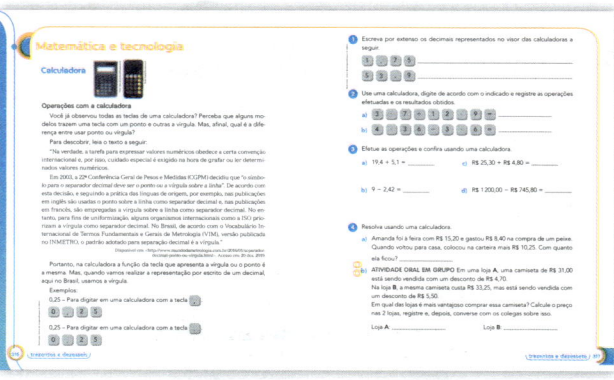

Matemática e tecnologia
Seção para explorar a tecnologia, introduzindo o uso de calculadora e de *softwares* livres.

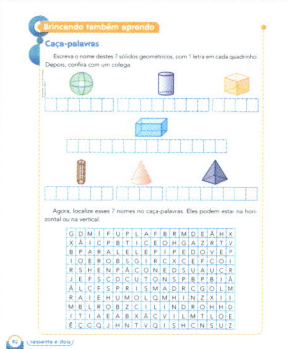

Brincando também aprendo
Incentiva o trabalho cooperativo por meio de atividades lúdicas.

Com a palavra...
Entrevista com um profissional que usa conceitos da Matemática no dia a dia.

Desafio
Atividades de maior complexidade para testar seu conhecimento e sua criatividade.

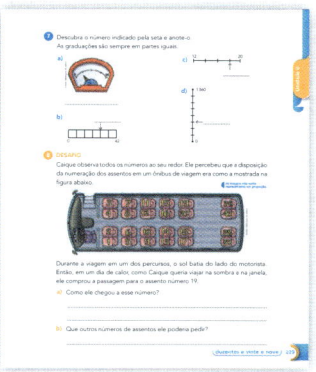

Glossário
Pequeno dicionário ilustrado de termos matemáticos para você consultar sempre que precisar.

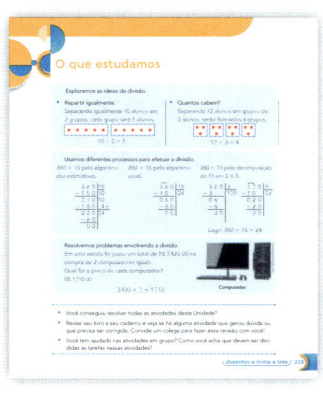

Vamos ver de novo?
Atividades para rever e fixar conceitos estudados na Unidade e em Unidades anteriores.

Material complementar
Acompanha o Livro do Aluno:

Ápis Divertido
Materiais para destacar, montar, manipular, aprender e se divertir.

Caderno de Atividades
Apresenta atividades para aprender melhor os conteúdos de cada Unidade.

O que estudamos
Resumo dos principais conteúdos da Unidade.

Ícones

 Atividade em grupo

 Atividade em dupla

 Pesquise

 Atividade oral

 Calculadora

cinco 5

Sumário

O mundo da Matemática 10
Eu e a Matemática 11

UNIDADE 1 — Sistemas de numeração 12

Para iniciar 14
Um pouco da história dos números 15
Sistema de numeração egípcio 16
Sistema de numeração maia 18
Sistema de numeração romano 19
Sistema de numeração decimal 21
Centenas, dezenas e unidades 23
Os números e suas ordens 27
Depois do 999 vem o 1 000 (mil) 30
Novas ordens 35
    A ordem das unidades de milhar (4ª ordem) 35
    A ordem das dezenas de milhar (5ª ordem) 38
    A ordem das centenas de milhar (6ª ordem) 39
Tecendo saberes 41
Depois do 999 999 vem o 1 000 000 (um milhão) 43
Arredondamentos 47
Vamos ver de novo? 49
O que estudamos 51

UNIDADE 2 — Geometria 52

Para iniciar 54
Sólidos geométricos 55
Classificação dos sólidos geométricos 57
    Prismas 60
    Pirâmides 61
Brincando também aprendo 62
Regiões planas 63
Simetria 68
    Figura simétrica e eixo de simetria 68
    Simétrica de uma figura 71
Contornos de regiões planas 73
Segmentos de reta 75
Polígonos 77
    Lados e vértices de um polígono 78
    Classificação dos polígonos quanto ao número de lados 79
    Geometria com palitos 81
Ângulos 82
    Ângulos de um polígono 85
    Ângulos e dobraduras 86
Regiões planas poligonais 87
Deslocamentos 88
Mais atividades e problemas 91
Vamos ver de novo? 95
O que estudamos 96

UNIDADE 3 — Massa, capacidade, intervalo de tempo e temperatura 98

Para iniciar 100
Medidas de massa ("peso") 101
Medidas de capacidade 104
Medida de intervalo de tempo 107
   Horas, minutos e segundos 107
   O tempo no dia a dia 112
   O dia, a semana, o mês e o ano 113
   O uso do calendário 117
Tecendo saberes 118
Medida de temperatura 120
Mais atividades e problemas 123
Vamos ver de novo? 130
O que estudamos 132

UNIDADE 4 — Adição e subtração com números naturais 134

Para iniciar 136
Adição com números naturais 137
   Revendo as ideias da adição:
   juntar e acrescentar 137
   Adição: cálculo mental, arredondamento
   e resultado aproximado 141
Arredondamentos e resultados
aproximados na adição e na subtração 142
Subtração com números naturais 145
   Revendo as ideias da subtração:
   tirar, comparar, completar e separar 145
   Subtração: cálculo mental,
   arredondamento e resultado aproximado 149
Mais atividades com adição e subtração 151
Relacionando a adição e a subtração:
operações inversas 153
Brincando também aprendo 155
Mais atividades e problemas 156
Tecendo saberes 162
Vamos ver de novo? 164
O que estudamos 165

UNIDADE 5 — Multiplicação com números naturais 166

Para iniciar 168
Ideias da multiplicação 169
Multiplicação por 10, 100 e 1 000 173
Cálculo mental, arredondamento
e resultado aproximado 175
Regularidades na multiplicação
(propriedades).. 178
Multiplicação: algoritmo
da decomposição.. 181
Algoritmo usual da multiplicação:
um dos fatores é formado por
apenas 1 algarismo 183
Algoritmos da multiplicação:
os 2 fatores com mais de 1 algarismo 185
   Um dos fatores é dezena,
   centena ou unidade de milhar exata 185
   Nenhum dos fatores é dezena,
   centena ou unidade de milhar exata 186
Uso do dinheiro em reais e centavos............... 189
Mais atividades e problemas 191
Vamos ver de novo? 195
O que estudamos 197

UNIDADE 6 — Divisão com números naturais 198

Para iniciar 200
Divisão com números naturais 201
   Revendo as ideias da divisão 201
Relacionando a multiplicação
e a divisão: operações inversas 207
Divisão por números com
mais de 1 algarismo 208
Divisão: cálculo mental, arredondamentos
e resultado aproximado 209
Com a palavra... 214
Estratégias para efetuar a divisão 215
Brincando também aprendo 225
Atividades e problemas
com as 4 operações 226
Vamos ver de novo? 232
O que estudamos 233

UNIDADE 7 — Comprimento e área 234

Para iniciar 236
Medida de comprimento e medida de perímetro 237
Reprodução, ampliação e redução de figuras 240
Medida de comprimento com unidades padronizadas de medida 241
- O centímetro (cm) 241
- O milímetro (mm) 243
- O metro (m) 245
- O quilômetro (km) 247

Brincando também aprendo 249
Tecendo saberes 250
Medida de área 252
- Unidades não padronizadas de medida de área 252
- Unidades padronizadas de medida de área 254

Medida de perímetro e medida de área 258
Mais atividades e problemas 260
Vamos ver de novo? 265
O que estudamos 267

UNIDADE 8 — Frações 268

Para iniciar 270
Situações que envolvem frações 271
Comparação de frações 279
Adição e subtração de frações 282
Probabilidade 285
Porcentagem 286
Mais atividades e problemas 287
Matemática e tecnologia 292
Vamos ver de novo? 294
O que estudamos 295

UNIDADE 9 — Decimais 296

Para iniciar 298
Decimais 299
- Décimos 299
- Decimais maiores do que 1 302
- Decimais e medida de comprimento: 1 décimo do centímetro 304
- Centésimos 305
- Decimais e medida de comprimento: 1 centésimo do metro 307
- Decimais e dinheiro: 1 centésimo do real 308
- Os décimos e os centésimos no sistema de numeração decimal 309

Comparação de decimais 312
Adição e subtração com decimais 314
Matemática e tecnologia 316
Mais atividades e problemas 318
Vamos ver de novo? 321
O que estudamos 325

Mensagem de fim de ano 326
Você terminou o livro! 327
Glossário 328
Bibliografia 343

Estúdio Mil/Arquivo da editora

O mundo da Matemática

Você já viu: em Matemática estudamos, entre outros assuntos, **números**, **operações**, **figuras geométricas**, **grandezas e medidas**, **tabelas** e **gráficos**.

- Registre aqui algo que você estudou no ano passado. Você pode escrever, desenhar, usar colagens, símbolos, etc.
  Depois, mostre aos colegas o que você fez e veja o que eles fizeram.

- O que você acha que vai aprender neste ano?

_____
_____
_____

Eu e a Matemática

As imagens não estão representadas em proporção.

Meu nome completo é: _____.

O meu nome tem _____ letras.

Meu endereço é: _____.

Número: _____   Casa/Apartamento: _____

Cidade: _____

Estado: _____

CEP: _____

Meu telefone é: (___) _____.

O dia do meu nascimento é: _____ de _____ de _____.

Minha idade é: _____ anos.

O "peso" com que nasci é: _____ quilogramas.

O "peso" que tenho agora é: _____ quilogramas.

A medida da minha altura é: _____ centímetros. O número do meu sapato é: _____.

Na minha casa moram _____ pessoas, contando comigo.

Há _____ alunos na minha turma.

Minha foto 3 × 4.

Um objeto da minha casa que tem a forma circular é: _____.

Agora, mostre aos colegas o que você escreveu e peça a eles que mostrem o que fizeram.

Unidade

1 Sistemas de numeração

Saturno

Urano

Netuno

Representação artística fora de escala e em cores fantasia.

- O que você vê nesta imagem?
- Você já tinha visto uma imagem como esta?
- Escolha 2 planetas desta imagem e conte para um colega as diferenças que você observa entre eles.

Para iniciar

Os planetas do Sistema Solar têm a forma que lembra uma esfera. Por isso, quando queremos falar do "tamanho" dos planetas, podemos usar a medida do diâmetro equatorial deles (veja a linha vermelha na imagem ao lado).

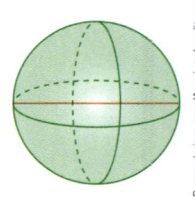

Podemos escrever essas medidas aproximadas, em quilômetros, usando números de 4, 5 ou 6 algarismos. Nesta Unidade vamos retomar os números naturais de até 4 algarismos e conhecer os números naturais de 5 algarismos.

- Analise a cena das páginas de abertura desta Unidade. Converse com os colegas e respondam às questões a seguir.

A medida do diâmetro equatorial do planeta Marte é de aproximadamente 6 794 km. Como se lê esse número?

A medida do diâmetro equatorial do planeta Mercúrio é de aproximadamente quatro mil, oitocentos e setenta e nove quilômetros. Como se escreve esse número apenas com algarismos?

A medida do diâmetro equatorial do planeta Vênus é de aproximadamente 12 104 km. Quantos algarismos tem esse número?

Fonte de consulta: PLANETÁRIO UFSC. Disponível em: <http://planetario.ufsc.br/o-sistema-solar/>. Acesso em: 17 fev. 2020.

- Converse com os colegas sobre mais estas questões.

   a) Ao longo do tempo, todos os povos representaram os números da mesma forma? O número cinco, por exemplo, sempre foi representado por **5**?

   b) Que número natural vem imediatamente depois do 9? E do 99? E do 999? E do 9 999?

   c) Leia os números dados no item **b**, todos formados com o algarismo 9.

catorze ou quatorze

Um pouco da história dos números

A ideia de número surgiu quando o ser humano sentiu necessidade de contar e comparar quantidades.

Observe nestas imagens alguns dos primeiros registros para o número 6 (seis) feitos pelo ser humano.

As imagens não estão representadas em proporção.

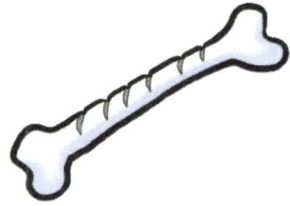
Marcas em osso.

Nós em corda.

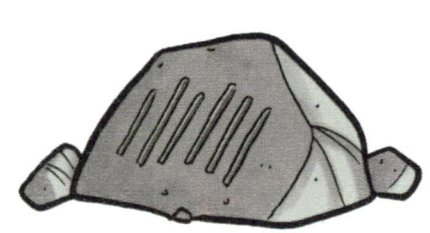
Lascas em rocha.

Pedrinhas.

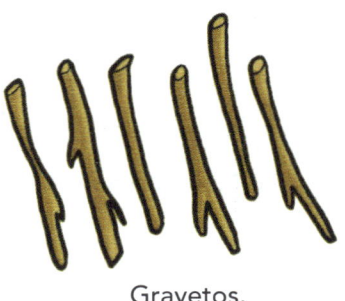
Gravetos.

Com o passar do tempo, algumas civilizações criaram sistemas de numeração com símbolos e regras para representar os números.

Veja o número 6 (seis) representado nos sistemas de numeração egípcio, maia e romano.

Egípcio.

Maia.

Romano.

quinze 15

Sistema de numeração egípcio

Os egípcios usavam 1 risco para representar o número 1, 2 riscos para representar o número 2, e assim por diante, até o número 9.

Um. Dois. Três. Quatro. Cinco. Seis. Sete. Oito. Nove.

Para representar o 10 e o 100, eles usavam os símbolos ao lado.

Dez. Cem.

Veja alguns números escritos no sistema de numeração que usamos e no sistema de numeração dos egípcios.

5 → ||||| 23 → ∩∩||| 104 → ℓ|||| 232 → ℓℓ∩∩∩||

Para os egípcios, a posição dos símbolos na representação do número não tinha importância. Eles podiam escrever o número 135, por exemplo, de várias maneiras.

ℓ∩∩∩||||| ou |ℓ∩∩|||||∩ ou |ℓ|∩|∩|∩|

Saiba mais

Mapa do continente africano

Adaptado de: IBGE. **Atlas geográfico escolar**. 6. ed. Rio de Janeiro: IBGE, 2012.

Egito
Capital: Cairo.
Idioma oficial: árabe.
Moeda: libra egípcia.
Clima: árido subtropical.

No verão egípcio, no litoral do mar Vermelho, a temperatura chega a 43 °C.

Praia de Sharm el-Sheikh, no mar Vermelho, Egito. Foto de 2020.

1 Escreva o número de vasos no sistema de numeração que usamos e no sistema de numeração dos egípcios. _____

Vasos.

2 PESQUISA

a) O Egito é um país localizado em que continente? _____

b) Qual é o nome do importante rio que atravessa o Egito? _____

c) O Egito está localizado na região de um deserto muito famoso. Qual é o nome dele? _____

3 Escreva com símbolos egípcios.

a) 3 → _____

b) 31 → _____

c) 137 → _____

d) 207 → _____

e) 723 → _____

f) 330 → _____

4 Traduza os números do sistema de numeração dos egípcios para os números correspondentes no sistema de numeração que usamos.

a) ||||| → ____

b) ∩||| → ____

c) ℓℓ∩| → ____

d) ℓℓℓℓℓ∩||||| → ____

e) ℓℓℓ||||| → ____

f) ℓ∩∩ → ____

Sugestão de... Livro
Egito antigo e Mesopotâmia para crianças.
Marian Broida. Rio de Janeiro: Zahar, 2002.

5 Complete usando os símbolos egípcios.

∩∩∩||||| mais ∩||||| é igual a _____.

Sistema de numeração maia

Atualmente, mais de 7 milhões de descendentes dos maias vivem em estados do México e também em alguns países da América Central (Belize, Guatemala, Honduras e El Salvador).

Famosos por seus conhecimentos em arquitetura, arte, matemática e agronomia, os maias criaram o próprio sistema de numeração. Usando pontos e traços, escreviam os números de 1 a 19 de maneira muito simples. Observe.

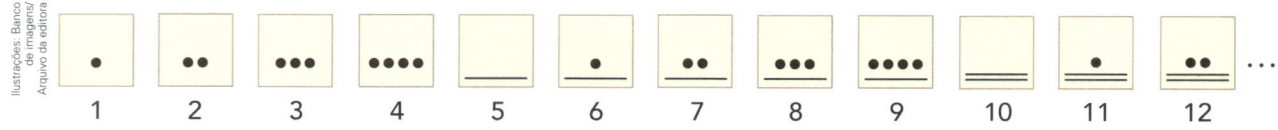

1 Escreva estes números no sistema de numeração maia.

a) 4 ⟶ _____

b) 8 ⟶ _____

c) 15 ⟶ _____

d) 17 ⟶ _____

2 Agora, escreva estes números no sistema de numeração que usamos.

a) ••• ⟶ _____

b) •••• ⟶ _____

c) ••• (sobre dois traços) ⟶ _____

d) •••• (sobre três traços) ⟶ _____

3 FAÇA DO SEU JEITO!

Complete usando os símbolos maias. Depois, veja como os colegas fizeram.

═ menos ••• é igual a _____ .

Sistema de numeração romano

Os romanos usavam letras maiúsculas para representar os números. Veja.

I	V	X	L	C	D	M
1	5	10	50	100	500	1 000

Os símbolos romanos são usados até hoje, mas em poucas situações. Por exemplo, em alguns relógios e na indicação dos séculos e às vezes em capítulos de livros.

Com as regras a seguir, podemos escrever os números de 1 a 39 no sistema de numeração romano usando os símbolos I, V e X.

- Os símbolos I e X podem ser repetidos até 3 vezes.

I	II	III	X	XX	XXX
1	2	3	10	20	30

Relógio da Abadia de Westminster, em Londres, Inglaterra. Foto de 2014.

- I à esquerda do V e à esquerda do X indica subtração.

    IV → 4 (5 − 1)   IX → 9 (10 − 1)

- I, II e III à direita do V indicam adição.

    VI → 6 (5 + 1)   VII → 7 (5 + 2)   VIII → 8 (5 + 3)

- Nos demais números, usa-se a decomposição.

    14 → 10 + 4 → XIV   37 → 30 + 7 → XXXVII
                10 4   30 7

1 Complete o quadro com números de 1 a 39 no sistema de numeração romano.

I	II								
								XXII	
			XXX						

2) Escreva os números abaixo no sistema de numeração que usamos. Depois, confira com os colegas.

a) XV → _____
b) XXXIV → _____
c) XXII → _____
d) XIX → _____
e) XXXVIII → _____
f) XXXIX → _____

3) Descubra uma regularidade e continue. Depois, veja como os colegas fizeram.

a) | V | X | XV | | | | |

b) | XXII | XX | XVIII | | | | | | |

4) Reescreva os números com símbolos romanos.

a) Capítulo nove. _____
b) Século dezenove. _____
c) Dom João Sexto. _____
d) Praça Quinze. _____

Retrato de dom João VI. 1816. Jean-Baptiste Debret. Óleo sobre tela, 64 cm × 55 cm. Acervo do Museu Histórico Nacional, Rio de Janeiro.

5) Escreva os números indicados nos itens usando o sistema de numeração romano.

a) O dia e o mês de seu aniversário. _____
b) A data de hoje (dia e mês). _____
c) O número desta página do livro. _____
d) O século em que estamos. _____

6) **ATIVIDADE ORAL**

a) Qual é o nome atual do país que fica na região onde o sistema de numeração romano foi criado?
Dica: sua forma lembra uma bota.

b) Em que continente esse país fica?
Converse com os colegas e depois confiram em um atlas.

Mapa

Adaptado de: IBGE. **Atlas geográfico escolar**. 6. ed. Rio de Janeiro: IBGE, 2012.

Sistema de numeração decimal

No início desta Unidade você conheceu alguns sistemas de numeração utilizados ao longo da História.

Agora vamos estudar o **sistema de numeração decimal**, que é o sistema usado atualmente no mundo todo. Ele recebe esse nome porque trabalha com grupos de 10.

Ele foi inventado pelos hindus, na Índia, e aperfeiçoado e divulgado para o resto do mundo pelos árabes. Por isso, também pode ser chamado **sistema indo-arábico de numeração decimal**.

Inicialmente, você vai rever os números naturais até 9 999, onde e como eles são usados, para depois conhecer outros números. Lembre-se: os números naturais são os da sequência 0, 1, 2, 3, 4, 5, 6, 7, ...

1 Indique como cada número está sendo usado. Escreva **contagem**, **medida**, **ordem** (ou **posição**) ou **código**.

As imagens não estão representadas em proporção.

a)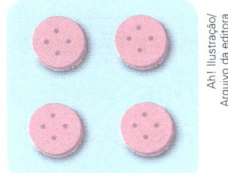
4 botões.

d)
Ônibus.

b) Maio é o 5º mês do ano.

e) Esta escada tem 3 degraus.

Escada.

c)
1 litro de leite.

f)
Termômetro de rua.

2 DESAFIO

Há 3 alunos disputando uma corrida. Beto está na frente de Paulo. Lucas não é o primeiro e Paulo não é o terceiro. Qual é a ordem em que eles estão?

3 NÚMEROS E GRÁFICOS

A turma de André vai participar de uma gincana e resolveu escolher a cor da camiseta que todos vão usar para identificar o grupo. Para isso, a turma organizou uma **pesquisa de opinião** com a seguinte pergunta:

> Qual cor de camiseta você prefere: roxa, laranja, verde ou azul?

As respostas obtidas foram registradas em um **gráfico de barras**.

Uma pesquisa como esta faz parte de um assunto chamado **Estatística**.

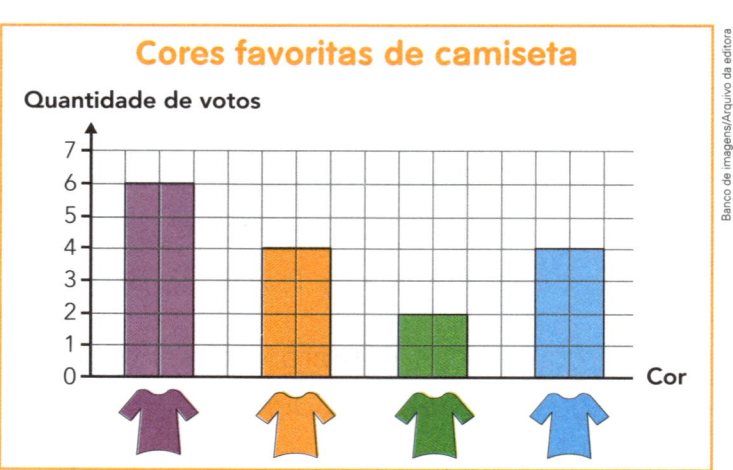

Gráfico elaborado para fins didáticos.

Observando o gráfico, foram obtidas diversas informações: verde foi a cor menos votada, a cor laranja teve 4 votos, e assim por diante.

a) Responda a estas questões relativas à pesquisa.

- Quantas pessoas votaram? _____
- Quantos votos a cor azul teve? _____
- Qual cor teve a metade dos votos da cor laranja? _____
- Qual foi a cor escolhida para a camiseta? Por quê? _____

b) **ATIVIDADE EM GRUPO**

- Formulem, registrem no caderno e respondam a mais algumas questões referentes a essa pesquisa.
- Façam essa mesma pesquisa em sua turma e construam o gráfico correspondente no caderno.
- Escrevam no caderno um texto-síntese sobre a pesquisa que vocês fizeram com sua turma. Nesse texto, descrevam como vocês fizeram a pesquisa, quantas pessoas responderam e quais foram os resultados obtidos.

Centenas, dezenas e unidades

1 Complete com o valor de cada peça do material dourado.

1 unidade. 1 dezena ou _____ unidades. 1 _____ ou _____ dezenas ou _____ unidades.

2 Veja como foram agrupadas as miniaturas.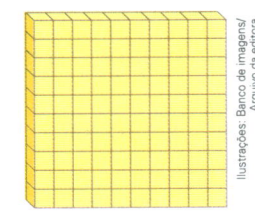

a) Quantos grupos foram formados? _____

b) Quantas miniaturas há em cada grupo? _____

c) Sobraram miniaturas? Quantas? _____

d) Quantas miniaturas há ao todo? _____

e) Complete.

D	U

3 Complete.

a) O Brasil tem _____ estados e o Distrito Federal, onde fica Brasília, a capital do Brasil.

b) Decomponha o número do item **a**:

_____ = _____ + _____

c) Escreva esse número por extenso. _____

d) Nesse número, o algarismo das dezenas é _____ e o das unidades é _____.

e) Escreva o número representado com o material dourado.

D	U

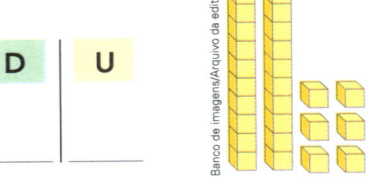

Brasil político

Adaptado de: IBGE. **Atlas geográfico escolar**. 6. ed. Rio de Janeiro: IBGE, 2012.

vinte e três 23

4 No mercado central das cidades é comum as laranjas serem vendidas em caixas com 100 unidades, em pacotes com 10 unidades e em unidades avulsas.

a) Escreva o número de laranjas indicado em cada item.

- 1 caixa, 6 pacotes e 9 laranjas avulsas. _____
- 3 caixas e 2 laranjas avulsas. _____
- 1 caixa e 20 pacotes. _____

Pacote com 10 laranjas.

b) Agora, escreva esses 3 números em ordem crescente. _____

5 Escreva os números representados pelo material dourado.

a) _____

b) _____

6 Escreva a quantia indicada em cada item.

As imagens não estão representadas em proporção.

a) _____

b) _____

c) _____

7 **ATIVIDADE ORAL EM GRUPO** Converse com os colegas e, usando o dinheiro das páginas 3 a 14 do **Ápis divertido**, façam um levantamento de 4 maneiras diferentes de fazer um pagamento de R$ 200,00 usando apenas notas de R$ 100,00 e de R$ 10,00 e moedas de R$ 1,00.

Em pelo menos uma das maneiras devem ser usadas notas dos 2 tipos e moedas. Registre aqui.

_____

_____

_____

8 Observe a representação da centena, da dezena e da unidade com desenhos de fichas.

Centena. (100) Dezena. (10) Unidade. (1)

Agora, faça desenhos de fichas para representar os números dos itens **a** e **b** e escreva o número representado no item **c**.

a) 26

b) 206

c) _____

9 **NÚMEROS E MEDIDAS**

A onça-pintada é um mamífero carnívoro e é um símbolo da fauna brasileira.

Ela também é encontrada em outros países da América do Sul e da América Central.

No Brasil já foi encontrada uma onça-pintada que media 185 centímetros de comprimento e pesava 158 quilogramas. Complete os dados sobre essas medidas.

Onça-pintada *(Panthera onca)*.

Comprimento (em centímetros)

Número: _____

Decomposição do número: _____

Leitura: _____

"Peso" (em quilogramas)

Número: _____

Decomposição do número: _____

Leitura: _____

Onça-pintada,
Quem foi que te pintou?
A velha borralheira
que aqui passou!

Cantiga popular.

10 Escreva os números que faltam em cada reta numerada.

a) ────┼────┼────┼────┼────┼────▶
     180 190   220

b) ────┼────┼────┼────┼────┼────▶
                      600   700

11 José comprou um fogão usando 5 notas de R$ 100,00, 2 notas de R$ 10,00 e 3 moedas de R$ 1,00. Ele não recebeu troco.

a) Quanto custou o fogão? _____

b) Decomponha esse número. _____

c) Complete: _____ = _____ centenas + _____ dezenas + _____ unidades

d) Escreva como se lê esse número. _____

Fogão.

12 Escreva os números correspondentes.

a) Cento e setenta e um. ⟶ _____

b) 7 centenas, 3 dezenas e 9 unidades. ⟶ _____

c) 400 + 30 + 7 ⟶ _____

d) ⟶ _____

e) 20 dezenas. ⟶ _____

f) 900 + 5 ⟶ _____

13 POSSIBILIDADES

Caio, que gosta de brincar com números, propôs este desafio para Bete.
"Você é capaz de escrever, em ordem crescente, todos os números que podemos representar com os algarismos 3, 6 e 8?
Mas atenção! Os números devem atender a estas 2 condições ao mesmo tempo:

- eles podem ter 1, 2 ou 3 algarismos;
- eles não podem ter algarismos repetidos."

Ajude Bete e escreva os números que Caio pediu.

Sugestão de...
Livro
O presente de aniversário do marajá.
James Rumford. São Paulo: Brinque-Book, 2004.

26 vinte e seis

Os números e suas ordens

Os símbolos que usamos no sistema de numeração decimal são chamados **algarismos** ou **dígitos**. Em um número, cada algarismo ocupa uma **posição**, que determina a **ordem** dele. As ordens dos números são consideradas da direita para a esquerda, e cada ordem recebe um nome especial. Por exemplo, ordem das unidades, ordem das dezenas, etc.

Saiba mais

Em 2019, o edifício mais alto do Brasil era o Infinity Coast Tower. Localizado na cidade de Balneário Camboriú, em Santa Catarina, ele tem 234 metros de medida de altura.

Também em 2019, o edifício mais alto do mundo era o Burj Khalifa, em Dubai, com 828 metros de medida de altura.

Edifício Infinity Coast Tower, em Balneário Camboriú, Santa Catarina. Foto de 2020.

O número 234 é formado por 3 algarismos. Portanto, nele há 3 ordens. Observe.

234
- 1ª ordem, ou ordem das **unidades** — 4 unidades
- 2ª ordem, ou ordem das **dezenas** — 3 dezenas = 30 unidades
- 3ª ordem, ou ordem das **centenas** — 2 centenas = 20 dezenas = 200 unidades

Veja no quadro de ordens.

3ª ordem: das centenas	2ª ordem: das dezenas	1ª ordem: das unidades
Centena	Dezena	Unidade
2	3	4

1) Escreva a ordem e o valor que cada algarismo representa nos números indicados.

a) 8 2 8

1ª ordem: _____

2ª ordem: _____

3ª ordem: _____

b) 2 1 7

c) 3 0 4

2) Responda.

a) Qual é o maior número natural de 3 ordens? _____

b) Qual é o menor número natural de 3 ordens? _____

c) Qual é o menor número natural de 3 ordens com algarismos distintos? _____

d) Qual é o maior número natural de 3 ordens com algarismos distintos? _____

3) Marina representou um número usando o material dourado. Complete o quadro com os algarismos do número representado. Depois, complete as frases.

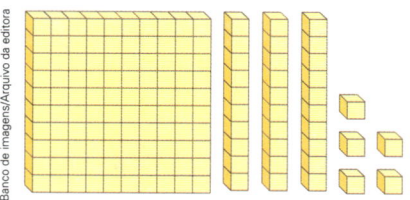

3ª ordem: das centenas	2ª ordem: das dezenas	1ª ordem: das unidades
Centena	Dezena	Unidade

a) O número representado foi _____. Ele tem _____ ordens.

b) A escrita desse número por extenso é _____.

c) O sucessor desse número é _____ e o antecessor dele é _____.

28 vinte e oito

4 NÚMERO NATURAL PAR E NÚMERO NATURAL ÍMPAR

a) ATIVIDADE ORAL EM GRUPO Você se lembra de como reconhecer se um número natural é par ou ímpar? Converse com os colegas sobre isso e, depois, complete.

- Um número é par quando o algarismo das unidades é _____.
- Um número é ímpar quando o algarismo das unidades é _____.

b) Agora, escreva se cada número é par ou ímpar.

471 _____   15 972 _____

388 _____   153 _____

1 705 _____   35 000 _____

16 _____   849 _____

5 COMPARAÇÃO DE NÚMEROS NATURAIS

Coloque o sinal > (maior do que), < (menor do que) ou = (igual a) entre os números naturais.

a) 280 _____ 208

b) 31 335 _____ 31 533

c) 124 _____ 98

d) 696 _____ 696

e) 3 428 _____ 4 425

f) 6 378 _____ 18 730

6 A medida da altura dos jogadores do time Cestinhas de Ouro é: 196 cm, 208 cm, 189 cm, 193 cm e 202 cm.

a) Escreva a medida da altura desses jogadores em ordem crescente.

_____

b) Quais desses 5 números são números naturais ímpares? _____

7 Responda.

a) Qual é o maior número par de 5 algarismos diferentes? _____

b) E qual é o menor número ímpar de 5 algarismos diferentes? _____

Depois do 999 vem o 1000 (mil)

 Você sabia que **1 milênio** é um período de **1 000 anos**?

 Não, mas li que o Pelé completou 1 000 gols e depois ainda fez mais 282 gols.

 Eu sei que 1 quilômetro tem 1 000 metros.

1 Complete, sempre adicionando 1.

a) 9 + 1 → ☐   99 + 1 → ☐   999 + 1 → ☐

b) 997, 998, 999, 1 000, 1 001, ☐, ☐, ☐, ☐.

2 Vamos indicar o número 1 000 (mil) de várias formas. Complete.

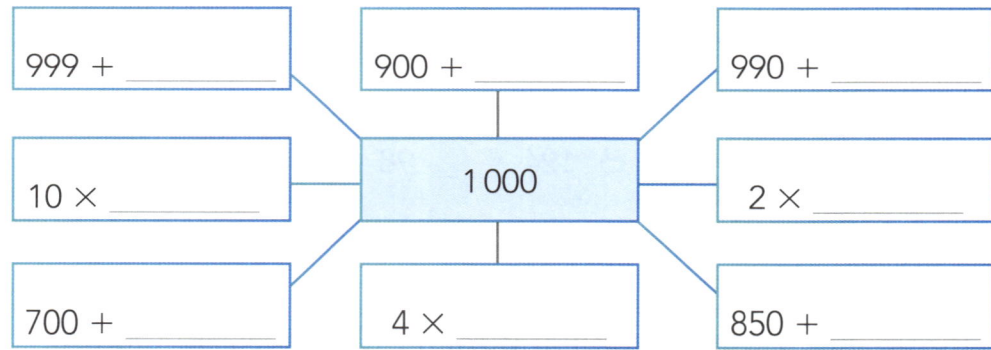

3 Veja alguns exemplos de como podemos expressar grandes quantidades.

- **Milhares de pessoas** foram à exposição.
- Já falei **mil** vezes!
- Você é nota **mil**!

> Terra adorada,
> Entre outras mil,
> És tu, Brasil,
> Ó Pátria amada!
> Hino Nacional Brasileiro.

Escreva outra frase com **mil** ou **milhares**. Depois, veja o que os colegas escreveram e copie a frase que você achar mais interessante.

Explorar e descobrir

O NÚMERO 1000 NAS MEDIDAS DE COMPRIMENTO

- Pegue uma fita métrica e observe-a. Depois, complete.

  1 metro = _____ centímetros e 1 centímetro = _____ milímetros

  Então: 1 metro = _____ × _____ milímetros = _____ milímetros

  Em símbolos: 1 m = _____ mm

- Para ter ideia do significado de 1 quilômetro, pense em 10 quarteirões de uma rua, de 100 metros cada um. Agora, complete.

  1 quilômetro = 10 × _____ metros = _____ metros

  Em símbolos: _____

4 PESQUISA

O NÚMERO 1000 NAS MEDIDAS DE MASSA

a) Pesquise os valores das unidades de medida de massa. Depois, complete as igualdades.

- 1 quilograma = 1 000 _____
- 1 grama = 1 000 _____
- 1 tonelada = 1 000 _____

Quilo quer dizer mil. Então, quilograma significa 'mil gramas'.

b) Reescreva as 3 igualdades acima usando os símbolos kg (quilograma), g (grama), mg (miligrama) e t (tonelada).

_____   _____   _____

5 O NÚMERO 1000 NAS MEDIDAS DE CAPACIDADE

O litro (L) e o mililitro (mL) são as unidades mais usadas nas medidas de capacidade.

Complete a segunda igualdade.

1 L = 1 000 mL   meio litro = _____ mililitros

6 Veja o número 1 000 representado com material dourado. É um cubo grande.

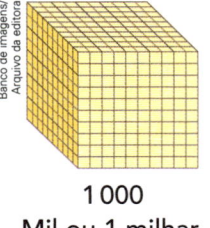

1 000
Mil ou 1 milhar.

a) Complete.

São _____ unidades.

São _____ dezenas (_____ × 10 = 1 000).

São _____ centenas (_____ × 100 = 1 000).

b) Agora, observe os 2 exemplos e faça os demais.

- 2 × 1 000 = 1 000 + 1 000 = 2 000 (Lê-se: Dois mil.)
- 3 × 1 000 = 3 000 (Três mil.)
- 4 × 1 000 = _____
- 7 × 1 000 = _____
- 5 × 1 000 = _____
- 9 × 1 000 = _____
- 6 × 1 000 = _____
- 8 × 1 000 = _____

7 Veja o número 1 352 representado com o material dourado.

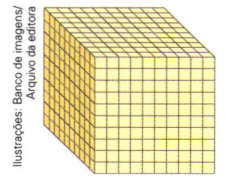 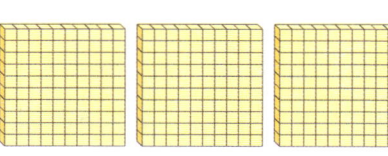 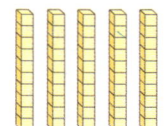

1 milhar (1 000),   3 centenas (300),   5 dezenas (50) e 2 unidades (2).

1 000 + 300 + 50 + 2 = 1 352   Leitura: Mil, trezentos e cinquenta e dois.

Faça o mesmo com o número representado abaixo.

_____

_____

8 **ATIVIDADE ORAL EM GRUPO** Determine os 2 números de cada item e coloque >, < ou = entre eles. Depois, leia as comparações com os colegas.

a) 3 000 + 200   1 000 + 1 500

c) 8 000 ÷ 2   3 000 + 1 001

b) 3 × 2 000   5 980 + 20

d) 9 002 − 3   8 995 + 6

9 Pense na sequência dos números naturais e complete.

a) 596, 597, 598, ___, ___, ___

b) 1 979, 1 980, 1 981, ___, ___, ___

c) 1 037, 1 038, 1 039, ___, ___, ___

d) 6 808, 6 809, 6 810, ___, ___, ___

e) ___, ___, 9 668, 9 667, 9 666

10 Veja o quadro com anos de importantes fatos da história do Brasil escritos por extenso. Escreva os números com algarismos.

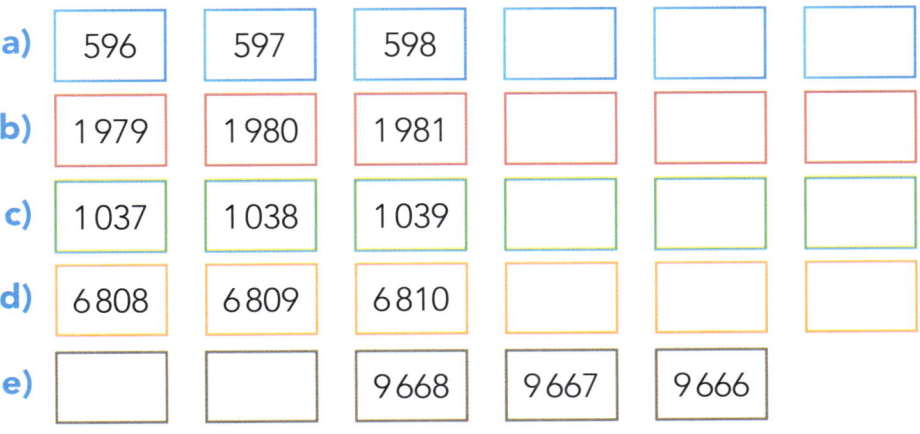

Bandeira do Brasil.

Chegada dos portugueses ao Brasil	Mil e quinhentos.	
Proclamação da Independência do Brasil	Mil, oitocentos e vinte e dois.	
Proclamação da República do Brasil	Mil, oitocentos e oitenta e nove.	
Eleita a 1ª mulher presidente do Brasil	Dois mil e dez.	

trinta e três 33

> **Saiba mais**
>
> O Jardim Botânico em Nova Odessa (São Paulo) é o maior da América Latina e abriga aproximadamente 4 080 variedades vegetais.
>
> Fonte de dados: <https://www1.folha.uol.com.br/sobretudo/morar/2018/06/1972087-nova-odessa-conserva-acervo-de-plantas-raras-em-jardim-botanico.shtml>. Acesso em: 18 fev. 2020.

Vista parcial do Jardim Botânico, em Nova Odessa, São Paulo. Foto de 2015.

11 Escreva como se lê o número que aparece na informação do **Saiba mais**.

_____

12 Agora, escreva como se leem estes números.

a) 7 249 _____

b) 9 001 _____

13 Escreva os números usando algarismos.

a) Oito mil, cento e trinta e seis. _____

b) Nove mil e setenta. _____

c) Nove mil e setecentos. _____

d) Nove mil e sete. _____

14 ATIVIDADE ORAL EM DUPLA

Descubra o padrão de cada sequência e descreva-o para um colega. Depois, complete-a.

a) 1 027, 1 028, 1 029, _____, _____, _____, _____

b) 1 010, 1 020, 1 030, _____, _____, _____, _____

c) 1 500, 1 600, 1 700, _____, _____, _____, _____

d) 1 245, 2 245, 3 245, _____, _____, _____, _____

15 Complete os dados referentes à sua idade.

a) Eu nasci no ano de _____. Estamos no ano de _____.

b) Neste ano, completei ou vou completar _____ anos.

c) Vou completar 20 anos em _____.

d) Em 2030 vou completar _____ anos.

Novas ordens

A ordem das unidades de milhar (4ª ordem)

Rio São Francisco

Fonte de consulta: IBGE. **Atlas geográfico escolar**. 6. ed. Rio de Janeiro, 2012.

O rio mais longo do Brasil, situado totalmente no território nacional, é o São Francisco. Ele nasce em Minas Gerais e deságua no oceano Atlântico. O percurso dele tem 2 863 quilômetros.

Esse número é da ordem das **unidades de milhar**. Observe-o no quadro de ordens, como o lemos e qual é o valor de cada algarismo dele.

4ª ordem	3ª ordem	2ª ordem	1ª ordem
Unidade de milhar	Centena	Dezena	Unidade
2	8	6	3

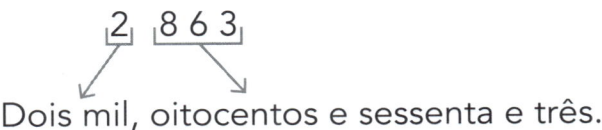

Dois mil, oitocentos e sessenta e três.

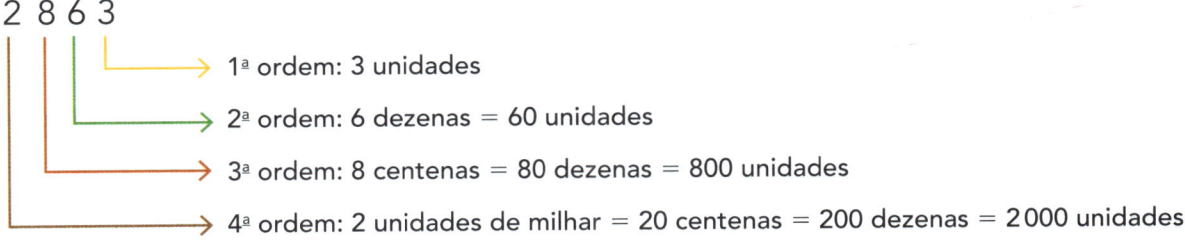

2 8 6 3
- 1ª ordem: 3 unidades
- 2ª ordem: 6 dezenas = 60 unidades
- 3ª ordem: 8 centenas = 80 dezenas = 800 unidades
- 4ª ordem: 2 unidades de milhar = 20 centenas = 200 dezenas = 2 000 unidades

Saiba mais

O rio São Francisco tem grande importância para a região Nordeste do país, pois permanece com um fluxo regular de água durante todo o ano, mesmo em períodos de seca na região.

Além disso, as águas desse rio abastecem diversas usinas hidrelétricas ao longo do percurso dele.

1) Escreva a decomposição do número 2 863.

_____

2) A água tem muitos usos. Além de servir para a produção de energia elétrica, ela é usada na produção de alimentos. Por exemplo: na irrigação de plantações, para dar de beber a animais, na indústria, etc.

Veja quantos litros de água são usados para produzir alguns alimentos e realize as atividades propostas.

Irrigação em plantação de morangos.

a) Para produzir 1 quilograma de açúcar refinado, são usados 1 782 litros de água.

Decomponha o número 1 782. _____

b) São usados 2 497 litros de água na produção de 1 quilograma de arroz sem casca.

Dê a ordem e o valor de cada algarismo em 2 497, de acordo com a posição dele, e escreva como se lê esse número.

3) **PESQUISA**

Descubra e escreva o ano em que um ser humano pisou na Lua pela primeira vez. _____

4) **FAÇA DO SEU JEITO!**

Há quantos anos o ser humano pisou na Lua pela primeira vez? Calcule, responda e, depois, veja como os colegas fizeram.

As imagens não estão representadas em proporção.

_____

Na foto tirada por Neil Armstrong é possível ver o reflexo dele e do módulo lunar no visor do capacete de Edwin Aldrin.

5) Use os algarismos 1, 2, 4 e 5, mas só uma vez cada um, e responda.

a) Qual é o maior número possível? _____

b) Qual é o menor número possível? _____

c) E qual é o maior número par? _____

d) Em qual desses números que você escreveu o 2 aparece na ordem das centenas? _____

6) NÚMEROS E MEDIDAS

Complete.

a) 3 m + 85 mm = _____ mm

b) 3 m + 85 cm = _____ cm

c) 7 t + 80 kg = _____ kg

d) 4 L + 200 mL = _____ mL

7) Responda considerando a sequência dos números naturais.

a) Qual é o sucessor do número 4 999? E o antecessor? _____

b) Qual é o sucessor de 6 010? E o antecessor? _____

c) Qual é o sucessor do sucessor de 3 675? _____

8) Complete.

Os portugueses chegaram ao Brasil no ano de 1500. No ano 2000 foram comemorados _____ anos do encontro entre portugueses e indígenas, e no ano 2025 serão comemorados _____ anos.

▸ **Desembarque de Pedro Álvares Cabral em Porto Seguro, em 1500.** 1922. Oscar Pereira da Silva. Óleo sobre tela, 190 cm × 330 cm. Museu Paulista da USP, São Paulo, SP.

A ordem das dezenas de milhar (5ª ordem)

Em toda a carreira como jogador de basquete profissional, o brasileiro Oscar Schmidt fez 49 737 pontos. Dá para imaginar essa quantidade de pontos?

Esse número é da ordem das **dezenas de milhar**. Observe-o no quadro de ordens e como o lemos.

5ª ordem	4ª ordem	3ª ordem	2ª ordem	1ª ordem
Dezena de milhar	Unidade de milhar	Centena	Dezena	Unidade
4	9	7	3	7

49 737

Quarenta e nove mil, setecentos e trinta e sete.

Jogador Oscar Schmidt durante partida nos Jogos Olímpicos de Atlanta, nos Estados Unidos, em 1996.

1 Considere o número 49 737.

a) Complete.

4 9 7 3 7

→ 1ª ordem: 7 unidades

→ 2ª ordem: 3 dezenas = 30 unidades

→ 3ª ordem: 7 _____ = 700 _____

→ 4ª ordem: 9 unidades de milhar = _____ unidades

→ _____ ordem: _____ = _____ unidades

b) Decomponha esse número. _____

2 Observe a marcação da quilometragem rodada por alguns carros.

I    II    III

a) Qual carro rodou mais? E qual rodou menos? _____

b) Escreva por extenso o número da quilometragem do carro III.

_____

c) Qual é o algarismo da 5ª ordem na quilometragem do carro II? E qual é o valor posicional desse algarismo? _____

A ordem das centenas de milhar (6ª ordem)

A distância média entre a Terra e a Lua é de 384 400 km.

Composição de imagens da Terra e da Lua obtidas por satélite.

Esse número é da ordem das centenas de milhar. Observe-o no quadro de ordens.

6ª ordem	5ª ordem	4ª ordem	3ª ordem	2ª ordem	1ª ordem
Centena de milhar	Dezena de milhar	Unidade de milhar	Centena	Dezena	Unidade
3	8	4	4	0	0

As imagens não estão representadas em proporção.

1 Considere o número 384 400 e responda.

a) Qual é sua decomposição? Qual é sua leitura?

_____

_____

b) Qual é seu algarismo de 6ª ordem e quanto ele representa?

_____

c) Qual é a ordem do algarismo 8 e qual é seu valor posicional?

_____

2 **ATIVIDADE ORAL EM GRUPO** A cidade de Petrolina, no estado de Pernambuco, é grande produtora de uva do Brasil. Ela exporta essa e outras frutas para o mundo inteiro.

Segundo a última estimativa da população brasileira (do IBGE, em 2019), Petrolina tinha 349 145 habitantes. Brinque de perguntas e respostas com os colegas sobre o número 349 145.

Plantação de uvas em Petrolina, Pernambuco.

> **Saiba mais**
>
> **Números palíndromos** ou **capicuas** são números cuja leitura da esquerda para a direita é igual à leitura da direita para a esquerda.
> Por exemplo, 343 e 12 521 são números palíndromos.
>
> 343   12 521
> →←   →←

3 Pinte os quadrinhos que têm números palíndromos.

| 4 554 | 13 931 | 32 233 | 20 102 | 755 |

4 Escreva o número de cada item e indique se ele é ou não é palíndromo.

a) Sete mil e sete. → _____

b) Doze mil e doze. → _____

c) 40 000 + 2 000 + 300 + 20 + 4 → _____

d) 7 × 10 000 + 6 × 100 + 7 → _____

e) Duzentos e seis mil, seiscentos e dois → _____

f) Duzentos e trinta mil, duzentos e trinta e dois → _____

g) 5 centenas de milhar + 5 centenas + 5 unidades → _____

5 DESAFIO

O século XX compreende os anos 1901 a 2000, e o século XXI vai de 2001 a 2100. Quais são os "anos palíndromos" desses séculos? _____

6 Complete.

a) O sucessor de 199 999 é _____.

b) O antecessor de 47 350 é _____.

c) O maior número natural de 6 algarismos é _____, e seu sucessor é _____, que lemos _____.

Tecendo saberes

Leia a tirinha.

1. Quem são os personagens principais da história?

2. Você sabe o que é uma sonda espacial e para que serve?

3. O que você sabe sobre os planetas e o Sistema Solar? Compartilhe com os colegas e o professor.

Representação artística de uma sonda espacial na superfície de Marte.

4. Observe duas imagens da Lua. Qual a diferença entre elas?

Quando algo está muito distante, não é possível ver seus detalhes sem o auxílio de equipamentos especiais, não é mesmo? Inclusive fica difícil saber quão grande é, ou seja, qual seu diâmetro equatorial.

Você acha que é possível construir em escala uma representação do Sistema Solar?

Você sabe o que é escala? Veja uma definição abaixo.

Escala: proporção entre as medidas de comprimento em um desenho, planta ou mapa geográfico e as medidas de comprimento reais correspondentes.

A tabela abaixo mostra a medida do diâmetro equatorial, em quilômetros, de cada planeta do Sistema Solar e do Sol e a medida do diâmetro, em centímetros, para a construção em escala.

Diâmetros equatoriais dos principais astros do Sistema Solar

Astro	Diâmetro equatorial	Diâmetro do astro na representação
Sol	1 390 000 km	292 cm
Mercúrio	4 879 km	1 cm
Vênus	12 103 km	2,4 cm
Terra	12 756 km	2,6 cm
Marte	6 794 km	1,4 cm
Júpiter	142 984 km	30 cm
Saturno	120 536 km	25,2 cm
Urano	51 118 km	10,8 cm
Netuno	49 538 km	10,4 cm

Fonte: <https://planetario.ufsc.br/o-sistema-solar/>. Acesso em: 2 dez. 2019.

Observe que, para construir uma representação em papel do Sistema Solar utilizando a escala da tabela, o círculo que representaria o Sol teria medida de diâmetro de 292 cm, que é o mesmo que 2,92 m.

Do mesmo modo, se quiséssemos representar o planeta Urano em papel, teríamos que recortar um círculo com 10,8 cm de diâmetro.

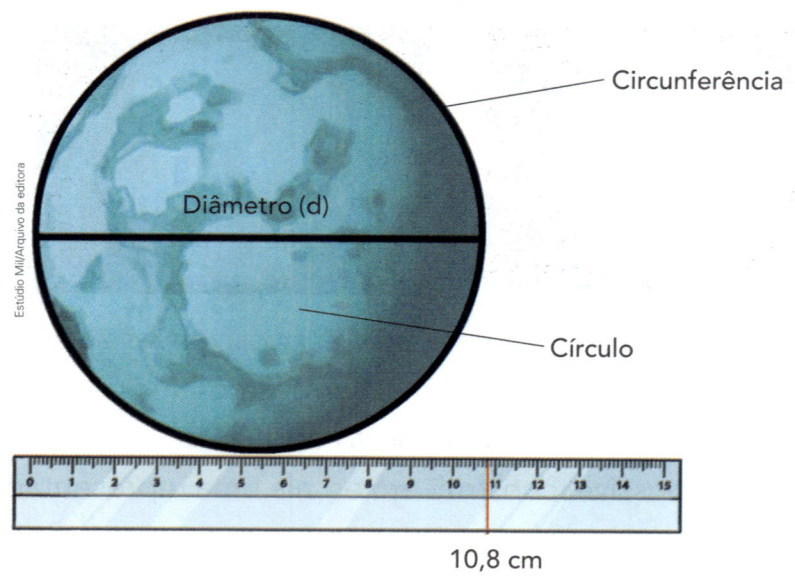

10,8 cm

5 Você consegue identificar qual critério foi utilizado para a organização dos planetas nessa tabela? Converse com os colegas e o professor.

Depois do 999 999 vem o 1 000 000 (um milhão)

Você sabia que o vencedor da corrida 500 Milhas de Indianápolis, da Fórmula Indy, recebe um prêmio de 1 milhão de dólares?

1 milhão! 1 000 000! Puxa, é muito dinheiro!

O piloto brasileiro Tony Kanaan, campeão das 500 Milhas de Indianápolis, em 26 de maio de 2013.

Pense bem na solução pra chegar a um milhão.
Quantos parafusos cabem dentro do avião?
Quantas horas pelos ares voa o gavião?

Quantos passos dá a formiga na volta do quarteirão?
Acho que passa de mil!
Acho que passa de um milhão!

As imagens não estão representadas em proporção.

1 Complete. Nos itens **a** e **b**, sempre somando 1, e no item **c**, sempre somando 100 000.

a) 9 + 1 = _____   99 + 1 = _____

999 + 1 = _____   9 999 + 1 = _____

99 999 + 1 = _____   999 999 + 1 = _____

b) 999 997, 999 998, 999 999, 1 000 000, 1 000 001, _____, _____, _____.

c) 500 000, 600 000, 700 000, _____, _____, _____, _____.

2 Represente com algarismos cada número, como no exemplo.

Dois milhões, trezentos e vinte mil e doze. ⟶ 2 320 012

a) Sete milhões e duzentos mil. ⟶ _____

b) Quinze milhões, sete mil e duzentos. ⟶ _____

Saiba mais

1 quilômetro quadrado é a medida de área de uma região quadrada que tem 1 quilômetro de lado.

3 A medida de área do Brasil é cerca de 8 515 767 quilômetros quadrados. Observe esse número no quadro de ordens e como o lemos.

7ª ordem	6ª ordem	5ª ordem	4ª ordem	3ª ordem	2ª ordem	1ª ordem
Unidade de milhão	Centena de milhar	Dezena de milhar	Unidade de milhar	Centena	Dezena	Unidade
8	5	1	5	7	6	7

8 515 767

Oito milhões, quinhentos e quinze mil, setecentos e sessenta e sete.

Escreva como se lê cada número abaixo.

a) A medida de área dos Estados Unidos é de aproximadamente 9 831 510 quilômetros quadrados.

_____

_____

b) A medida de área da Argentina é de aproximadamente 2 791 810 quilômetros quadrados.

_____

_____

Estados Unidos, Brasil e Argentina

Adaptado de: IBGE. **Atlas geográfico escolar**. 6. ed. Rio de Janeiro: IBGE, 2012.

4 Segundo o IBGE, em 2019 o estado de Goiás tinha a população estimada em 7 018 354 habitantes. Considere esse número de habitantes e complete.

a) Sua decomposição é: _____.

b) Sua leitura é: _____.

_____

c) O algarismo da 7ª ordem é 7 e representa _____.

d) A ordem do algarismo 1 é a 5ª ordem. Ele tem valor posicional _____.

5 A **Mona Lisa**, pintura feita entre 1503 e 1506 pelo italiano Leonardo da Vinci, é um dos quadros mais famosos do mundo. Em 1963 ele foi avaliado em **cem milhões** de dólares.

Represente com algarismos o número destacado e escreva quantas ordens ele tem.

Mona Lisa (ou La Gioconda). 1503-1506. Leonardo da Vinci. 77 cm × 53 cm. Tinta a óleo. Museu do Louvre, Paris, França.

6 **ATIVIDADE ORAL EM GRUPO** A 7ª ordem em um número natural é a ordem das unidades de milhão. Como você acha que são chamadas a 8ª e a 9ª ordens? Converse com os colegas.

7 Cada número indicado a seguir está relacionado a uma palavra. Determine esses números. Depois, escreva-os em ordem crescente e, com as palavras correspondentes nessa ordem, descubra qual é a frase formada.

a) 10 000 + 2 000 _____ ⟶ COMUNIDADE

b) 1 centena de milhar + 2 dezenas de milhar _____ ⟶ DEVEM

c) 1 unidade de milhar + 2 centenas _____ ⟶ ESCOLA

d) Um milhão e duzentos mil _____ ⟶ INTEGRADAS

e) 10 000 + 200 _____ ⟶ E

f) Um milhão e duzentos _____ ⟶ ESTAR

Na ordem crescente: _____

Frase: _____

8 É comum aparecer em textos de jornais e revistas a representação 1,5 milhão para 1 500 000 ou 3,6 mil para 3 600.

Indique os números em mais estes casos.

a) 1,5 mil: _____   b) 7,4 milhões: _____

9 NÚMEROS E FORMAS DE PAGAMENTO

a) O pai de Flávia comprou este *tablet* na loja Preço Baixo. Ele pagou com R$ 200,00 em dinheiro e o restante com um cheque.
A compra foi feita em Curitiba no dia 22/6/20. Escreva tudo o que é preciso para preencher o cheque.

Tablet. R$ 428,00

As imagens não estão representadas em proporção.

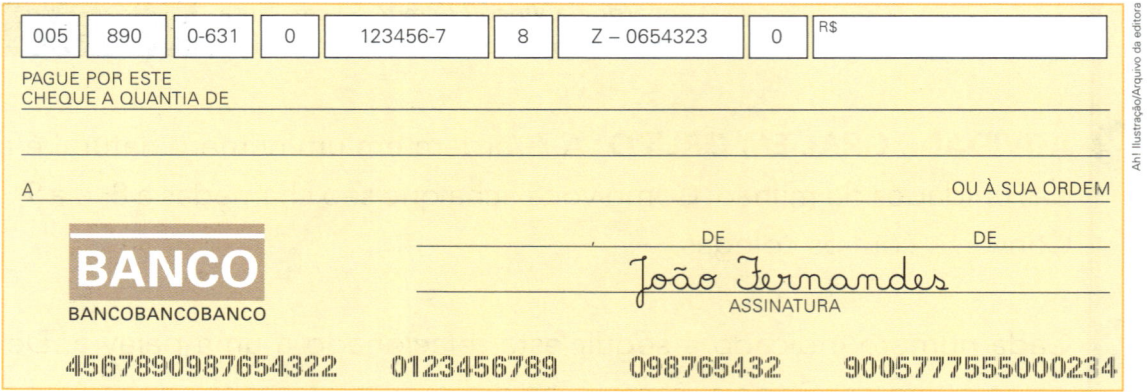

b) **ATIVIDADE ORAL** Além do pagamento com dinheiro e com cheque, é comum também o pagamento com cartão.
Como funciona o cartão de débito? E o cartão de crédito?

c) Roberto vai comprar uma televisão e pagar com cartão. Ele pode escolher entre 2 formas de pagamento: R$ 850,00 no cartão de débito ou 3 parcelas de R$ 300,00 no cartão de crédito. Quanto Roberto vai pagar a mais se ele optar pelo cartão de crédito? _____

Pagamento sendo feito com cartão de crédito.

10 Faça como no preenchimento de cheque.

a) Escreva a quantia de R$ 13 520,00 por extenso.

_____

b) Escreva a quantia de vinte mil e dois reais apenas com algarismos.

_____

Arredondamentos

Em muitas situações o valor aproximado de um número já é suficiente para dar uma informação. Por exemplo, podemos fazer um **arredondamento** da medida do diâmetro equatorial da Terra de 12 756 km para a unidade de milhar exata mais próxima. Temos, então, que a medida do diâmetro equatorial da Terra é de aproximadamente 13 000 km.

Veja outros exemplos de arredondamento.

- Denise mora na cidade de Rio Claro, que fica a 175 quilômetros da cidade de São Paulo. Ela costuma dizer que mora a aproximadamente 200 quilômetros de São Paulo.

  O número 200 é um **arredondamento** de 175 para a **centena exata mais próxima**.

  175 → 200
  175 está mais próximo de 200 do que de 100.

- Em um jogo de basquete, 3 160 pessoas pagaram ingresso e 3 986 pessoas estavam presentes. Podemos dizer que cerca de 3 000 pessoas são pagantes e cerca de 4 000 pessoas estavam presentes. Esses números são arredondamentos de 3 160 e 3 986 para a **unidade de milhar exata mais próxima**.

  3 160 → 3 000

  3 160 está mais próximo de 3 000 do que de 4 000.

  3 986 → 4 000

  Cerca de 4 000 pessoas estavam presentes, pois 3 986 está mais próximo de 4 000 do que de 3 000.

1 Arredonde os números para a ordem exata mais próxima da indicada.

a) 5̲141 → _____

b) 6 8̲78 → _____

c) 2 05̲3 → _____

d) 1 3̲895 → _____

e) 51 1̲04 → _____

f) 5 76̲9 → _____

Saiba mais

> As imagens não estão representadas em proporção.

O monte Everest é o mais alto do mundo, com 8 848 metros de medida de altura. Ele fica na fronteira do Nepal com o Tibete, país da Ásia.

A montanha mais alta do Brasil, com aproximadamente 2 993 metros, é o pico da Neblina. Ela está localizada no Amazonas, na fronteira do Brasil com a Venezuela.

Monte Everest, na fronteira do Nepal com o Tibete. Foto de 2015.

Pico da Neblina, no Amazonas. Foto de 2017.

2 Arredonde os números do **Saiba mais** para a unidade de milhar exata mais próxima e calcule quantos metros, aproximadamente, o monte Everest é mais alto do que o pico da Neblina.

_____ → _____   _____ → _____

_____

_____

3 Lucas procurava números nas informações do jornal e fazia arredondamentos para a unidade de milhar exata mais próxima.

a) Escreva os arredondamentos que ele fez em cada informação.

- Está à venda um carro que já rodou 81 746 quilômetros. _____
- Em uma partida de futebol compareceram 8 926 torcedores. _____
- O preço da geladeira é R$ 2 235,00. _____

b) Faça como Lucas. Procure uma informação com números em um jornal, escreva-a e faça os arredondamentos.

_____

_____

Vamos ver de novo?

1 Veja quanto Paulo e Rute têm. Calcule e responda.
Se Paulo triplicar a quantia dele e Rute dobrar a quantia dela, então qual deles ficará com mais? _____

Paulo.

Rute.

2 Resolva o problema a seguir de 2 maneiras diferentes.
João tinha R$ 90,00, comprou este livro e depois comprou esta camiseta.

Com quanto ele ainda ficou? _____

As imagens não estão representadas em proporção.

Livro. — R$ 30,00

Camiseta. — R$ 20,00

3 **POSSIBILIDADES**
Flávia tem 3 vasos e 4 mesas. Ela quer colocar 1 vaso em cada mesa, deixando 1 mesa vazia.
Uma das possibilidades é colocar os vasos nas mesas **A**, **B** e **C**. Veja.

Mesa A. Mesa B. Mesa C. Mesa D.

a) Escreva a possibilidade do exemplo dado e as outras possibilidades.

_____

b) Quantas são as possibilidades?

_____

4 Em busca do milhão!

Complete as igualdades e, depois, assinale com um **X** aquelas que você completou com o número **1 000 000 (um milhão)**.

a) 1 000 t = _____ kg

b) 1 000 km = _____ m

c) 1 000 cm = _____ mm

d) 1 000 L = _____ mL

e) 1 000 h = _____ min

f) 1 kg = _____ mg

5 **CLASSIFICAÇÕES**

Rafael, Marina e Paulo formaram grupos com as fichas numeradas que aparecem abaixo, de acordo com critérios escolhidos por eles.

| 507 | 5 | 85 | 54 | 106 | 153 | 358 | 80 |

a) Rafael separou as fichas em 2 grupos.

Veja como ele fez e responda: Que critério ele usou para formar os grupos?

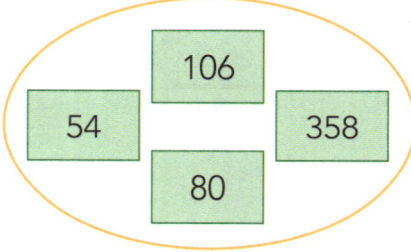 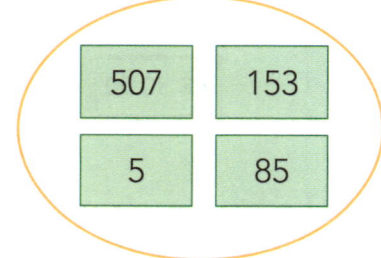

_____

b) Marina formou 3 grupos, de acordo com o seguinte critério: um grupo com as fichas dos números menores do que 80, outro com as fichas dos números de 80 a 120 e outro com as fichas dos números maiores do que 120. Desenhe os 3 grupos formados por Marina.

c) Paulo formou 2 grupos, de acordo com o seguinte critério: um grupo com as fichas que têm números em que o algarismo na ordem das dezenas é 5 e outro grupo com as fichas que têm números em que o algarismo da ordem das dezenas não é 5. Desenhe os 2 grupos formados por Paulo.

O que estudamos

Vimos que existiram vários sistemas de numeração ao longo do tempo e tivemos contato com alguns deles.

- Sistema de numeração egípcio.

    12 ⟶ ∩ll

- Sistema de numeração maia.

    6 ⟶ •

- Sistema de numeração romano.

    XIX ⟶ 19

Estudamos o sistema de numeração decimal: as ordens de um número natural e o valor posicional de cada algarismo.

2 347 258 é um número natural de 7 ordens.

⟶ 1ª ordem (das unidades): 8 unidades.
⟶ 5ª ordem (das dezenas de milhar): 40 000 unidades.

Analisamos onde e como podemos usar os números.

- Nas contagens: Na caixa há 12 ovos.
- Nas ordenações ou posições: Março é o 3º mês do ano.
- Nos códigos: O DDD da cidade do Rio de Janeiro é 21.
- Nas medidas: 4 cm equivale a 40 mm.

Relembramos as ideias de sucessor e de antecessor de um número natural.

- 8 354 é o sucessor de 8 353.
- 4 999 é o antecessor de 5 000.

Retomamos também as ideias de número par e de número ímpar.

- 73 543 é um número ímpar.
- 1 874 é um número par.

Fizemos arredondamentos de números naturais.
O arredondamento de 13 895 para a unidade de milhar exata mais próxima é 14 000.

- Você havia se esquecido de algo que estudou no ano passado? Gostou de relembrar?
- Você tem colocado a data em todas as atividades que realiza no caderno? Isso ajuda a organizar seus registros.

Unidade 2
Geometria

- Onde se passa esta cena?
- Do que as crianças estão brincando?
- De quais dessas brincadeiras você já participou?

Para iniciar

Observe, na cena de abertura, um dos bambolês, o alvo do jogo de dardos e uma das bolas. São 3 objetos que dão ideia de figuras arredondadas, mas com algumas diferenças entre eles: um lembra um sólido geométrico, outro lembra uma região plana e o outro lembra um contorno.

Nesta Unidade vamos retomar o estudo de figuras geométricas que você já conhece, apresentar outras figuras e resolver diversas atividades com elas.

- Analise a cena das páginas de abertura desta Unidade. Converse com os colegas e respondam às questões a seguir.

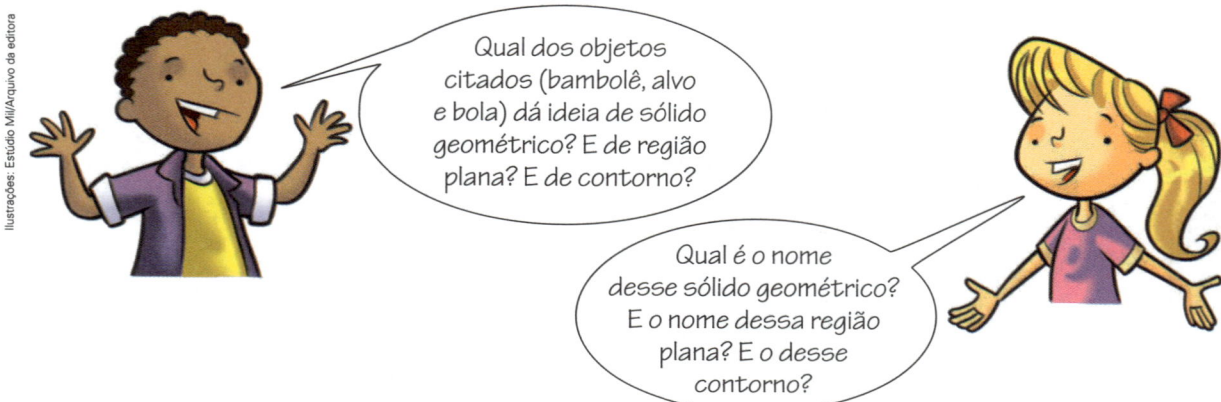

Qual dos objetos citados (bambolê, alvo e bola) dá ideia de sólido geométrico? E de região plana? E de contorno?

Qual é o nome desse sólido geométrico? E o nome dessa região plana? E o desse contorno?

- Converse com os colegas sobre mais estas questões.

    a) Além da esfera, de que outro sólido geométrico você sabe o nome? Que objeto tem a forma parecida com a dele?

    b) As regiões planas desenhadas ao lado têm a mesma forma e o mesmo tamanho.
    Juntando essas regiões é possível formar uma região retangular?

    c) Quando empurramos uma bola na superfície de uma mesa, ela rola? E quando empurramos uma caixa de sapatos?

As imagens não estão representadas em proporção.

Sólidos geométricos

As imagens não estão representadas em proporção.

1. Você viu que muitos objetos que nos cercam, pela forma que têm, dão ideia de sólidos geométricos. Escreva o nome destes sólidos geométricos.

Barril. _____

 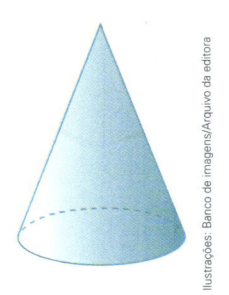
Chapéu de festa. _____

 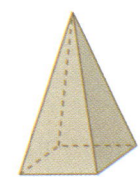
Enfeite de mesa. _____

 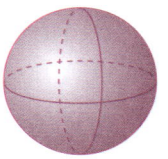
Bola de tênis. _____

Dado. _____

 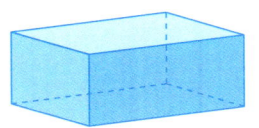
Esponja. _____

 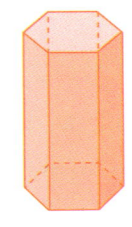
Caixa de presente. _____

 **2 ATIVIDADE ORAL EM GRUPO** Conversem e procurem identificar nestas figuras partes que lembrem os sólidos geométricos citados na atividade anterior.

_____   _____   _____   _____
_____   _____   _____   _____

As imagens não estão representadas em proporção.

Explorar e descobrir

- Destaque os sólidos geométricos das páginas 17 a 31 do **Ápis divertido** e, com a ajuda de um adulto, monte-os. Guarde-os em uma caixa, pois você vai usá-los em várias atividades.

- **ATIVIDADE EM GRUPO** Pegue o cubo que você montou. Reúna-se com os colegas e, juntos, construam as figuras abaixo.

    a) Nesta figura foi formado um paralelepípedo.

    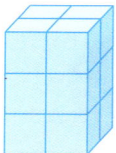

    b) Nesta figura foi formado um paralelepípedo e depois foram retirados 2 cubinhos.

    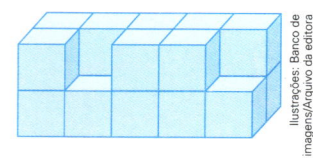

    _____   _____

- Agora, respondam, cada um em seu livro: Quantos cubinhos há em cada figura?

3 ATIVIDADE ORAL EM GRUPO Forme um grupo com mais 3 colegas. Juntos, usem os sólidos geométricos montados e um objeto com formato de esfera. Manuseiem os sólidos geométricos e o objeto e procurem descobrir semelhanças e diferenças entre eles; por exemplo, diferenças entre o cubo e a esfera, semelhanças entre o cone e o cilindro, etc.

Classificação dos sólidos geométricos

Entre os sólidos geométricos, alguns podem ser classificados em **poliedros** e outros, em **corpos redondos**.

1 POLIEDROS

A palavra **poliedro** significa "muitas faces". Chamamos de poliedros os sólidos geométricos que têm **todas as faces planas**. O paralelepípedo (ou bloco retangular) é um exemplo de poliedro. Observe os sólidos geométricos da página 55 e responda.

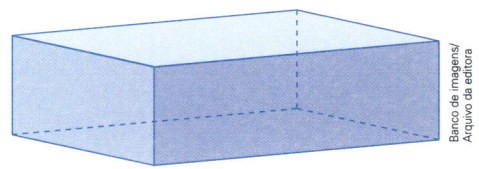

Paralelepípedo ou bloco retangular.

a) Quais são os outros poliedros, além do paralelepípedo?

_____

_____

b) Os poliedros rolam? Por quê?

_____

_____

2 CORPOS REDONDOS

A esfera é um exemplo de **corpo redondo**.
Os corpos redondos têm **partes não planas**, curvas, arredondadas.
Observe os sólidos geométricos da página 55 e responda.

a) Quais são os outros corpos redondos, além da esfera?

_____

b) Qual é a diferença entre um poliedro e um corpo redondo?

_____

_____

3 CLASSIFICAÇÃO

Quando nomeamos um sólido geométrico em poliedro ou corpo redondo, estamos fazendo uma classificação. Escreva as características de cada grupo.

Sólidos geométricos
- Poliedros _____
- Corpos redondos _____

4 ELEMENTOS DE UM SÓLIDO GEOMÉTRICO

a) Nos poliedros podemos identificar faces, arestas e vértices. Veja, por exemplo, neste bloco retangular que:

- as **faces** são todas planas;
- o encontro de 2 faces é uma **aresta**;
- o encontro de 3 arestas é um **vértice**.

Complete: Um bloco retangular tem _____ faces, _____ arestas e _____ vértices.

b) Nos corpos redondos, podemos identificar "partes curvas", "arredondadas". Veja.

A esfera é "arredondada". Ela não tem faces planas.

O cone é formado por 1 parte curva e 1 face plana.

Quantas faces planas o cilindro tem? Que forma elas têm?

_____

5 AS 3 DIMENSÕES EM UM SÓLIDO GEOMÉTRICO

ATIVIDADE EM GRUPO Em alguns sólidos geométricos podemos observar facilmente as 3 dimensões deles: **comprimento**, **largura** e **altura**.

Veja essas 3 dimensões no paralelepípedo e no cubo.

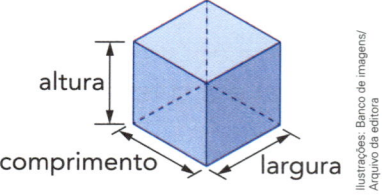

Faça estimativas das dimensões da sala de aula e registre na tabela. Depois, com os colegas, determine as medidas, registre e compare com suas estimativas.

Medida das dimensões da sala de aula

Dimensão	Estimativa	Medida
Comprimento	____ m e ____ cm	____ m e ____ cm
Largura	____ m e ____ cm	____ m e ____ cm
Altura	____ m e ____ cm	____ m e ____ cm

Tabela elaborada para fins didáticos.

6 Ivo e os colegas montaram alguns paralelepípedos como este ao lado.

Depois, montaram com eles os paralelepípedos abaixo.

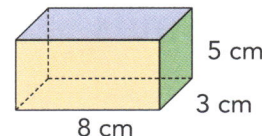

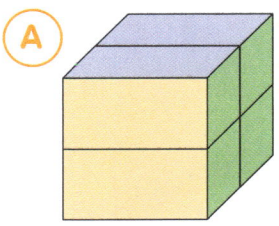 A

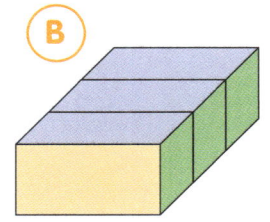 B

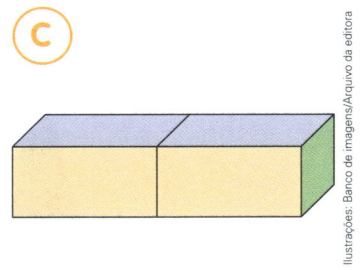 C

Escreva a medida das 3 dimensões de cada paralelepípedo montado.

A: _____, _____ e _____.

B: _____, _____ e _____.

C: _____, _____ e _____.

7 PROBLEMA

ATIVIDADE EM GRUPO Leiam, pensem e resolvam.

Luísa vai dar um presente para sua mãe e quer decorar o pacote com fita. A caixa que Luísa vai usar tem a forma de um paralelepípedo como o da figura ao lado.

Ela imaginou as possibilidades mostradas abaixo.

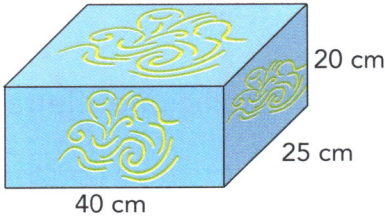

As imagens não estão representadas em proporção.

 I

 III

 II

Em qual dos pacotes Luísa gastaria menos fita? E em qual ela gastaria mais fita?

Prismas

Observe o calendário e o lápis sextavado das fotos, que têm a forma de prismas. Observe também o desenho de 3 prismas.

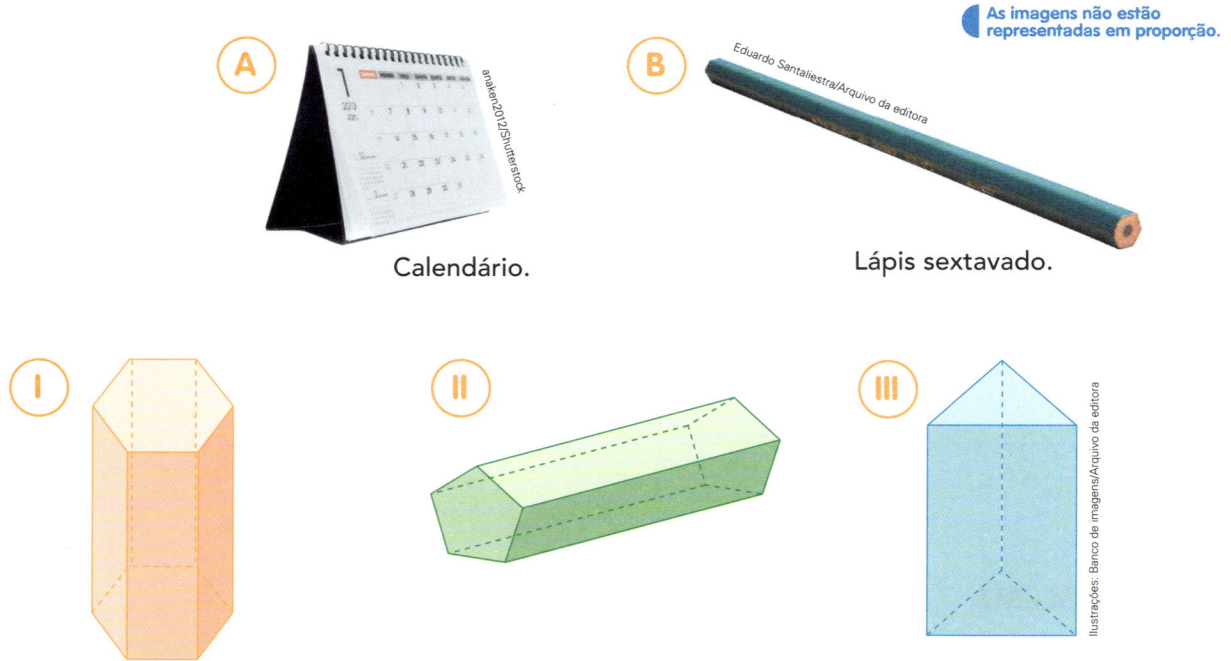

As imagens não estão representadas em proporção.

Calendário.

Lápis sextavado.

a) Relacione a letra dos objetos das fotos com os símbolos romanos dos 2 prismas correspondentes. _____

b) **ATIVIDADE ORAL EM GRUPO** Converse com os colegas sobre quais são as características comuns a todos os prismas acima.

c) **ATIVIDADE ORAL EM GRUPO** O prisma **I** é chamado **prisma de base hexagonal**. O prisma **II** é chamado **prisma de base pentagonal**. Converse com os colegas sobre por que eles recebem esses nomes.

d) Responda: Qual é o nome do prisma **III**?

_____

Charles M. Schulz. **Peanuts completo – diárias e dominicais**: 1950 a 1952. Porto Alegre: L&PM, 2009. p. 130.

Pirâmides

1  **ATIVIDADE ORAL EM GRUPO** Observe estas 3 pirâmides. Uma das faces das pirâmides é chamada **base** e as demais faces são chamadas **faces laterais**.

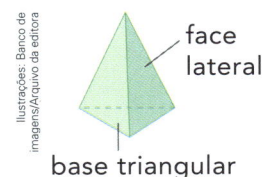
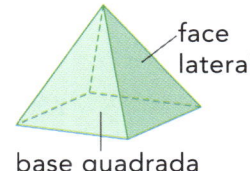
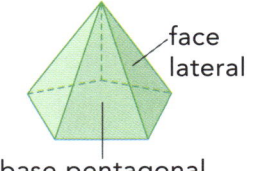

Converse com os colegas sobre a forma das faces nessas pirâmides. A base tem sempre a mesma forma? Que forma as faces laterais têm?

2 Observe a pirâmide ao lado.

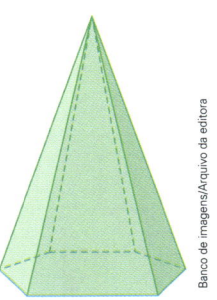

a) Quantos vértices, faces e arestas ela tem?

_____

b) Que nome pode ser dado a essa pirâmide?

_____

3 **REGULARIDADE**

ATIVIDADE EM DUPLA Comparem o número de vértices e o número de faces em cada pirâmide que aparece nesta página e vocês vão descobrir uma regularidade comum a todas as pirâmides.

Confiram com as demais duplas e registrem essa regularidade.

_____

_____

Saiba mais

O Museu do Louvre, que fica em Paris, na França, é um dos mais famosos do mundo.
Na entrada dele há uma construção com a forma de uma pirâmide de base quadrada.

Pirâmide do Museu do Louvre, em Paris, França. Foto de 2019.

Brincando também aprendo

Caça-palavras

Escreva o nome destes 7 sólidos geométricos, com 1 letra em cada quadrinho. Depois, confira com um colega.

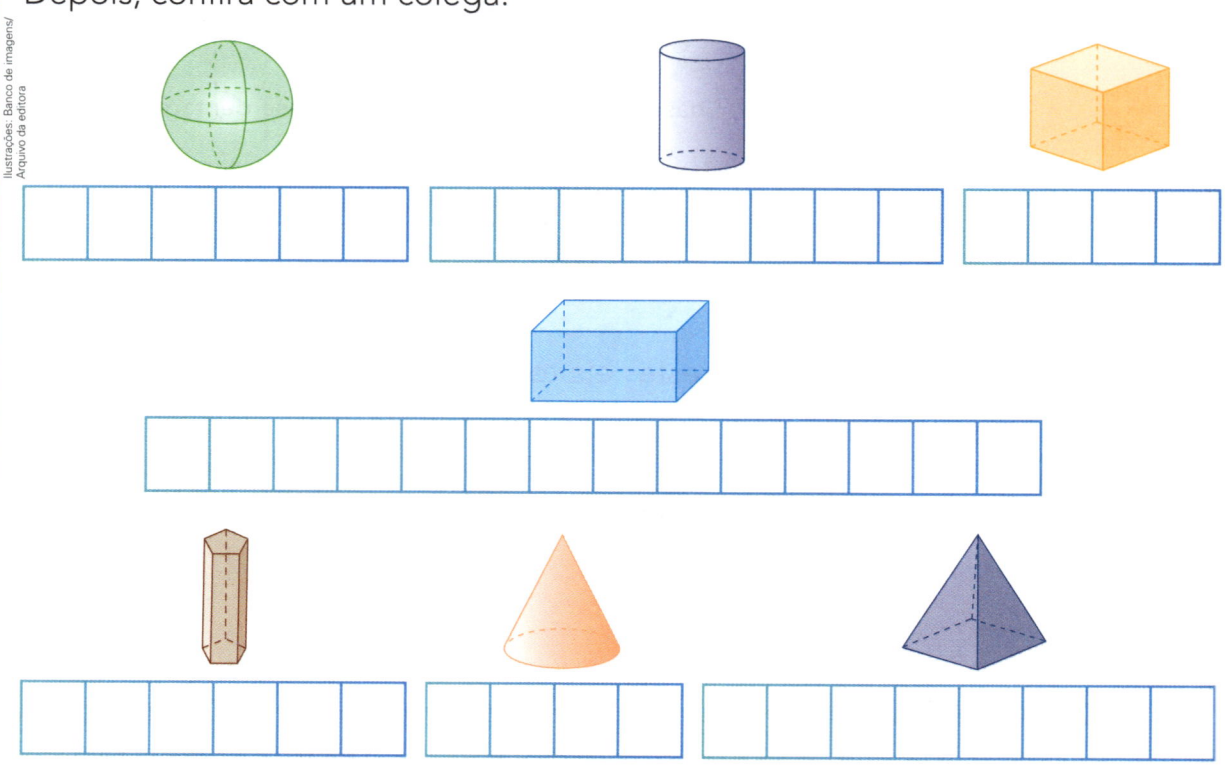

Agora, localize esses 7 nomes no caça-palavras. Eles podem estar na horizontal ou na vertical.

G	D	M	Í	F	U	P	L	A	F	B	R	M	D	E	Â	H	X
X	Â	I	C	P	B	T	I	C	E	O	H	G	A	Z	R	T	V
B	P	A	R	A	L	E	L	E	P	Í	P	E	D	O	V	E	P
I	O	E	R	O	B	S	G	I	R	C	X	C	E	F	C	O	I
R	S	H	E	N	P	Â	C	O	N	E	D	S	U	A	U	C	R
J	E	F	S	C	D	C	U	T	O	N	S	P	B	P	B	I	Â
Â	L	C	F	S	P	R	I	S	M	A	D	R	C	G	O	L	M
R	A	I	E	H	U	M	O	L	Q	M	H	I	N	Z	X	I	I
M	B	L	R	O	B	Z	C	I	L	I	N	D	R	O	H	H	D
I	T	I	A	E	A	B	X	Â	C	V	I	L	M	T	L	O	E
Ê	Ç	O	Q	J	H	N	T	V	Q	I	S	H	C	N	S	U	Z

Regiões planas

1 Quando desmontamos ou planificamos a "casca" de alguns sólidos geométricos, surgem **regiões planas**.

a) Observe e complete.

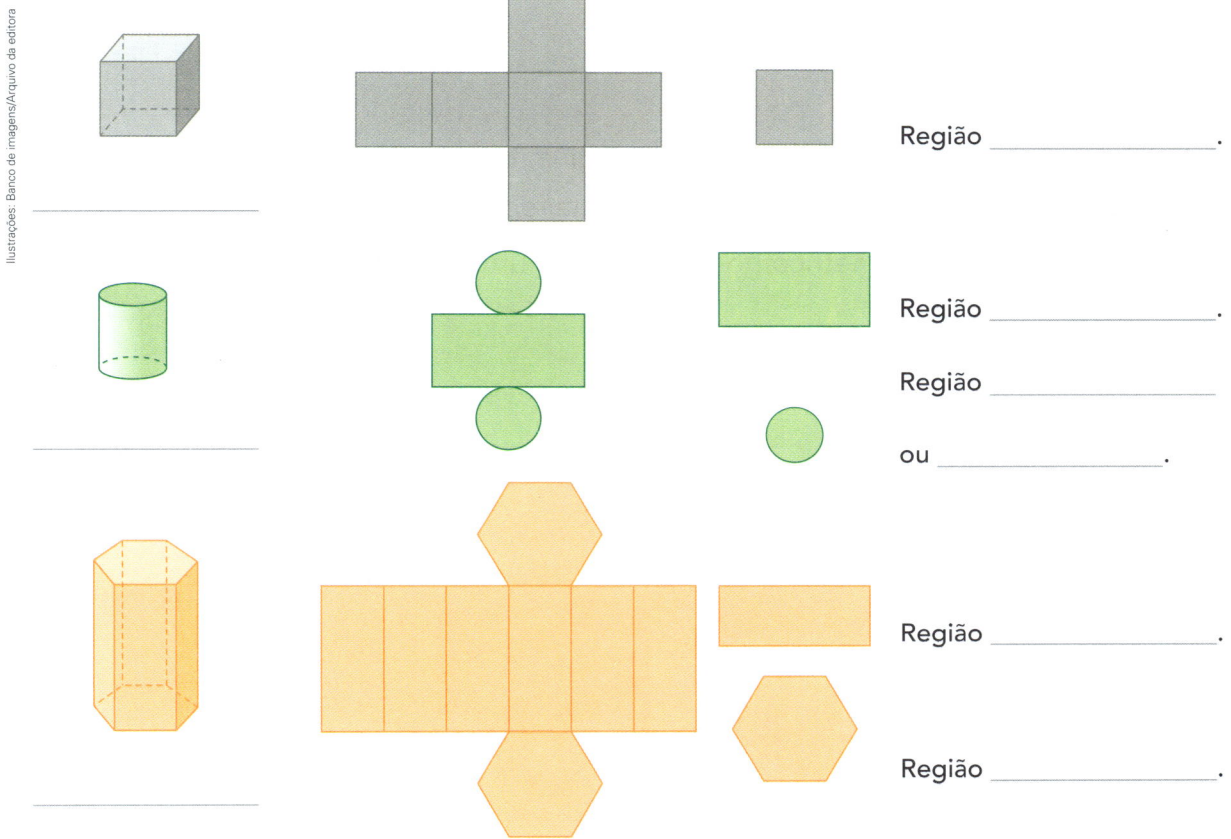

Região _____.

Região _____.

Região _____
ou _____.

Região _____.

Região _____.

b) Observe o desenho de mais um sólido geométrico, a planificação dele e a região plana correspondente a uma das faces. Depois, responda.

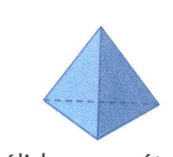
Sólido geométrico.

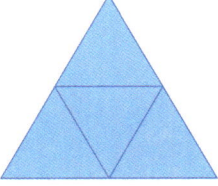
Planificação.

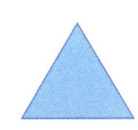
Região plana.

- Como chamamos esse sólido geométrico? Quantas faces ele tem?

_____

- Qual nome pode ser dado à região plana correspondente a cada face?

_____

Explorar e descobrir

Pegue os sólidos geométricos que você montou.
Em cada atividade, use aquele que atende às condições dadas.

- Pegue um sólido geométrico no qual apareça uma **região quadrada** e que não seja um cubo.

    a) Qual sólido geométrico você pegou?

    _____

    b) Na parte em branco do final desta página, contorne o sólido geométrico que você escolheu e pinte, na cor verde, uma região quadrada.

- Pegue um sólido geométrico no qual apareça uma **região circular** e que não seja um cilindro.

    a) Qual sólido geométrico você pegou?

    _____

    b) Na parte em branco do final desta página, contorne o sólido geométrico que você escolheu e pinte, na cor amarela, uma região circular.

- Pegue um sólido geométrico no qual apareça uma **região triangular** e que não seja uma pirâmide.

    a) Qual sólido geométrico você pegou?

    _____

    b) No espaço abaixo, contorne o sólido geométrico que você escolheu e pinte, na cor vermelha, uma região triangular.

2 REGIÕES PLANAS NO DIA A DIA

ATIVIDADE ORAL Veja a foto de alguns objetos do dia a dia que lembram regiões planas.

Quadro com fotografia.

Placa de trânsito.

Nota de 5 reais.

Quais objetos das fotos abaixo lembram regiões planas?

Selo dos Correios.

Balão ou bexiga.

Bandeira.

3 ATIVIDADE EM GRUPO
Localize com os colegas objetos na sala de aula que dão a ideia de regiões planas. Escreva o nome de pelo menos 2 deles.

_____

4
No espaço abaixo, desenhe e pinte uma figura na qual apareçam pelo menos 1 região quadrada, 1 retangular, 1 triangular e 1 circular. Veja o exemplo.

5 GEOMETRIA E ARTE

ATIVIDADE ORAL EM GRUPO Veja como os artistas conseguem usar formas de figuras geométricas planas de maneira criativa, interessante e bonita para se expressar.

Sem título. 1994-1997. Salvator Minerbo. Tinta acrílica, 150 cm × 135 cm. Acervo do artista.

Rua principal e ruas laterais. 1929. Paul Klee. Óleo sobre tela, 83 cm × 67 cm. Museu Ludwig, Alemanha.

As imagens não estão representadas em proporção.

Sugestão de...
Livro
Paul Klee. Mike Venezia. São Paulo: Moderna, 1996.

Função diagonal. 1952. Geraldo de Barros. Laca industrial sobre madeira, 60 cm × 60 cm. Coleção particular.

Qual é a relação entre essas pinturas e o assunto que estamos estudando? Converse com os colegas sobre isso.

6 Na natureza, podemos encontrar vários **padrões geométricos**. Observe.

Favos com abelhas.

Tartaruga marinha.

Abacaxi.

As imagens não estão representadas em proporção.

Agora, descubra padrões geométricos no painel e nas faixas decorativas abaixo e pinte o que falta, de acordo com o padrão de cada uma.

7 **REGIÕES PLANAS E SEQUÊNCIAS**

Observe as sequências abaixo, feitas com regiões planas.

Descubra o segredo de cada uma e pinte a última figura, mantendo o padrão.

a)

b)

Simetria

Figura simétrica e eixo de simetria

1 Observe abaixo as fotos de objetos e pessoas. É possível dobrar estas fotos em 2 partes de modo que essas partes coincidam. Por isso dizemos que cada foto apresenta **simetria** ou que é uma **figura simétrica**. Para separar as 2 partes que coincidem em cada foto, podemos traçar uma linha chamada **eixo de simetria**. Observe os eixos de simetria destas fotos.

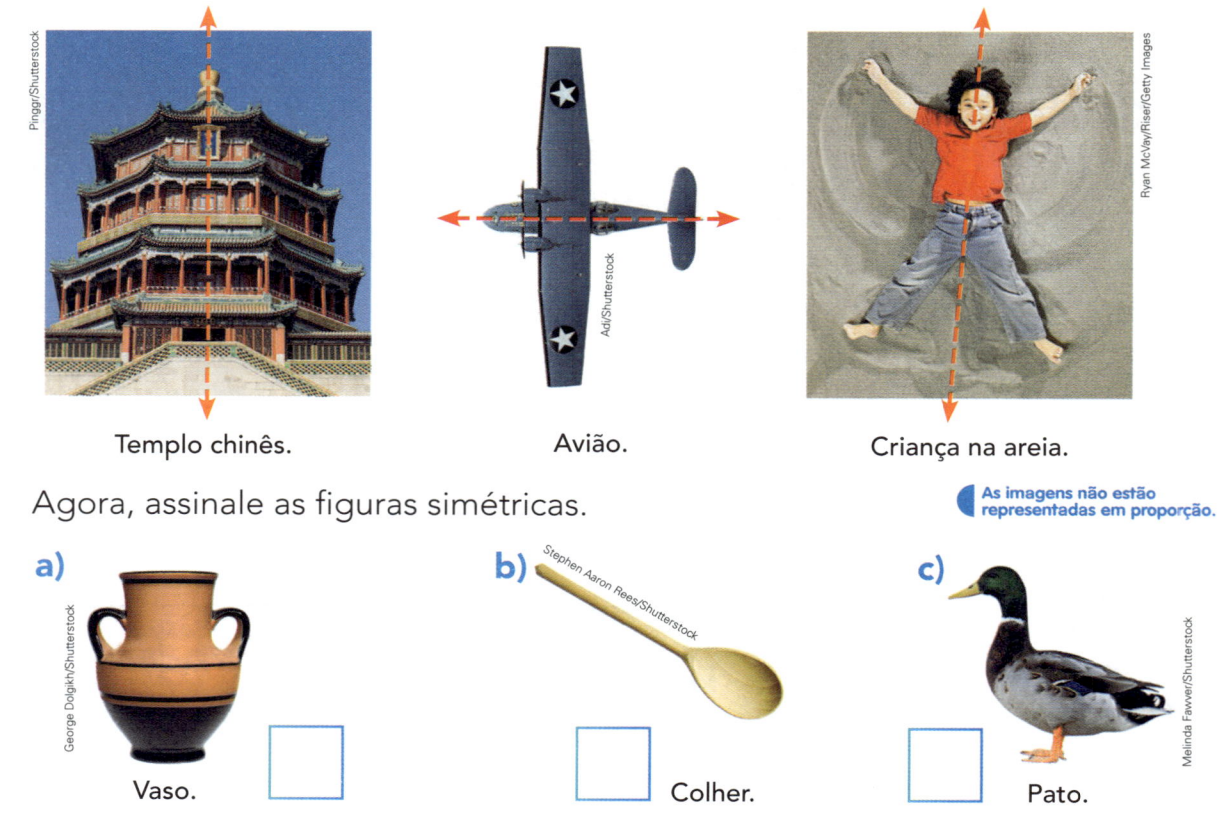

Templo chinês.   Avião.   Criança na areia.

Agora, assinale as figuras simétricas.

As imagens não estão representadas em proporção.

a) Vaso.   b) Colher.   c) Pato.

2 Desenhe uma figura não simétrica e outra simétrica. Na simétrica, trace o eixo de simetria.

3 PESQUISA

Procure em jornais, revistas ou na internet uma figura simétrica e uma não simétrica.

Recorte-as e cole-as em uma folha de papel sulfite. Em seguida, trace o eixo de simetria na figura simétrica, como nos exemplos ao lado.

Mostre para os colegas o que você fez e veja o que eles fizeram. Aproveitem e montem um bonito mural!

As imagens não estão representadas em proporção.

Explorar e descobrir

Vamos criar figuras simétricas em relação a um eixo?

- Divida uma folha de papel sulfite em 4 partes retangulares iguais.
- Pegue uma das partes da folha.

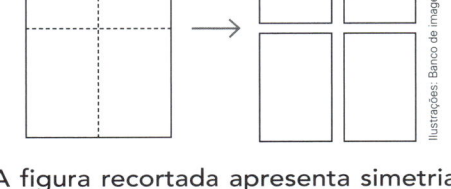

Dobre essa parte ao meio.　　Recorte uma figura assim.

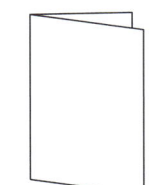 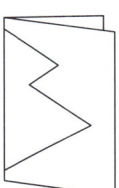

A figura recortada apresenta simetria em relação a um eixo (a dobra da folha). Desdobre-a, pinte-a, cole-a no caderno e trace o eixo de simetria.

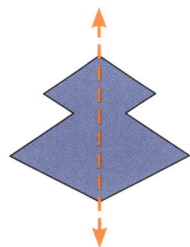

- Use as outras partes da folha para criar mais 3 figuras simétricas em relação a um eixo. Você escolhe o que recortar.

4 Quais letras abaixo apresentam simetria? Trace seus eixos de simetria.

A D F H R M J V

5 **ATIVIDADE ORAL** O que a letra **H** tem de especial em relação às demais letras da atividade anterior? Com que outras letras do alfabeto acontece o mesmo?

Explorar e descobrir

- Em uma folha de papel sulfite, desenhe e pinte uma região quadrada como a figura ao lado.

- Recorte-a e dobre-a de todas as maneiras possíveis, de modo que suas metades coincidam.

- Quantos são os eixos de simetria dessa região quadrada?

_____

- Trace os eixos de simetria na região quadrada acima.

6 **ATIVIDADE EM GRUPOS DE 3 ALUNOS** Olhando desenhos de uma pessoa de frente, dependendo da sua posição, podemos ou não constatar uma simetria em relação a um eixo. Veja os exemplos.

Desenho simétrico.   Desenho simétrico.   Desenho não simétrico.

A atividade é esta: um aluno faz a pose, outro aluno desenha a pose no caderno e diz se há simetria ou não em relação a um eixo, e o terceiro aluno confere. No final, cada aluno desenha mais 2 poses no caderno, uma com simetria em relação a um eixo e outra não.

7 SIMETRIA E PREVISÕES

a) Inicialmente faça uma previsão para cada figura: O que vai se formar quando for completada a figura simétrica em relação ao eixo traçado?

_____

b) Agora, desenhe e pinte a parte que falta nas figuras e confira.

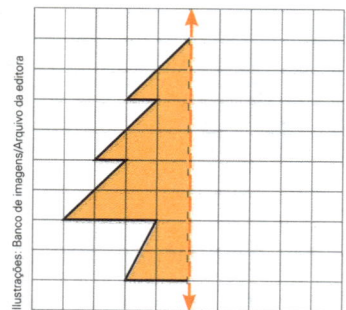
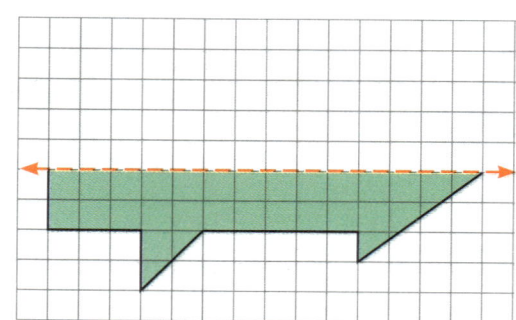

70 setenta

Simétrica de uma figura

Você já viu figuras que apresentam simetria com 1 ou mais eixos de simetria.

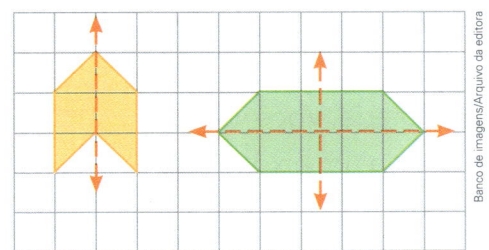

Agora você vai ver a simétrica de uma figura plana em relação a um eixo.

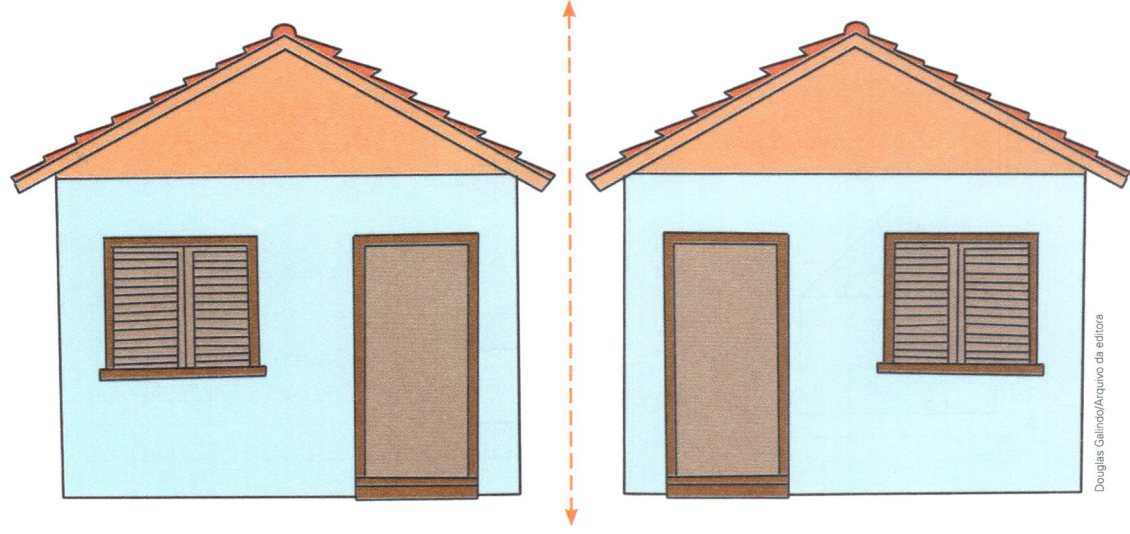

1 PREVISÕES

ATIVIDADE EM DUPLA

a) Inicialmente, façam previsões sobre a seguinte questão: Em quais pares de figuras abaixo há simetria em relação à linha tracejada?

_____

b) Agora, façam a verificação colocando um espelho com moldura em pé sobre a linha tracejada e assinalem, cada um em seu livro, as figuras em que há simetria.

setenta e um 71

Explorar e descobrir

- Dobre uma folha de papel sulfite ao meio.
  Em uma das metades, marque alguns pontos. Faça o decalque desses pontos na outra metade.
  Ligue os pontos em cada metade. Você vai obter figuras simétricas em relação a um eixo (a dobra da folha).

- Faça mais de uma vez, variando a figura.
  Confira tudo com um colega.

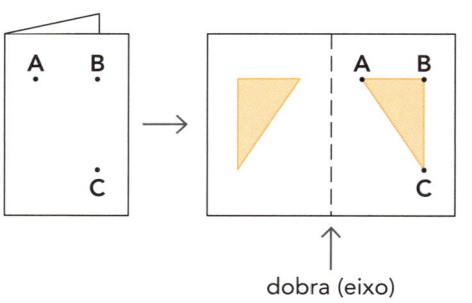

dobra (eixo)

2 Desenhe e pinte a figura simétrica de cada figura dada, em relação ao eixo traçado.

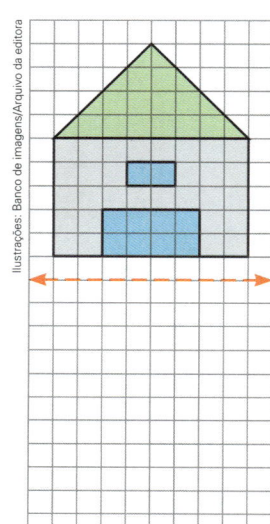
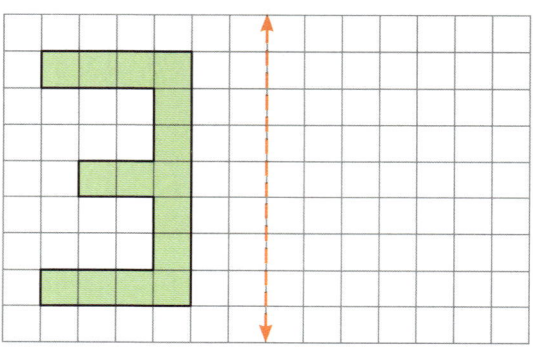

3 **ATIVIDADE ORAL** Por que na parte frontal das ambulâncias a palavra AMBULÂNCIA vem escrita com as letras invertidas?

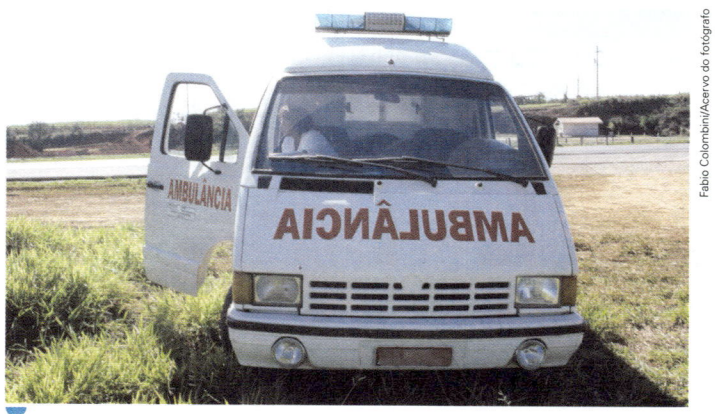

Ambulância vista de frente.

Contornos de regiões planas

1 Observe as figuras.

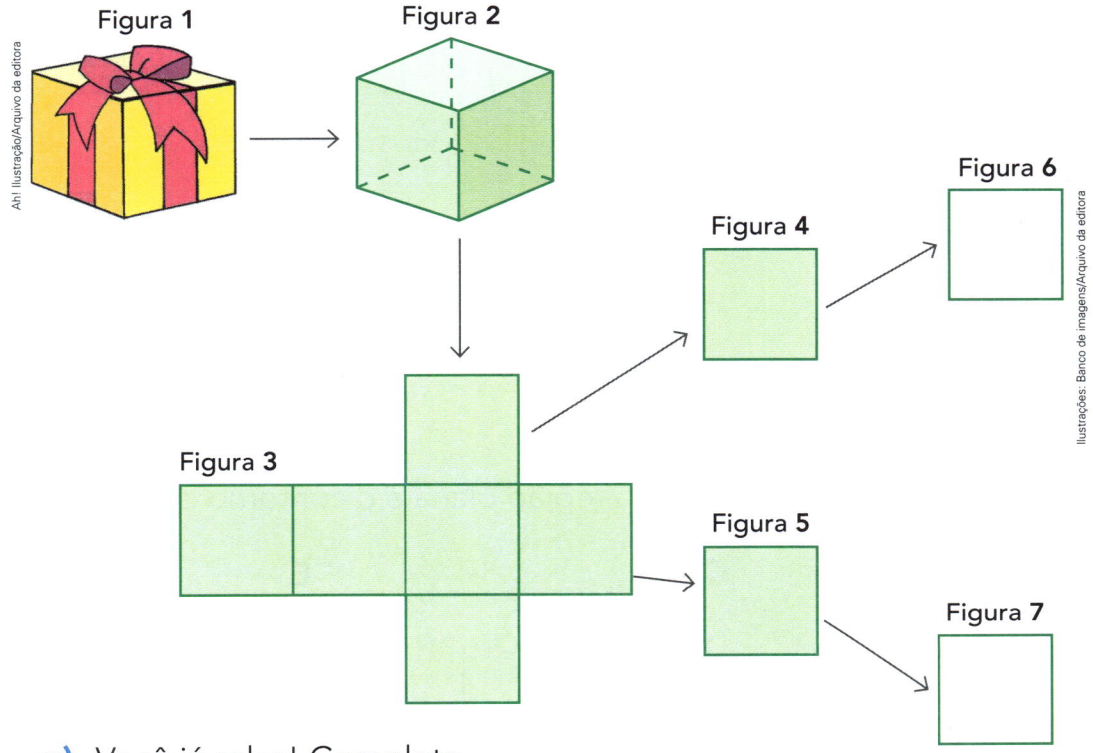

a) Você já sabe! Complete.

- A caixa de presente (figura **1**) lembra um _____ (figura **2**).

- Na figura **3**, a "casca" desse sólido foi desmontada ou _____.

- Nas figuras **4** e **5**, temos algumas das faces dele, que são

    _____.

- Nas figuras **6** e **7**, temos os _____ dessas regiões planas.

b) Assim, quando contornamos regiões planas, obtemos linhas fechadas que recebem o nome de **contornos**. Veja outro exemplo e complete.

Região plana _____.   Contorno: _____.

2 Marisa desenhou algumas regiões planas e Rafael desenhou os contornos.

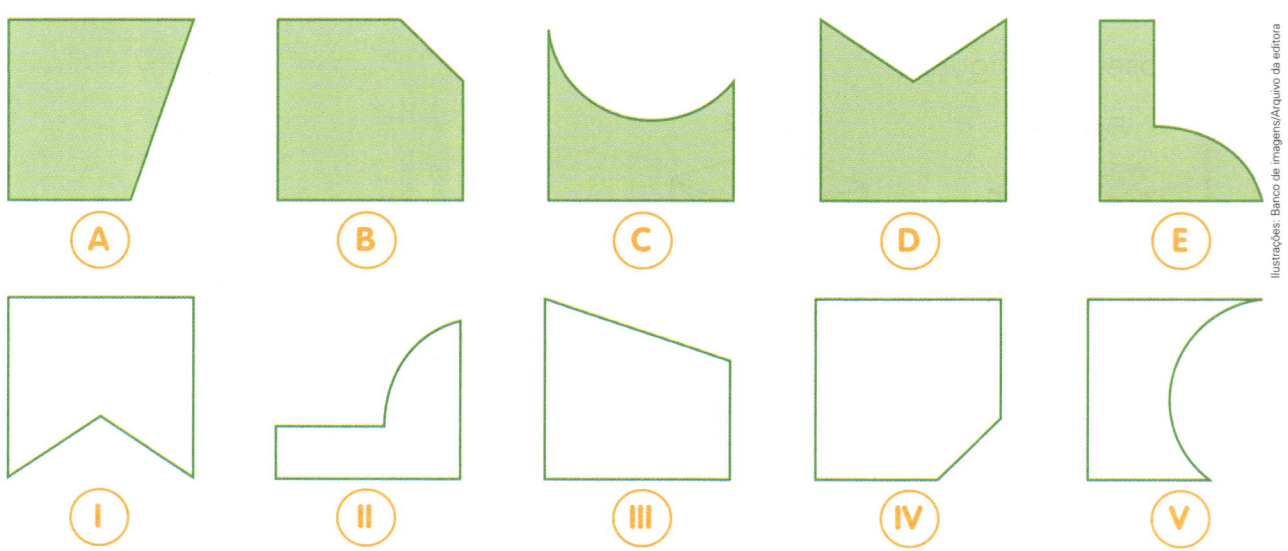

Faça a correspondência entre cada região plana e o contorno dela.

A – _____   C – _____   E – _____

B – _____   D – _____

3 Observe os contornos desenhados. Entre eles há um contorno que é chamado **circunferência**.

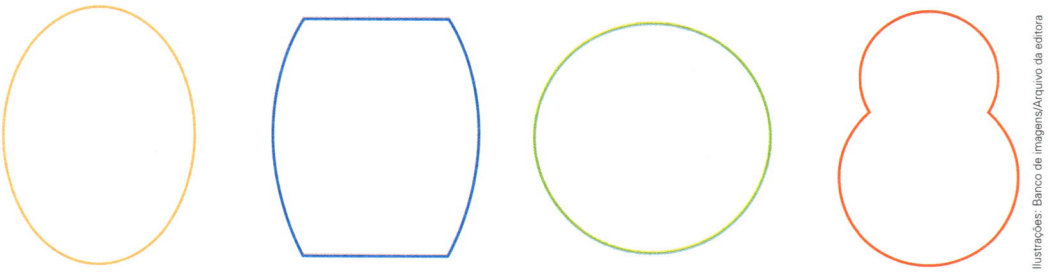

a) Complete: A circunferência é o contorno de uma região _____ (ou de um _____).

b) Assinale a circunferência nas figuras acima.

c) Agora, use moedas de tamanhos diferentes e trace algumas circunferências no espaço abaixo.

74 setenta e quatro

Segmentos de reta

1 Observe alguns desenhos de caminho para a abelha chegar à flor. Cada caminho tem uma cor.

As imagens não estão representadas em proporção.

a) Qual desses caminhos é o mais curto para a abelha ir até a flor?
_____

b) Existe algum outro caminho que não foi desenhado e que seja ainda mais curto do que esse? _____

2 Marque 2 pontos **A** e **B** no quadro abaixo. Use uma régua e trace o caminho mais curto ligando os pontos **A** e **B**, como na sequência de imagens abaixo.

Chamamos de **segmento de reta** a figura que indica o caminho mais curto que liga 2 pontos. No exemplo acima, os pontos **A** e **B** são as **extremidades** do segmento de reta. Representamos esse segmento de reta assim: $\overline{AB}$ ou $\overline{BA}$.

3 Observe os pontos **P, Q, M, N, R** e **S**. Use uma régua e trace os segmentos de reta: $\overline{PQ}$, $\overline{MN}$ e $\overline{RS}$.

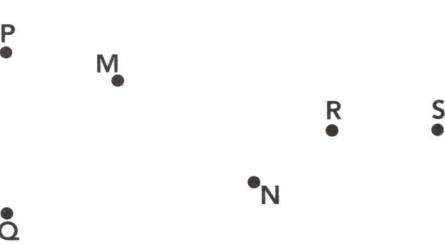

4. **ATIVIDADE EM DUPLA** Muitos objetos do dia a dia ou algumas partes dos objetos lembram, pela forma deles, um segmento de reta.
Veja as partes destacadas em vermelho nestas imagens.

> As imagens não estão representadas em proporção.

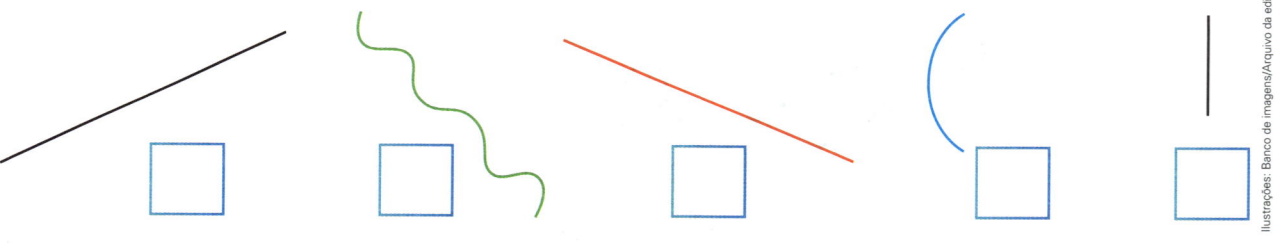

Com um colega, observe a sala de aula. Identifiquem algumas partes dela ou alguns objetos que dão ideia de segmento de reta. Anotem aqui.

_____

5. Observe as figuras. Assinale com um **X** o quadrinho das figuras que são segmentos de reta.

6. Podemos sempre medir o comprimento de um segmento de reta. Observe o segmento de reta traçado abaixo e indique o que se pede.

E•————————————•F

a) Como esse segmento de reta é representado. _____

b) A medida de comprimento dele, em centímetros. _____

7. Use uma régua e trace 2 segmentos de reta: $\overline{XY}$ de 5 cm, e $\overline{CD}$ de 7 cm.

 Polígonos

Observe o contorno destas regiões planas. Cada um deles é chamado **polígono**. Vejamos por quê.

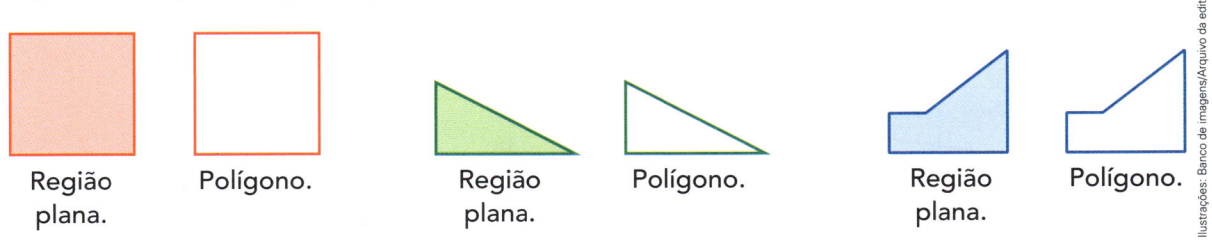

> **Polígono** é todo contorno formado apenas por segmentos de reta.

1 Agora, observe estes contornos.

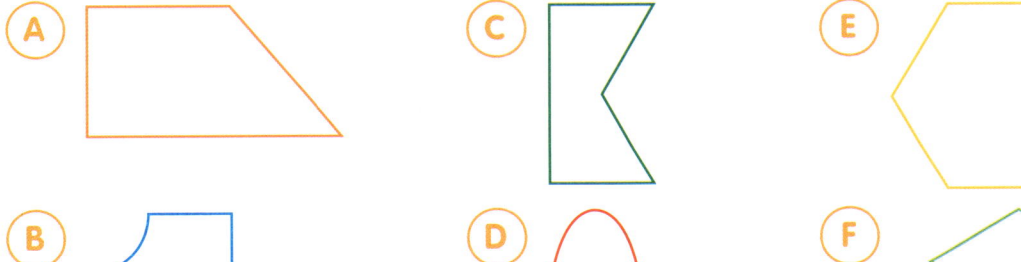

a) Quais desses contornos são polígonos? _____

b) Em quais contornos não temos um polígono? Por quê?

_____

2 Desenhe um polígono formado por 4 segmentos de reta, sendo 2 segmentos de reta com 5 cm e os outros 2 segmentos de reta com 2 cm.

Lados e vértices de um polígono

Você já viu que um polígono é formado por segmentos de reta. Veja agora o nome de alguns elementos de um polígono.

- Cada segmento de reta é chamado **lado** do polígono.
- O encontro de 2 lados é um ponto chamado **vértice** do polígono.

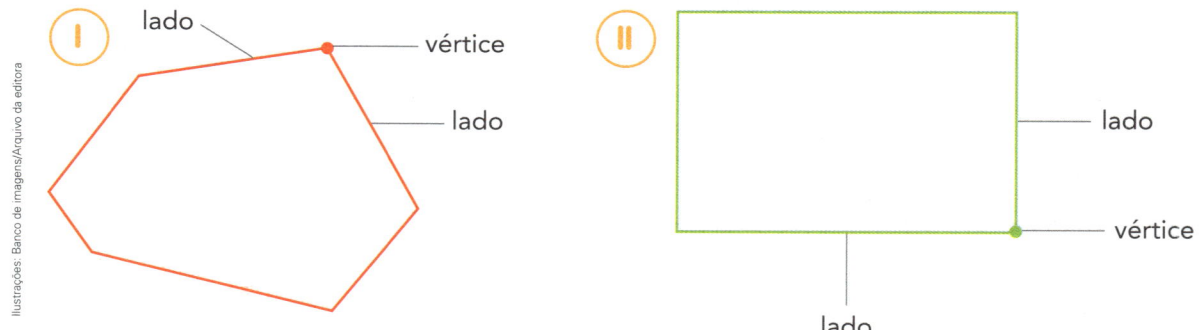

1 Observe os 2 polígonos acima e o polígono abaixo e complete.

a) Um polígono de 3 lados tem _____ vértices.

b) Um polígono de 4 lados tem _____ vértices.

c) Um polígono de 6 lados tem _____ vértices.

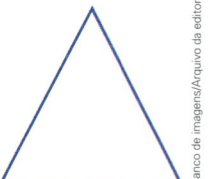

2 **ATIVIDADE ORAL EM GRUPO (TODA A TURMA)** O que podemos afirmar sobre o número de lados e o número de vértices em cada polígono? Converse com os colegas sobre isso.

3 Localize algo que lembre um polígono nos desenhos desta tirinha e veja se o número de lados e o número de vértices confirmam a conclusão a que vocês chegaram na atividade 2.

Jim Davis. Garfield. Revista **Recreio**, Abril, n. 58, 19 abr. 2001. p. 42.

Classificação dos polígonos quanto ao número de lados

Cada polígono recebe um nome de acordo com o número de lados. Você já conhece alguns desses nomes!

3 lados.
Triângulo.

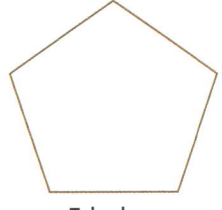
4 lados.
Quadrilátero.

5 lados.
Pentágono.

6 lados.
Hexágono.

1 Observe os polígonos e escreva o nome deles de acordo com o número de lados.

a)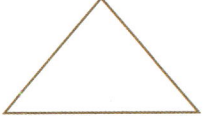

d)

g)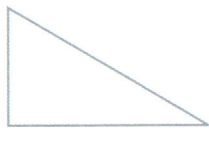

b)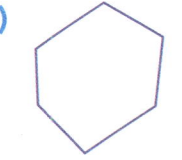

e)

h)

c)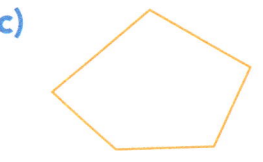

f)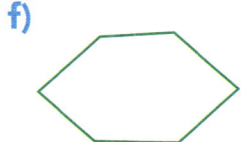

i)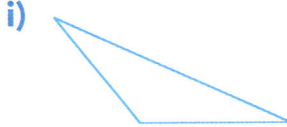

2 O contorno desta placa de trânsito lembra um polígono chamado **octógono**.

Placa de trânsito.

a) **ATIVIDADE ORAL EM GRUPO** Converse com os colegas sobre o porquê desse nome.

b) Agora, assinale com um **X** o quadrinho dos polígonos que são octógonos. Depois, desenhe mais um octógono.

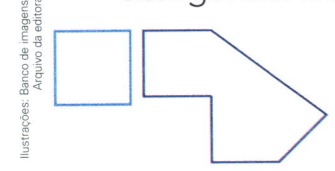 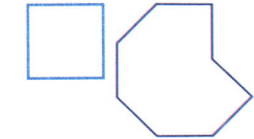 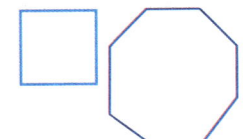

setenta e nove 79

3 LOCALIZAÇÃO

Para localizar um ponto, parta sempre de 0, "ande" para a direita e depois para cima.

Veja o ponto **A** (coluna 3 e linha 2) e o ponto **F** (coluna 10 e linha 7).

a) Localize e marque mais estes pontos: **B** (coluna 1 e linha 4), **C** (coluna 2 e linha 8), **D** (coluna 4 e linha 9) e **E** (coluna 7 e linha 9).

b) Com uma régua trace os segmentos de reta.

- $\overline{AB}$
- $\overline{BC}$
- $\overline{CD}$
- $\overline{DE}$
- $\overline{EF}$
- $\overline{FA}$

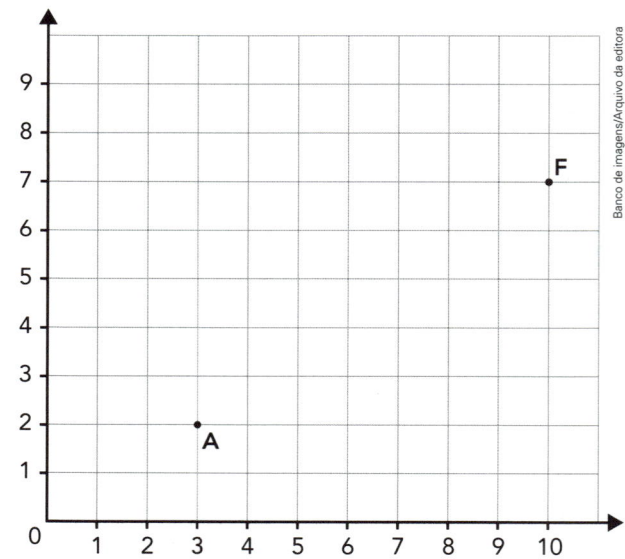

c) Responda: Quantos lados e quantos vértices o polígono obtido tem? E qual é o nome desse polígono? _____

4 DESAFIO

a) Observe com atenção a figura ao lado e responda.

- Há quantos triângulos nela?

   _____

- E quantos quadriláteros?

   _____

- E quantos pentágonos?

   _____

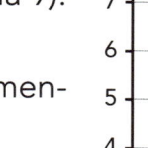

b) Trace 4 segmentos de reta e forme com eles uma figura que contenha 2 triângulos e 1 quadrilátero.

Geometria com palitos

1 Construa e depois desenhe 2 triângulos diferentes usando 9 palitos em cada um.

2 **ATIVIDADE EM DUPLA** Continue construindo com palitos e desenhando.

a) Um quadrado com 4 palitos.

b) Com 4 palitos, um quadrilátero que não seja quadrado.

c) Três retângulos diferentes com 14 palitos em cada um.

3 Com palitos, construa a figura ao lado.
Ela tem 5 quadrados (confira!).
Partindo sempre desta figura, faça o que se pede.
A cada construção, desenhe-a e confira com um colega.

a) Retire 2 palitos para ficar com 3 quadrados.

b) Retire 4 palitos para ficar com 2 quadrados.

c) Retire 2 palitos para ficar com 2 quadrados.

4 **EXPOSIÇÃO: PALITOS E POLÍGONOS**
ATIVIDADE EM GRUPO Forme uma equipe com 3 colegas e construam, juntos, polígonos com palitos. Colem os polígonos em uma folha de papel colorido e coloquem o nome desses polígonos. Montem uma exposição na sala de aula reunindo os trabalhos de todas as equipes.

Ângulos

1 Vitória observou os ponteiros de um relógio, o canto de uma trave de futebol e a letra inicial do nome dela.

As imagens não estão representadas em proporção.

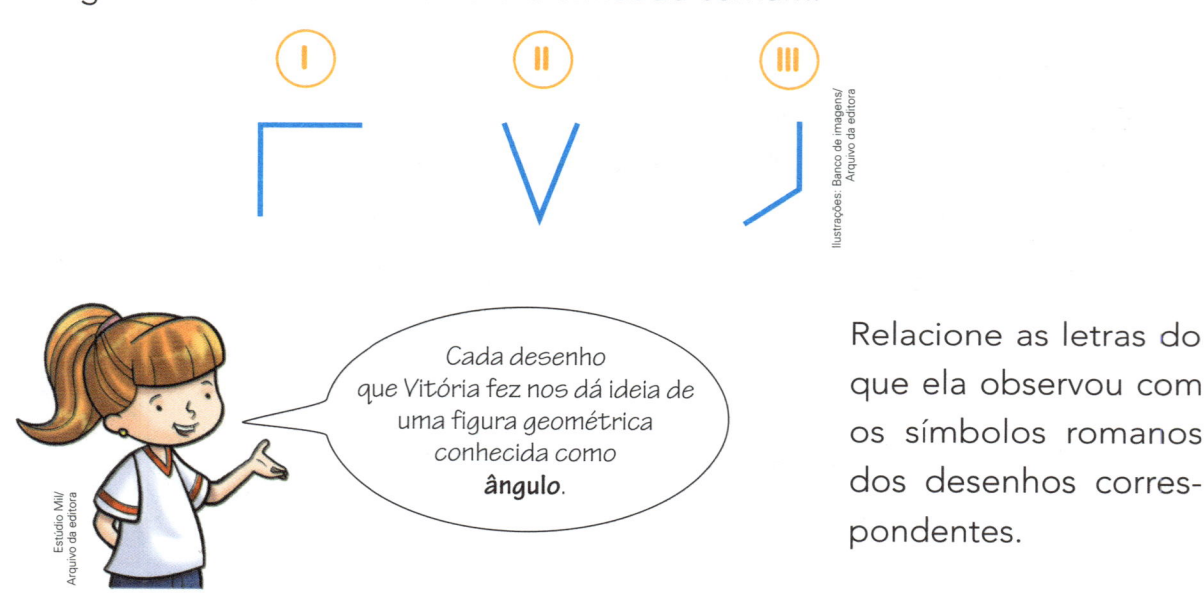

Em seguida, ela desenhou o que observou, usando em cada desenho 2 segmentos de reta com uma extremidade comum.

*Cada desenho que Vitória fez nos dá ideia de uma figura geométrica conhecida como **ângulo**.*

Relacione as letras do que ela observou com os símbolos romanos dos desenhos correspondentes.

_____

2 Desenhe o ângulo formado pelos ponteiros de cada relógio.

82 oitenta e dois

3 Veja o trajeto de 3 crianças que, em determinado ponto, mudaram de direção. Cada trajeto também dá ideia de ângulo.

Desenhe figuras correspondentes aos 3 trajetos feitos pelas crianças.

4 Maurício percebeu que certas partes de objetos do material escolar dele lembram ângulos parecidos entre si. Veja alguns deles, indicados em azul.

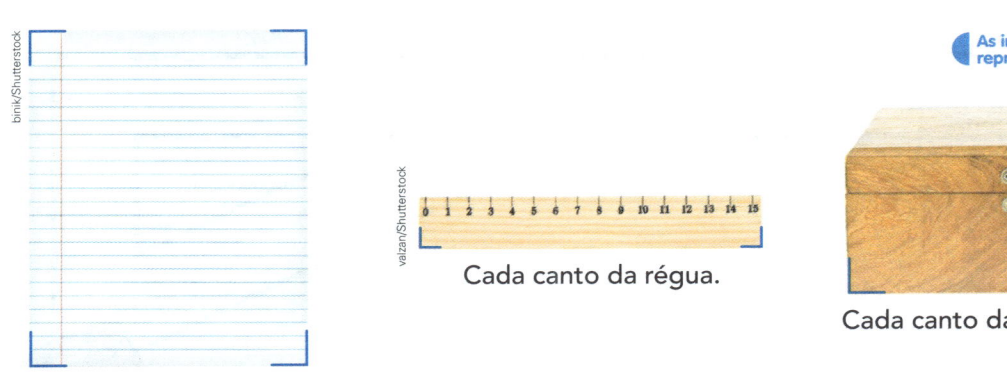

Cada canto da folha do caderno.

Cada canto da régua.

As imagens não estão representadas em proporção.

Cada canto das faces da caixa.

Ângulos como esses indicados em azul são chamados **ângulos retos**.

Desenhe 2 ângulos retos.

oitenta e três 83

5 Nesta imagem vemos 2 cruzamentos de ruas em uma cidade: cruzamento da rua da Lua com a rua da Terra e cruzamento da rua do Sol com a rua da Terra. Em qual desses cruzamentos os ângulos formados são retos?

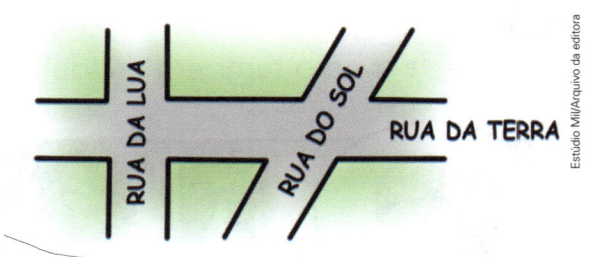

_____

6 Desenhe o que se pede.

a) Uma letra cujo desenho tenha pelo menos 2 ângulos retos.

b) Uma letra cujo desenho não tenha nenhum ângulo reto.

> As imagens não estão representadas em proporção.

7 Observe que, para ir até a casinha, o cachorro tem 2 caminhos.

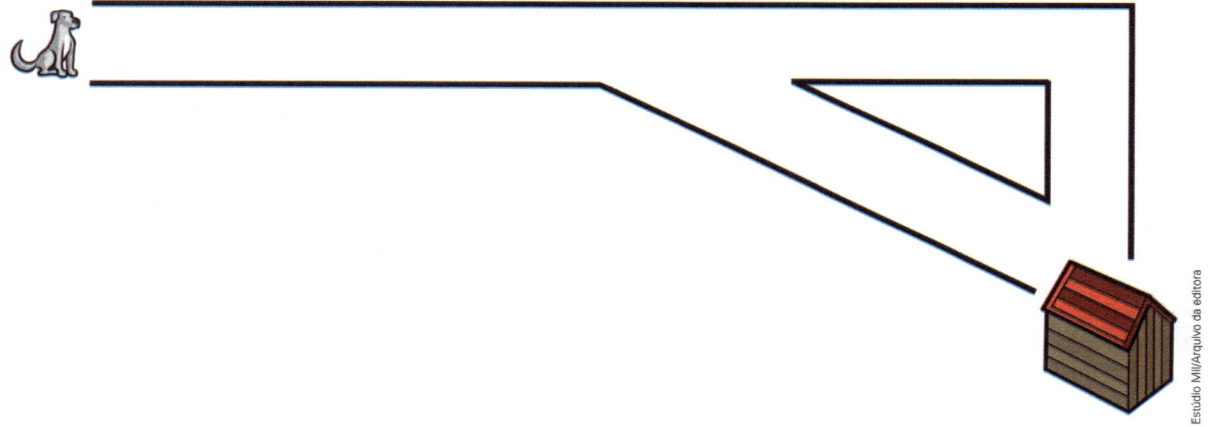

a) Pinte de azul o caminho no qual o cachorro, ao mudar de direção, forma um ângulo reto.

b) Desenhe setas (⟶ ⟶) no outro caminho.

8 **ATIVIDADE ORAL** O ângulo formado pelos ponteiros do relógio às 3 e meia é um ângulo reto?

Ângulos de um polígono

1 Sempre que traçamos um polígono, podemos observar nele alguns ângulos.
Por exemplo, no triângulo ao lado, cada ângulo está indicado com uma cor.

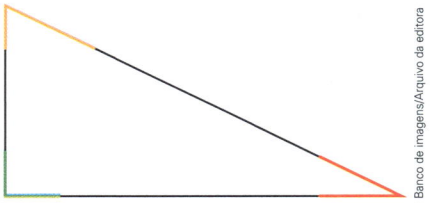

a) Quantos ângulos esse triângulo tem? _____

b) Algum deles é ângulo reto? Qual é a cor dele? _____

c) Use uma régua ou um esquadro e trace outro triângulo, mas que não tenha nenhum ângulo reto.

2 Observe estes polígonos e as letras deles.

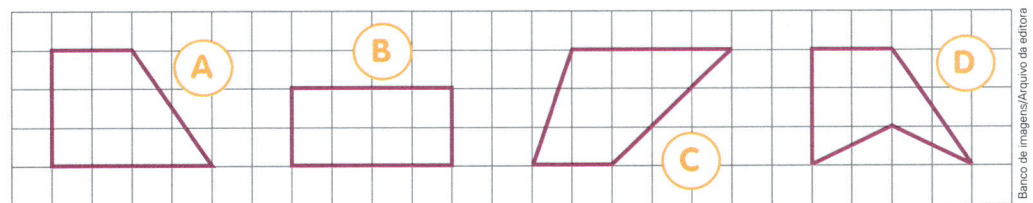

a) Indique as letras correspondentes.

- Os polígonos que são quadriláteros. _____
- O que não tem ângulo reto. _____
- O que tem só 1 ângulo reto. _____
- O que tem exatamente 2 ângulos retos. _____
- O que tem mais de 2 ângulos retos. _____
- O que tem todos os ângulos retos. _____

b) Quantos lados o polígono que não é quadrilátero tem? _____

c) Quantos ângulos retos o quadrilátero **B** tem? Qual é o nome desse quadrilátero? _____

Ângulos e dobraduras

● Podemos verificar a abertura de ângulos usando dobraduras. Faça o que se pede.

a) Coloque uma folha de sulfite sobre esta página e passe o lápis por cima das duas figuras abaixo.

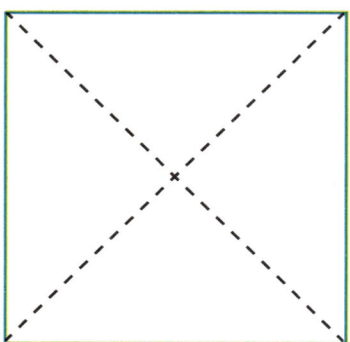
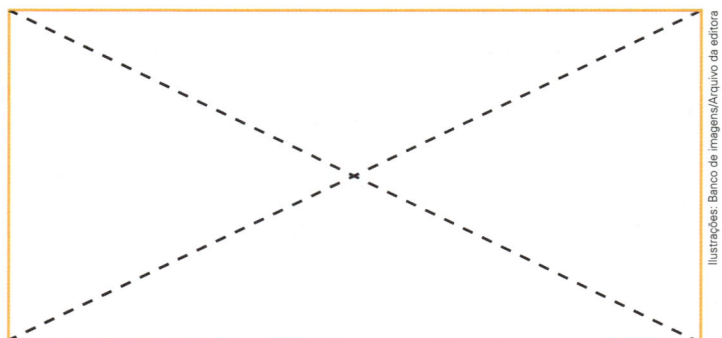

b) Recorte as duas figuras que você desenhou na folha de sulfite e faça dobraduras nas linhas pontilhadas.

Os 4 ângulos formados na figura verde são ângulos retos. Marque esses ângulos com ⌐.

Os 4 ângulos formados na figura laranja não são ângulos retos. Marque com ⊲ os ângulos que têm abertura menor do que o ângulo reto e marque com ▽ os ângulos que têm abertura maior do que o ângulo reto.

c) Agora, recorte os 8 ângulos formados e cole 4 deles aqui, de modo que um deles seja o mesmo que a linha traçada.

- 2 ângulos retos
- 1 ângulo com abertura menor do que o ângulo reto
- 1 ângulo com abertura maior do que o ângulo reto

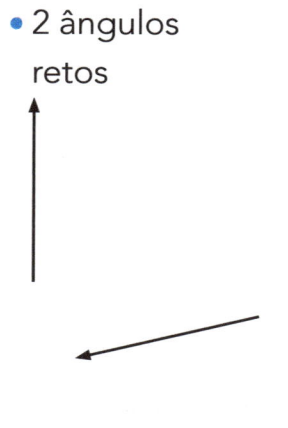

Regiões planas poligonais

1 Leia com atenção.

> **Região poligonal** é toda região plana cujo contorno é um polígono.

Agora, indique as regiões planas abaixo que são regiões poligonais. Depois, confira com os colegas. _____

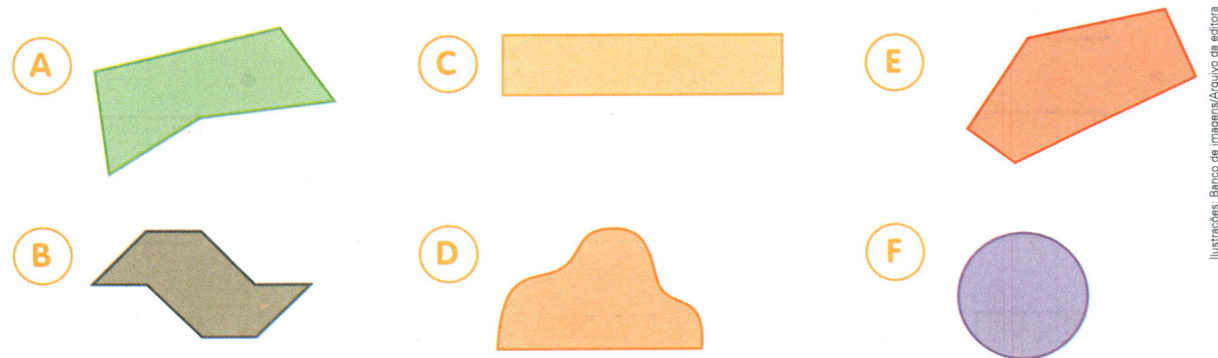

2 **DESAFIO**

a) Copie as 4 regiões poligonais abaixo na malha quadriculada da página 33 do **Ápis divertido**. Em seguida, pinte e recorte as regiões.

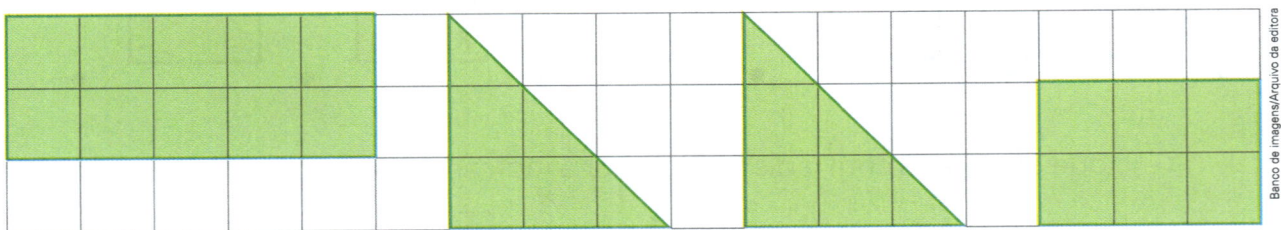

b) Agora o desafio: cole as 4 regiões no espaço abaixo de modo que formem uma região quadrada.

c) Para finalizar, descreva a montagem que você fez, completando a frase abaixo com a forma das regiões poligonais.

Com 2 regiões _____

e 2 regiões _____ foi feita a composição de uma região

_____.

Deslocamentos

1 Este é o mapa de parte do bairro onde Lucas mora. Nele, a distância entre 2 pontos: ●--------● indica 1 quarteirão.

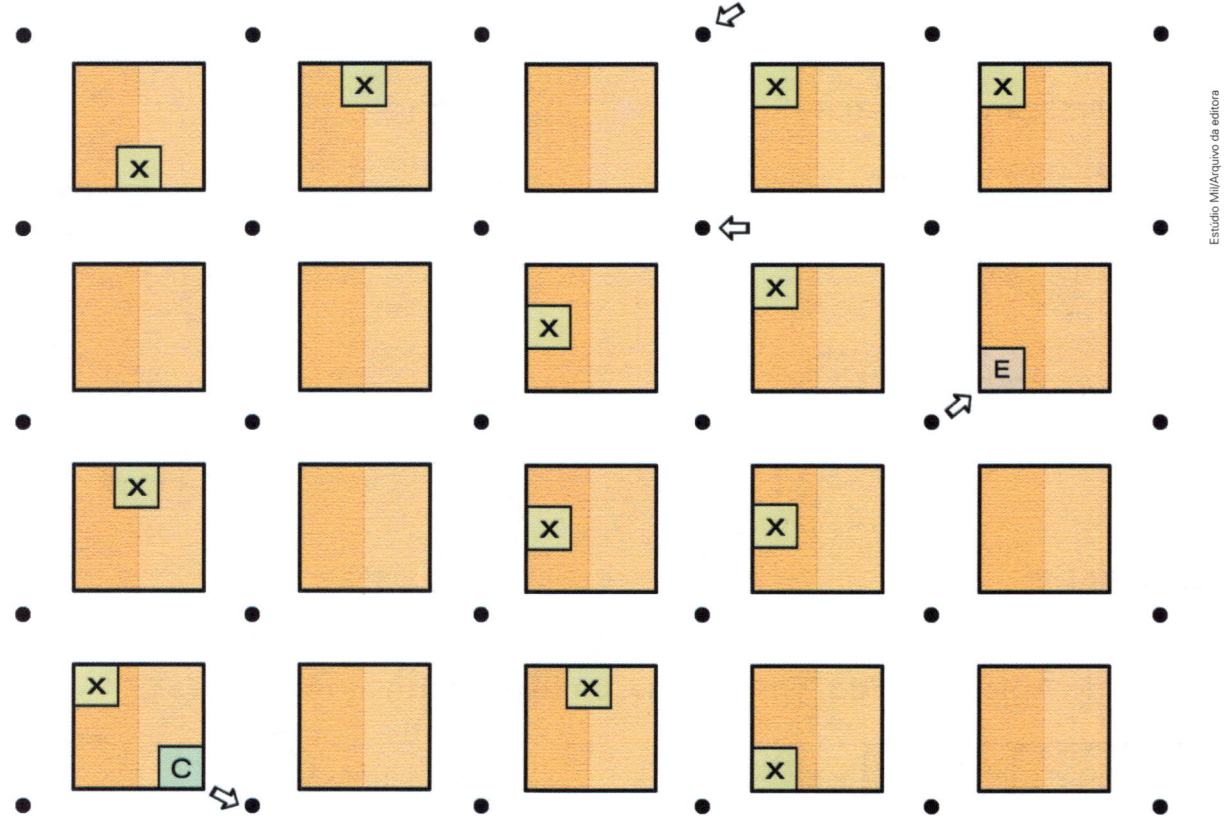

a) Ligue os pontos com lápis marrom para indicar o percurso que Lucas costuma fazer para ir da casa dele C até a escola E.

Atenção! Nesse percurso ele não passa pelos locais assinalados com **X**.

b) Agora complete para descrever o percurso citado: Lucas percorre inicialmente _____ quarteirões, vira para a _____ e depois anda ainda mais _____ quarteirões.

No total ele anda _____ quarteirões.

c) Finalmente ligue com lápis cinza 2 locais assinalados com **X** e que distam 1 quarteirão um do outro.

2 OS PERCURSOS DOS ANIMAIS

É possível desenvolver códigos usando símbolos para descrever um deslocamento.

Veja os códigos que vamos utilizar para os deslocamentos na malha quadriculada com 1 cm de lado.

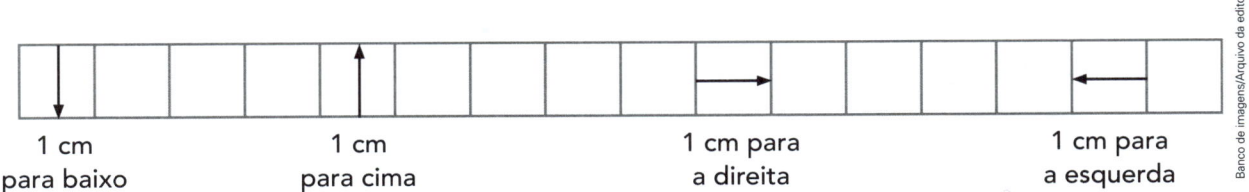

1 cm para baixo   1 cm para cima   1 cm para a direita   1 cm para a esquerda

a) Use os códigos acima para descrever o percurso feito pela joaninha para chegar ao ponto **A**.

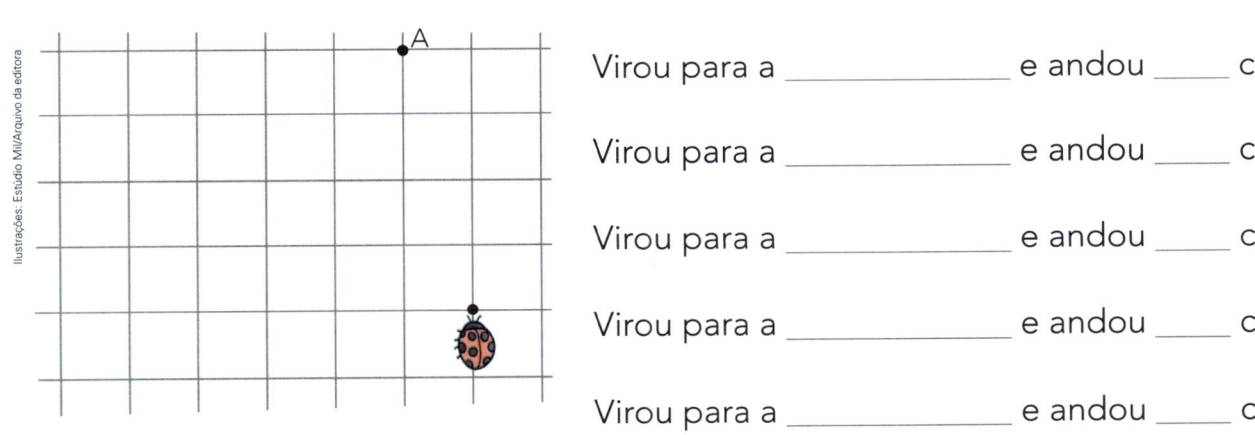

Andou _____ cm para _____ .

Virou para a _____ e andou _____ cm.

Virou para a _____ e andou _____ cm.

Virou para a _____ e andou _____ cm.

Virou para a _____ e andou _____ cm.

Virou para a _____ e andou _____ cm.

b) Agora, trace o percurso que a aranha fez para chegar ao ponto **B** de acordo com as orientações.

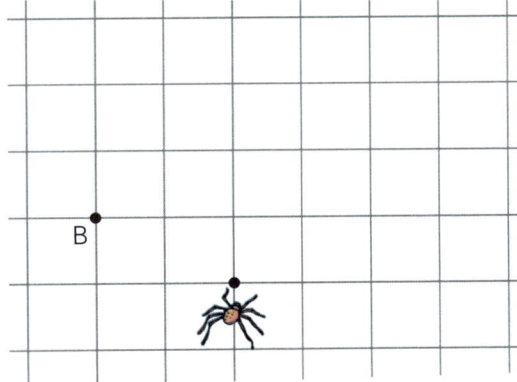

Andou 3 cm para a direita.

Virou para a esquerda e andou 2 cm.

Virou para a esquerda e andou 2 cm.

Virou para a direita e andou 1 cm.

Virou para a esquerda e andou 3 cm.

Virou para a esquerda e andou 2 cm.

3 Veja na figura abaixo a posição dos brinquedos no parquinho de uma escola.

 Escorregador.

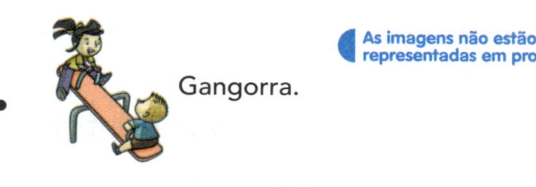 Gangorra.

As imagens não estão representadas em proporção.

 Roda-roda.

Piscina de bolinha.

Pula-pula.

 Balanço.

 Tanque de areia.

a) Ligue os pontos 2 a 2, usando uma régua e lápis nas cores indicadas, formando segmentos de reta.

Com lápis verde: do escorregador ao balanço.

Com lápis azul: do tanque de areia à piscina de bolinhas.

Com lápis laranja: do roda-roda ao pula-pula.

Com lápis marrom: do balanço à gangorra.

Com lápis cinza: da gangorra ao tanque de areia.

b) De acordo com a posição, 2 segmentos de reta podem receber nomes especiais. Veja: Os segmentos de reta verde e cinza que você traçou são chamados de **paralelos**. Eles nunca vão se cruzar.

Os segmentos de reta laranja e cinza que você traçou são chamados de **perpendiculares**. Quando se cruzam formam ângulo reto.

Os segmentos de reta cinza e azul não são **nem paralelos nem perpendiculares**. Eles se cruzam, mas não formam ângulo reto.

Agora é sua vez! Escreva o nome da posição entre os segmentos de reta indicados a seguir.

Verde e laranja: _____.

Marrom e azul: _____.

Laranja e marrom: _____.

Mais atividades e problemas

1 Beto gosta muito de desenhar. Ele resolveu representar a planta da sala de aula vista de cima, com a mesa da professora e as carteiras dos alunos. Veja como ficou.

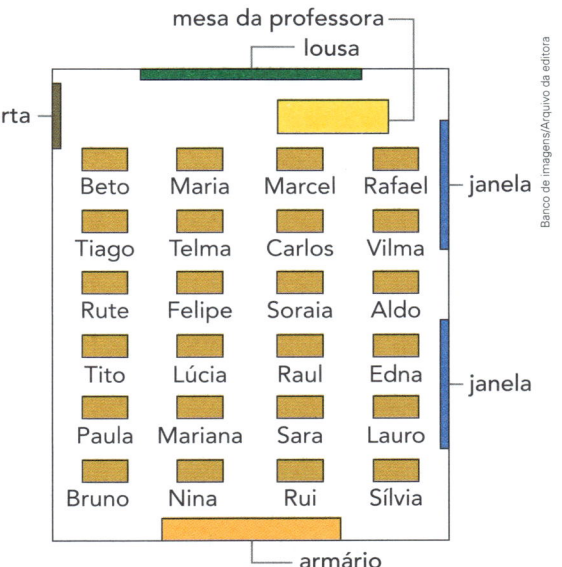

a) Use uma régua e trace uma linha vermelha ligando o "meio" da lousa ao "meio" do armário.

b) Complete com o nome que falta em cada item para que as carteiras dos 2 alunos estejam em posições simétricas em relação à linha vermelha que você traçou.

- Telma e _____.
- Aldo e _____.
- Rui e _____.
- Tiago e _____.
- Lauro e _____.
- Lúcia e _____.

c) Localize e escreva o nome dos alunos em cada item.

- 2 meninas em posições simétricas. _____
- 2 meninos em posições simétricas. _____

2 **DESLOCAMENTO E MEDIDA DE COMPRIMENTO**

Este sólido geométrico tem todas as arestas com medida de comprimento de 2 cm. As letras indicam os vértices dele.

Suponha que um inseto ande sobre as arestas do sólido geométrico.

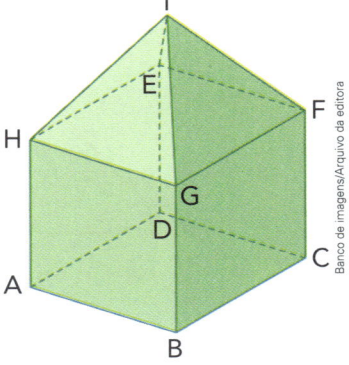

a) Quantos centímetros tem o caminho **A → B → C → F → I**? _____

b) Qual é o caminho mais curto para ir de **A** até **I**? Quantos centímetros de comprimento ele tem? _____

c) Descreva mais um caminho para ir de **A** até **I** que tenha 8 cm de comprimento.

_____

3 Marina "abriu" e "esticou" o polígono abaixo pelo vértice **P**, no sentido anti-horário, e obteve o segmento de reta mostrado na figura.
Lembre-se: sentido anti-horário é o sentido contrário ao do movimento dos ponteiros do relógio.

a) Faça como Marina: "abra" e "estique" os polígonos pelo vértice **P**, no sentido anti-horário, marcando os vértices.

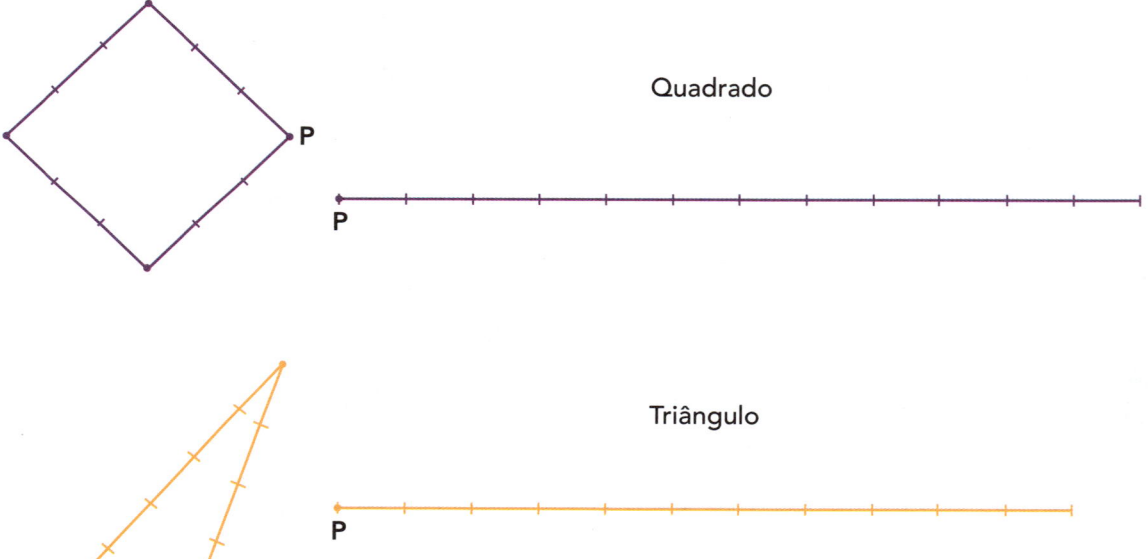

b) "Abra" e "estique" o retângulo de 2 maneiras: no sentido anti-horário e depois no sentido horário.

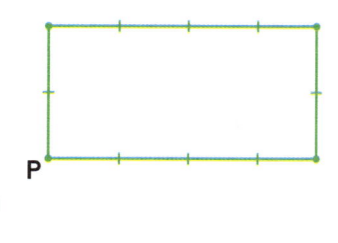

4 Analise com atenção a letra, a cor, a forma e o tamanho de cada região plana.

A ● B ▲ C ■ D ● E ▲ F ⬠

a) Escreva as letras correspondentes.

- As 2 regiões planas de mesma cor, de mesma forma e de mesmo tamanho: ____ e ____.

- As 2 regiões planas de mesma cor, de mesma forma e de tamanhos diferentes: ____ e ____.

- As 2 regiões planas de mesma cor e de formas diferentes: ____ e ____.

b) Considere agora a região plana **G** ao lado.
Complete as frases com **têm** ou **não têm**.

- As regiões planas **A** e **G** _____ a mesma forma e _____ a mesma cor.

- As regiões planas **B** e **G** _____ a mesma forma e _____ a mesma cor.

- As regiões planas **C** e **G** _____ a mesma forma, _____ a mesma cor e _____ o mesmo tamanho.

5 **SEMPRE, NUNCA OU ÀS VEZES SIM, ÀS VEZES NÃO**

Escreva em cada item a expressão acima correspondente.

a) Um paralelepípedo tem 6 faces. _____

b) Um prisma tem 2 faces triangulares. _____

c) Um triângulo tem 4 lados. _____

d) Um polígono é formado por 3 ou mais segmentos de reta. _____

e) Um cilindro tem 2 faces triangulares. _____

f) Um segmento de reta tem 6 cm de medida de comprimento.

_____

6 Observe os canteiros da horta de Pedro vistos de cima: a forma de cada um e seu tamanho (parte do terreno ocupada por ele).

a) Complete com as letras que indicam os canteiros.

- Os canteiros _____ e _____ têm formas diferentes e tamanhos iguais.

- Os canteiros _____ e _____ têm formas e tamanhos diferentes.

- Os canteiros _____ e _____ têm formas iguais e tamanhos diferentes.

- Os canteiros _____ e _____ têm formas e tamanhos iguais.

b) Desenhe e pinte um canteiro retangular que tenha o mesmo tamanho do canteiro **A**.

c) Agora, desenhe e pinte 2 canteiros com formas iguais e tamanhos iguais, cujos contornos sejam paralelogramos.

d) Finalmente, desenhe e pinte mais um canteiro cujo contorno também seja um paralelogramo, mas com os lados medindo metade dos que você desenhou no item **c**.

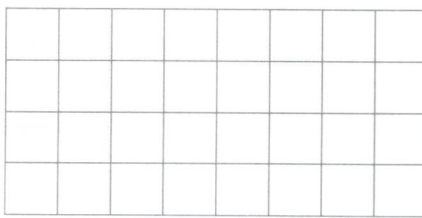

94 noventa e quatro

Vamos ver de novo?

1 POSSIBILIDADES

Juliana foi à sorveteria e pediu um sorvete com 3 bolas: flocos, morango e chocolate. Observe ao lado a posição das bolas de sorvete.

a) De quantas maneiras diferentes as bolas de sorvete podem ser colocadas na casquinha? _____

b) Quais são elas? _____
_____

2 ESTATÍSTICA

Na turma de Laura foi feita uma pesquisa com esta pergunta.

> O que você prefere assistir pela televisão: desenho, esporte, noticiário ou filme?

Cada pessoa deu apenas uma resposta, e, com base nos dados obtidos, foi elaborado o gráfico ao lado, no qual foram separados os votos de meninos e meninas.

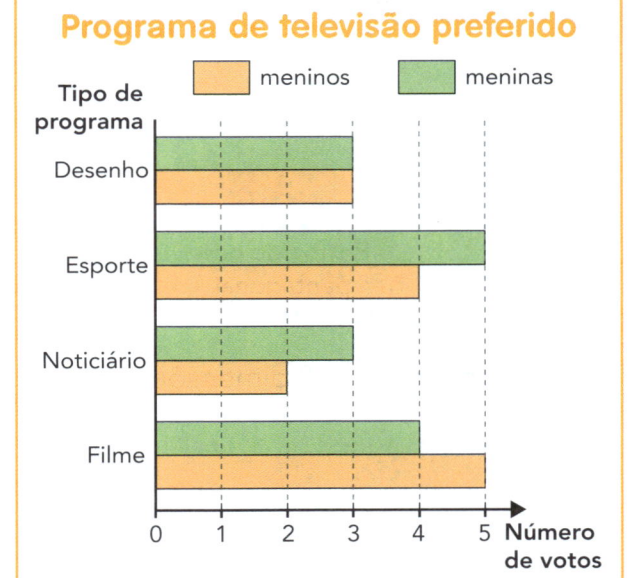

Gráfico elaborado para fins didáticos.

a) Quantos meninos votaram em esporte? _____

b) Quantas meninas há na turma? _____

c) Quantos alunos há na turma? _____

d) Qual foi o tipo de programa mais votado pelos meninos? _____

e) Qual tipo de programa recebeu 5 votos no total? _____

f) Agora, escreva no caderno um texto-síntese sobre essa pesquisa. Nele, descreva como os alunos dessa turma podem ter feito a pesquisa, quantas pessoas responderam à pergunta e quais foram os resultados obtidos.

O que estudamos

Revimos os sólidos geométricos estudados nos anos anteriores, seus elementos e suas principais características. Constatamos que alguns deles rolam, dependendo da posição em que são colocados sobre uma mesa, e outros não rolam.

Não rolam. | **Podem rolar.**

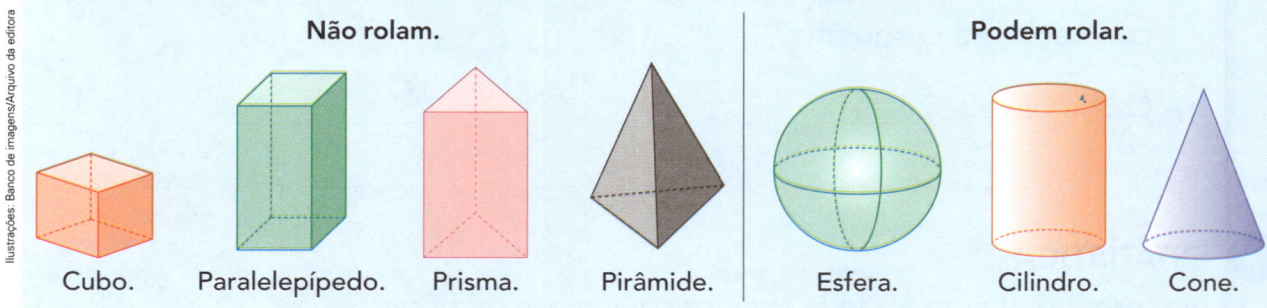

Cubo. Paralelepípedo. Prisma. Pirâmide. | Esfera. Cilindro. Cone.

Entre os sólidos geométricos, destacamos os prismas (2 faces paralelas e iguais – as bases – e as demais faces retangulares) e as pirâmides (1 face que é a base e as demais faces triangulares).

Prisma de base pentagonal.

Pirâmide de base quadrada.

Identificamos as 3 dimensões de um sólido geométrico.

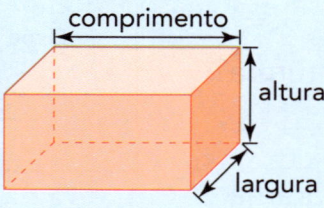

Localizamos os elementos de alguns sólidos geométricos.
O cubo tem 8 vértices, 12 arestas e 6 faces.

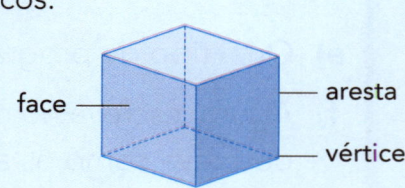

Vimos que, ao planificar a "casca" de alguns sólidos geométricos, obtemos regiões planas.

Estudamos os contornos das regiões planas.

Região plana.   Seu contorno.

Reconhecemos uma figura que apresenta simetria em relação a um eixo.

Também determinamos a simétrica de uma figura em relação a um eixo, obtendo figuras simétricas.

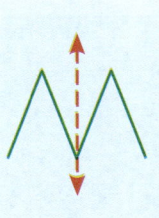 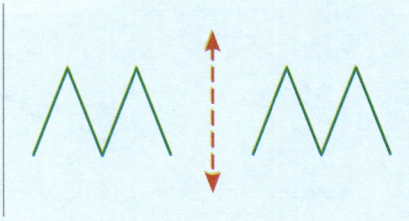

Vimos que segmento de reta é a figura determinada pelo caminho mais curto entre 2 pontos.

$\overline{AB}$: segmento de reta de extremidades **A** e **B**.

Vimos que um contorno formado somente por segmentos de reta é chamado polígono.

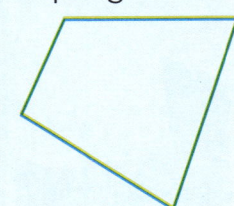

Polígono de 4 lados e 4 vértices.

Demos nome aos polígonos de acordo com o número de lados.

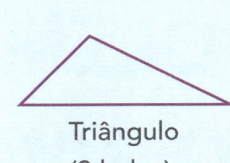 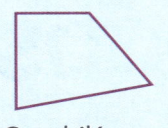 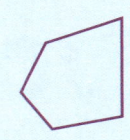

Triângulo (3 lados).   Quadrilátero (4 lados).   Pentágono (5 lados).

- De quais atividades você mais gostou nesta Unidade?
- De quais atividades você não gostou? Se teve dificuldades, não deixe de perguntar para o professor!
- Você mantém limpos e organizados os materiais da sala de aula?
- Você ajuda a cuidar da limpeza e da organização dos diferentes espaços da escola (sala de aula, pátio, etc.)? Joga sempre o lixo nas lixeiras? Espaço escolar limpo e organizado ajuda na convivência e na aprendizagem!

Unidade 3
Massa, capacidade, intervalo de tempo e temperatura

No revezamento 4 por 100 metros nado livre, a equipe dos Estados Unidos nadou os 400 metros em quase 3 minutos e 10 segundos.

EXPOSIÇÃO JOGOS OLÍMPICOS RIO 2016

Para iniciar

Muitas modalidades esportivas precisam das medidas para determinar os resultados, como os exemplos da exposição sobre os Jogos Olímpicos do Rio de Janeiro de 2016.

Nesta Unidade vamos retomar e ampliar o estudo das grandezas massa, capacidade e tempo e das unidades de medida de cada uma. Vamos também estudar a grandeza temperatura e a unidade de medida dela.

- Analise a cena das páginas de abertura desta Unidade. Converse com os colegas e respondam às questões a seguir.

- Em qual dos cartazes da exposição aparece uma medida de massa?
- Qual unidade de medida foi usada?
- Em qual dos cartazes é citada uma medida de capacidade?
- Usain Bolt, da Jamaica, correu quantos metros?
- Em mais de 10 segundos ou em menos de 10 segundos?
- Na informação sobre a maratona aquática são citadas medidas de quais grandezas?

- Converse com os colegas sobre mais estas questões.

   a) Em que situações do dia a dia você usa as medidas citadas abaixo? Dê um exemplo em cada caso.

   | Medida de massa | Medida de capacidade | Medida de intervalo de tempo | Medida de temperatura |

   b) Você sabe quantos dias tem cada mês do ano? Cite o número de dias nestes meses.

   | Janeiro | Junho | Abril | Dezembro | Fevereiro |

   c) Que produtos compramos no dia a dia utilizando a medida de capacidade?

Medida de massa ("peso")

Você já deve ter visto estas unidades de medida.

O **miligrama (mg)**, o **grama (g)**, o **quilograma (kg)**, ou simplesmente **quilo**, e a **tonelada (t)** são unidades de medida usadas para saber qual é o "peso" de pessoas, animais, objetos, etc. São **unidades de medida de massa**.

Cada unidade de medida é usada de acordo com aquilo que se vai pesar. Veja os exemplos.

As imagens não estão representadas em proporção.

O "peso" de uma formiga é dado em miligramas.

O "peso" de uma maçã é dado em gramas.

Um pacote de farinha tem o "peso" dado em quilogramas.

O "peso" de um rinoceronte é dado em toneladas.

O instrumento de medida de massa é a balança. Existem vários tipos de balança.

Balança de pratos.

Balança de ponteiro.

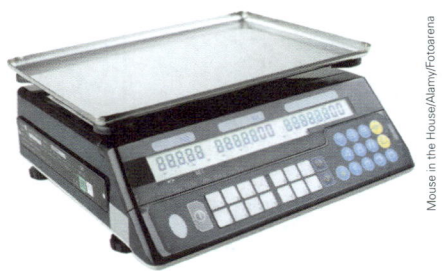

Balança digital.

1 Assinale o quadrinho da medida de massa mais adequada de cada item.

As imagens não estão representadas em proporção.

a) Joaninha.
☐ 30 mg
☐ 30 g
☐ 30 kg

c) Laranja.
☐ 100 mg
☐ 100 g
☐ 100 kg

b) Gato.
☐ 3 mg
☐ 3 g
☐ 3 kg

d) Trator.
☐ 5 g
☐ 5 kg
☐ 5 t

2 Você já viu: 1 kg = 1 000 g   1 g = 1 000 mg   1 t = 1 000 kg

Complete.

a) 7 kg = _____ g

b) 5 t = _____ kg

c) 1 kg e meio = _____ g

d) 7 g = _____ mg

e) 4 000 g = _____ kg

f) 12 000 kg = _____ t

g) 3 kg e 200 g = _____ g

h) meia t = _____ kg

i) 2 t e 5 kg = _____ kg

j) 2 000 mg = _____ g

3 Responda depressa! O que "pesa" mais: 1 quilograma de algodão ou 1 quilograma de ferro? _____

4 Um elefante "pesa" 4 toneladas e seu filhote "pesa" 2 toneladas.

a) Quantos quilogramas "pesam" os dois juntos? _____

b) Quantos quilogramas o elefante tem a mais do que seu filhote? _____

▶ Elefante africano adulto com o filhote, no Parque Nacional Tarangire, na Tanzânia.

5 ESTATÍSTICA

As imagens não estão representadas em proporção.

Adílson trabalha em uma empresa de reciclagem.
Ele registrou no gráfico abaixo a quantidade de lixo reciclável coletado durante um mês nessa empresa.

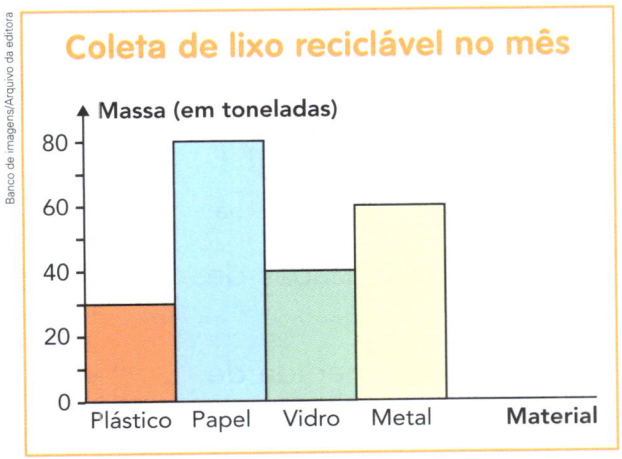

Gráfico elaborado para fins didáticos.

Usina de triagem e reciclagem de lixo.

- Responda.

   a) Qual foi o material mais coletado pela empresa nesse mês?

   _____

   b) Qual foi o material menos coletado? _____

   c) Quantas toneladas de vidro foram coletadas? _____

   d) Quantos quilogramas de plástico foram coletados? _____

   e) No total, foram coletadas mais ou menos do que 200 toneladas de lixo reciclável? _____

6 ATIVIDADE ORAL

   a) O que significa lixo reciclável?

   b) Na cidade onde você mora é feita a coleta de lixo reciclável? E na escola onde estuda?

   c) Você já participou de alguma campanha de coleta de lixo reciclável?

   d) Por que os recipientes para a coleta de lixo reciclável trazem uma cor diferente para cada tipo de material?

Recipientes para coleta de lixo reciclável.

cento e três 103

Medida de capacidade

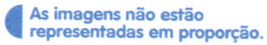
As imagens não estão representadas em proporção.

1 **ATIVIDADE ORAL EM GRUPO** A medida da capacidade de 1 copo, de 1 xícara de chá e de 1 jarra são alguns exemplos de unidades não padronizadas de medida de capacidade.

Com os colegas, faça um levantamento de situações em que essas unidades podem ser usadas.

Copo.   Xícara de chá.   Jarra.

2 O **mililitro (mL)** e o **litro (L)** são unidades padronizadas de medida de capacidade.

As caixas e as garrafas de leite têm, geralmente, medida de capacidade de 1 litro (1 L).

Veja os valores relativos do litro (L) e do mililitro (mL).

Caixa de leite.

$$1\ L = 1\,000\ mL$$

Complete.

a) 6 000 mL = _____ L

b) 2 L e 900 mL = _____ mL

3 **ATIVIDADE ORAL** Qual é a vantagem do uso das unidades padronizadas de medida de capacidade em relação às unidades não padronizadas de medida?

4 Assinale apenas a medida mais adequada de cada item.

a) Copo cheio.   b) Balde cheio.   c) Piscina cheia.

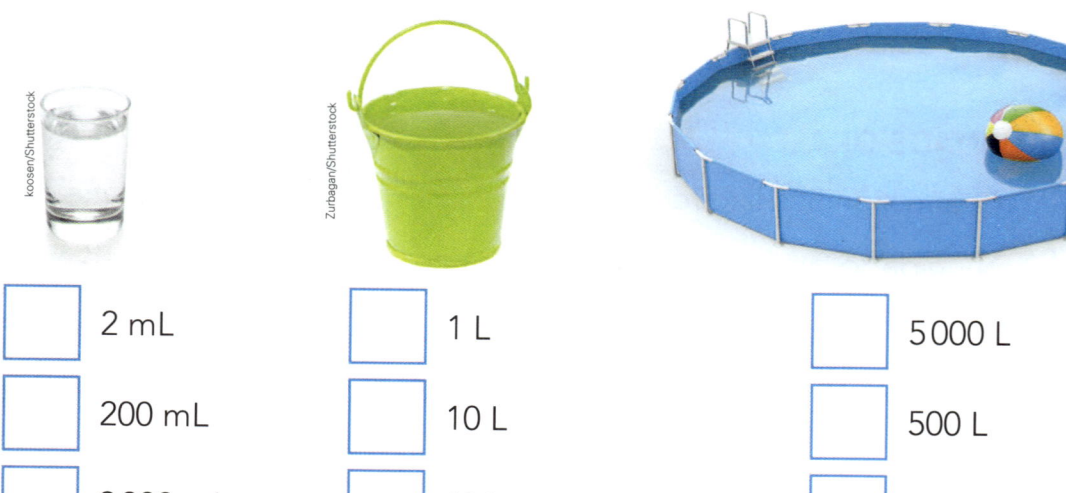

☐ 2 mL   ☐ 1 L   ☐ 5 000 L

☐ 200 mL   ☐ 10 L   ☐ 500 L

☐ 2 000 mL   ☐ 100 mL   ☐ 50 mL

5 Observe os objetos abaixo. Assinale os de capacidade menor do que 1 litro.

As imagens não estão representadas em proporção.

Concha.   Xícara de café.   Conta-gotas.

Pia.   Banheira.   Tambor.

6 **ATIVIDADE EM DUPLA** Formule um problema que envolva litros e passe para um colega resolver. Você resolve o dele.

_____

_____

_____

7 **POSSIBILIDADES**

Antônio vai comprar 2 litros de sabonete líquido. Veja ao lado os 2 tipos de embalagem que ele pode comprar e os preços deles. Descubra e registre.

1 L — R$ 10,00
500 mL — R$ 6,00

a) Todas as possibilidades de escolha das embalagens.

_____

_____

b) O preço de cada possibilidade.

_____

c) A possibilidade mais econômica. _____

Saiba mais

Em um reservatório cúbico com arestas de 1 metro de medida de comprimento cabem 1 000 litros de água.

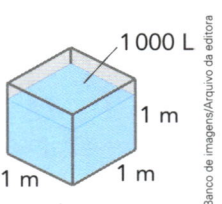

Explorar e descobrir

Você vai representar reservatórios usando os cubinhos do material dourado. Cada cubinho vai representar um reservatório com medida de capacidade de 1 000 litros. Em cada item, construa os reservatórios descritos e responda às perguntas.

- Um reservatório com a forma de paralelepípedo e dimensões medindo 2 metros, 1 metro e 1 metro.

    a) Quantos cubinhos você usou? _____

    b) Quantos litros de água cabem nesse reservatório? _____

- Um reservatório com a forma de um cubo com arestas de 2 metros de medida de comprimento.

    a) Quantos cubinhos você usou? _____

    b) Quantos litros de água cabem nesse reservatório? _____

As imagens não estão representadas em proporção.

 8 DESAFIO

ATIVIDADE EM DUPLA Hélio tem um vasilhame com medida de capacidade de 5 litros e outro com medida de capacidade de 3 litros.

Como ele deve fazer para que um deles fique com 1 litro de água dentro usando apenas esses vasilhames?

Descubram a solução e, depois, confiram com as outras duplas.

3 litros.   5 litros.

Medida de intervalo de tempo

Horas, minutos e segundos

1 Complete as frases abaixo e a frase na ilustração da lousa com o que você já conhece.

Nos relógios de ponteiros, o ponteiro pequeno marca _____.

Como 1 dia tem _____ horas, os horários vão de 0 hora até _____ horas.

2 Observe os relógios de ponteiros e os relógios digitais.

a) Complete com o que falta.

 As imagens não estão representadas em proporção.

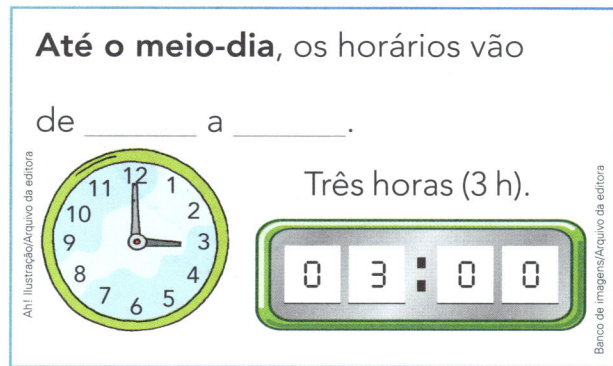

Até o meio-dia, os horários vão de _____ a _____.

Três horas (3 h).

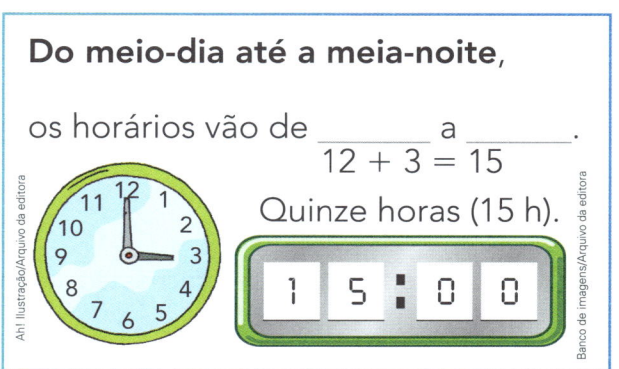

Do meio-dia até a meia-noite, os horários vão de _____ a _____.

12 + 3 = 15

Quinze horas (15 h).

b) Indique mais estes horários, como nos exemplos dados.

Antes do meio-dia.

Depois do meio-dia.

3 Carol estuda no período da tarde. As aulas dela terminam às 17 horas.

Desenhe no espaço ao lado um relógio de ponteiros e um relógio digital marcando esse horário.

Explorar e descobrir

Destaque e monte o relógio da página 35 do **Ápis divertido** para resolver estas atividades.

- O que o ponteiro grande marca nos relógios de ponteiros? _____

- Complete e represente em seu relógio.

  Para marcar 8 horas no relógio, você deve colocar o **ponteiro grande** no número _____ e o **ponteiro pequeno** no número _____.

- Para contar os minutos, observamos as marcas menores do relógio, como os tracinhos desta imagem. Essas marcas não são numeradas.
  Pegue seu relógio, que está marcando 8 horas, e gire o ponteiro grande até o número 1.

  Quantos minutos se passaram?

  _____

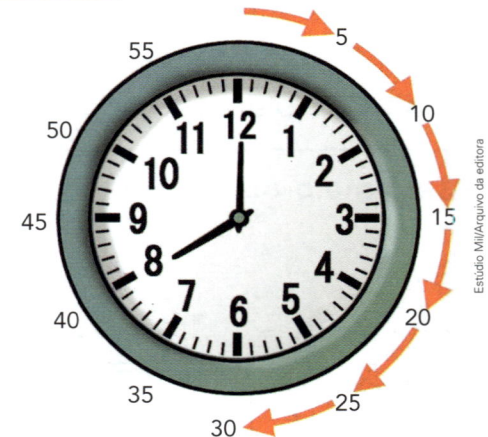

As imagens não estão representadas em proporção.

- Complete: Agora o relógio está marcando _____.

- Gire o ponteiro dos minutos até o 2. E agora, quantos minutos se passaram?

  _____

- Complete: Agora o relógio está marcando _____.

- Gire o ponteiro dos minutos até o 7. Que horário o relógio está marcando?

  _____

- Quando o ponteiro grande "anda" do 2 até o 7, o ponteiro pequeno fica parado no 8? _____

- Complete: A partir das 8 horas, quando o ponteiro grande der 1 volta completa no relógio, terão se passado _____ minutos, e o ponteiro pequeno estará no _____.

- Agora, ajude Felipe a completar a informação que está na ilustração da lousa.

1 hora tem _____ minutos.

4 **ATIVIDADE ORAL EM GRUPO** Observe o relógio ao lado e veja como podemos indicar o horário que ele está marcando, em horas e minutos.

Antes do meio-dia: 9:30 ou 9 h 30 min
Lemos: Nove horas e trinta minutos ou nove e trinta.
Depois do meio-dia: 21:30 ou 21 h 30 min
Lemos: Vinte e uma horas e trinta minutos ou vinte e uma e trinta.

As imagens não estão representadas em proporção.

Agora é sua vez! Registre os horários a seguir. Depois, leia com os colegas os horários indicados.

- Antes do meio-dia.

a)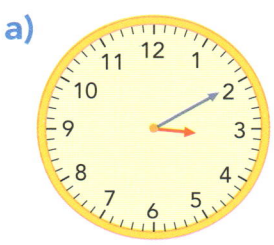

b)

c)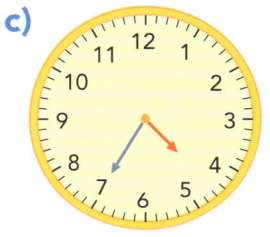

_____   _____   _____

_____   _____   _____

- Depois do meio-dia.

a)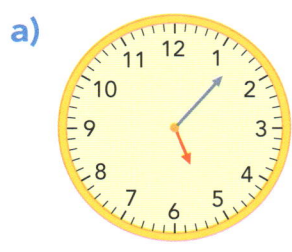

b)

c)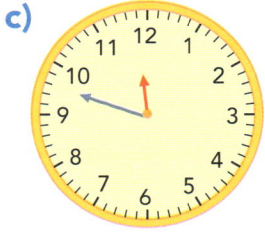

_____   _____   _____

_____   _____   _____

5 Para cada horário indicado no relógio digital, desenhe um relógio com os ponteiros na posição correta.

a)

b)

6 Quando os minutos passam dos 30, temos mais uma forma de dizer os horários. Veja os exemplos e registre os demais horários.

> As imagens não estão representadas em proporção.

3 horas e 40 minutos.
Faltam 20 minutos para as
4 horas ou vinte para as quatro.

6 horas e 55 minutos.
Faltam 5 minutos para as 7 horas
ou cinco para as sete.

a)

b)

c)

_____

_____

_____

7 Escreva os horários com algarismos.

a) Nove horas da noite. _____

b) Oito e meia da manhã. _____

c) Cinco e quarenta da tarde. _____

d) Quinze para as três da madrugada. _____

e) Seis para as duas da tarde. _____

f) Cinco para a meia-noite. _____

8 **ATIVIDADE ORAL**

Em algumas situações, a medida do intervalo de tempo deve ser dada com bastante precisão. Nesses casos, além da hora e do minuto, é usado o **segundo**. Um exemplo de situação desse tipo são as competições de natação.
Converse com os colegas sobre outras competições em que isso acontece.

9 O relógio ao lado tem o ponteiro das horas (preto), o dos minutos (verde) e o dos segundos (vermelho).
A volta toda tem 60 divisões, e o ponteiro dos segundos dá 1 volta completa em 1 minuto. Complete as sentenças.

a) 1 hora tem _____ minutos.   b) 1 minuto tem _____ segundos.

10 O relógio da atividade anterior está marcando, antes do meio-dia: **5 horas, 10 minutos e 45 segundos**, que indicamos **5 h 10 min 45 s**.

Escreva o horário marcado nos relógios abaixo, antes do meio-dia.

a)

_____ h _____ min _____ s

b)

_____

11 CÁLCULO MENTAL Com um colega, leia cada situação, troque ideias, faça os cálculos mentalmente e complete com a informação que falta.

a) Em uma competição de natação.
O 1º colocado demorou 3 minutos e 45 segundos para completar a prova.
O 2º colocado demorou 4 minutos para completar a prova.

O 1º colocado chegou _____ antes do 2º colocado.

b) Na disputa de uma maratona.
O 1º colocado chegou 2 h 40 min 10 s após a largada.
O 2º colocado chegou 2 minutos e 40 segundos após o 1º colocado.

O tempo gasto na prova pelo 2º colocado foi de _____.

c) Em uma corrida de automobilismo.
O 2º colocado gastou 2 horas para completar a prova.
O 1º colocado gastou 10 minutos e 30 segundos menos que o 2º colocado.

O tempo gasto na prova pelo 1º colocado foi de _____

12 CALCULE E COMPLETE

a) Em 1 hora e meia há _____ minutos.

b) A quarta parte de 1 dia corresponde a _____ horas.

c) 2 minutos e meio correspondem a _____ segundos.

O tempo no dia a dia

1 **ESTIMATIVAS: QUANTO TEMPO LEVA?**

a) Mariana gasta cerca de 20 minutos para almoçar. E você, quanto tempo gasta, aproximadamente, para almoçar? _____

b) Assinale o quadrinho que corresponde à melhor estimativa de tempo para cada atividade.

Dormir durante a noite.
- ☐ 40 minutos.
- ☐ 9 horas.
- ☐ 4 horas.

Apontar um lápis.
- ☐ 1 minuto.
- ☐ 1 hora.
- ☐ 10 minutos.

Tomar banho.
- ☐ 1 minuto.
- ☐ 1 hora.
- ☐ 10 minutos.

Assistir a um programa de tevê.
- ☐ 1 minuto.
- ☐ 10 horas.
- ☐ 1 hora.

Dar 6 passos.
- ☐ 5 minutos.
- ☐ 5 segundos.
- ☐ 5 horas.

Escovar os dentes.
- ☐ 3 minutos.
- ☐ 3 horas.
- ☐ 30 minutos.

2 **ATIVIDADE ORAL EM GRUPO** O que podemos fazer em 1 minuto? E em 10 minutos?

3 Responda.

a) Como você vai de sua casa à escola? Quantos minutos você gasta, aproximadamente, nesse percurso? _____

b) Se você sair de sua casa às 10 h 20 min, então a que horas chegará, aproximadamente, à escola? _____

O dia, a semana, o mês e o ano

Você já sabe que podemos medir intervalos de tempo em horas, minutos e segundos. Há outras unidades de medida que você também já deve conhecer: **dia**, **semana**, **mês**, **ano**, **década**, **século**, **milênio**, etc.

1 Complete.

a) 1 dia tem _____ horas.

b) 1 semana tem _____ dias.

c) 1 mês tem, aproximadamente, _____ semanas.

d) 1 ano tem _____ meses.

> **O que é, o que é?**
> Ontem era amanhã e amanhã será ontem.

2 E quantos dias tem 1 ano?

"Li em uma revista que 1 ano tem 365 dias e algumas horas."

"É, mas já ouvi falar que alguns anos têm 366 dias."

As imagens não estão representadas em proporção.

Quem você acha que está certo: Ivo ou Leila?

Os dois estão certos! Veja como justificar cada afirmação.

Ano é a medida do intervalo de tempo que a Terra leva para dar 1 volta completa em torno do Sol (movimento de translação da Terra). O ano corresponde a aproximadamente 365 dias e 6 horas.

Representação artística fora de escala e em cores fantasia.

Se juntarmos essas 6 horas durante 4 anos, teremos mais 1 dia (4 × 6 = 24 e 24 horas = 1 dia). Por isso, de 4 em 4 anos, acrescenta-se 1 dia ao mês de fevereiro, que fica com 29 dias.

Esse ano fica com 366 dias e é chamado **ano bissexto**.

O ano 2020 foi bissexto. Quais são os 5 anos bissextos seguintes a ele?

Saiba mais

As suas mãos podem ajudar a descobrir se o mês tem 31 dias ou menos. Veja ao lado.

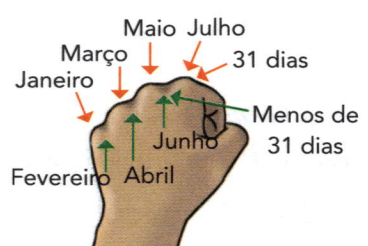
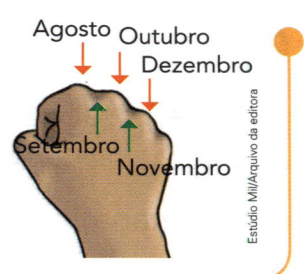

As imagens não estão representadas em proporção.

3 Com o auxílio de suas mãos, pratique um pouco. Depois, escreva quais meses têm exatamente a quantidade de dias indicada.

a) 30 dias. _____

b) 31 dias. _____

c) 28 ou 29 dias. _____

4 Teste seus conhecimentos. Responda e depois confira com os colegas.

a) Quantos meses tem 1 bimestre? E 1 trimestre? _____

b) Como se chama um período de 6 meses? _____

c) Quais meses formam o quinto bimestre do ano? _____

d) Janeiro é o mês 1. E março? E agosto? E dezembro? _____

e) Qual é o mês 4 do ano? E o mês 10? _____

5 Calcule e registre quantos dias temos nos meses a seguir.

a) Em março e abril juntos. _____

b) Em julho e agosto juntos. _____

c) Em setembro, outubro e novembro juntos. _____

d) O mês de maio e a 1ª semana de junho juntos. _____

114 cento e catorze ou cento e quatorze

6 Veja como podemos indicar a data oito de novembro de dois mil e vinte.

8/11/2020 ou 8/11/20

a) Indique a data doze de maio de dois mil e vinte e um. ______

b) Complete: 25/2/18 indica a data ______

______.

7 Escreva com símbolos e por extenso o dia e o mês de cada comemoração.

a) Dia Internacional dos Povos Indígenas. ______

b) Dia do Professor. ______

c) Dia Nacional da Consciência Negra. ______

d) Dia da Criança. ______

8 Escreva a data de seu nascimento apenas com algarismos.

____ / ____ / ____

Estúdio Mil/Arquivo da editora

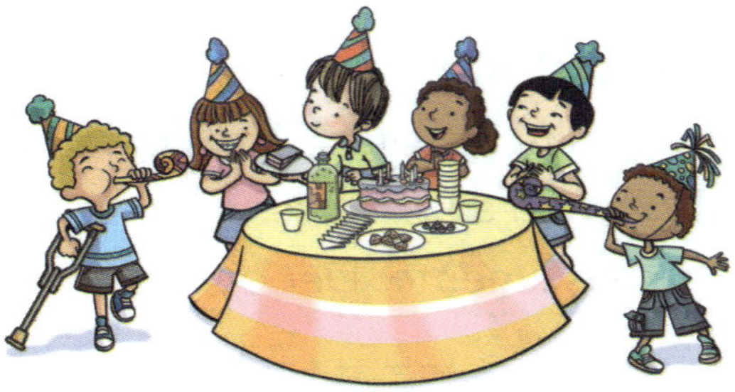

9 Complete a informação que Ana escreveu na lousa e, em seguida, as demais datas.

Ontem foi dia ______.

Depois de amanhã será dia ______.

Daqui a 1 semana será dia ______.

Daqui a 1 ano será dia ______.

Estúdio Mil/Arquivo da editora

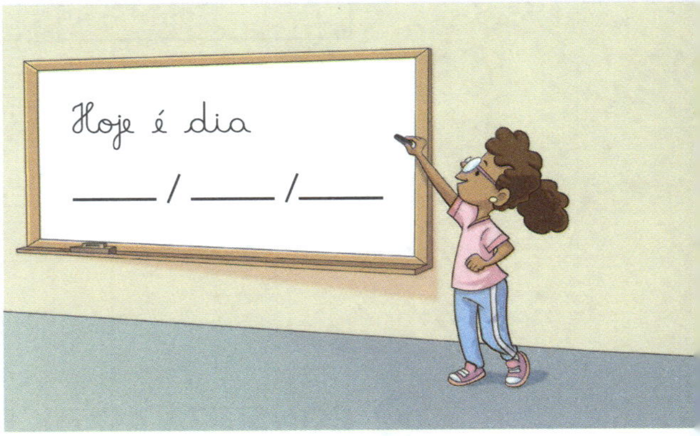

10 **DESAFIO**

Oscar é 4 dias mais velho do que Alice, a prima dele.
Alice nasceu no dia 3/1/2008.

Em que dia Oscar nasceu? ______

11 Nesta árvore do tempo estão registrados o ano de nascimento de Cristina e os dos pais dela.

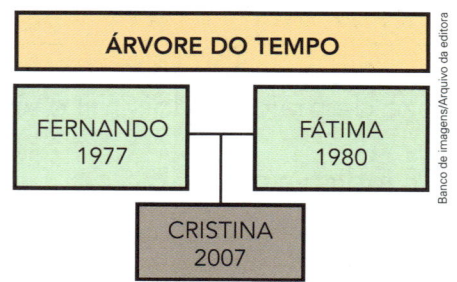

a) Quantos anos o pai de Cristina completou no ano em que ela nasceu? E a mãe? _____

b) Que idade Cristina completou ou completará neste ano? E seu pai? E sua mãe? _____

c) Em que séculos nasceram Cristina e seus pais? Indique com símbolos romanos.
_____

12 PESQUISA

Consulte seus familiares para obter as informações necessárias.
Construa sua árvore do tempo: você, seus genitores, seus avós, com os anos de nascimento. Depois, invente e responda perguntas sobre ela.

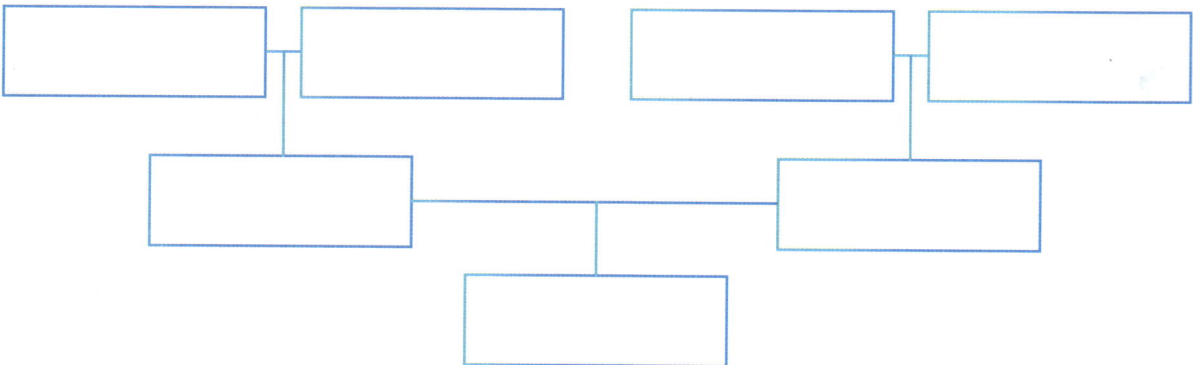

13 CONSULTA AO DICIONÁRIO!

Descubra quantos anos tem cada período e complete.

a) Década: _____

b) Biênio: _____

c) Triênio: _____

d) Quinquênio: _____

e) Século: _____

f) Milênio: _____

O uso do calendário

1) Para fazer anotações na agenda, Bárbara consultou o calendário ao lado. Ajude-a descobrindo e anotando as datas.

a) 1 semana depois de 5 de outubro. _____

b) 2 semanas antes de 31 de outubro. _____

c) 10 dias depois de 15 de novembro. _____

d) 12 dias antes de 25 de dezembro. _____

e) 3 semanas depois de 4 de novembro. _____

2) Dárcio trabalha em uma empresa e recebeu um valor suficiente de vale-transporte para usar durante 4 semanas. Ele começou a usar em 13 de outubro. Até quando terá vale para usar?

_____

3) Dezembro de 2010 foi o último mês da primeira década do século XXI. Nesse ano, o dia 25 de dezembro caiu em um sábado. Complete o calendário e, depois, responda.

Dezembro – 2010						
D	S	T	Q	Q	S	S

a) Qual foi o último dia dessa década?

_____

b) Em que dia da semana caiu esse dia? _____

c) Qual foi o primeiro dia dessa década? _____

d) Em que dia começou e em que dia acabará a segunda década do século XXI?

_____

4) **DESAFIO**

Quando escrevemos o nome dos 12 meses do ano, só 6 letras do nosso alfabeto de 26 letras não são usadas. Quais são elas? _____

Tecendo saberes

A idade de Pedro Álvares Cabral e de Pero Vaz de Caminha quando vieram ao Brasil

Pero Vaz de Caminha lê, para o comandante Pedro Álvares Cabral, o Frei Henrique de Coimbra e o mestre João, a carta que será enviada ao rei D. Manuel I. Obra do pintor brasileiro Francisco Aurélio de Figueiredo e Melo (1854-1916), pintada em 1900.

O comandante Pedro Álvares Cabral chegou ao Brasil em 1500 e, nesse ano, completou 32 anos. O escrivão Pero Vaz de Caminha foi quem redigiu a famosa carta que conta em detalhes como era a "nova terra". Nesse mesmo ano ele completou 50 anos e já era avô.

Ambos, e toda a frota deles, passaram por uma longa viagem de 44 dias entre Lisboa, capital de Portugal, e Porto Seguro, na atual Bahia, onde desembarcaram.

Fontes de consulta: BIBLIOTECA DIGITAL DA FUNDAÇÃO BIBLIOTECA NACIONAL; EBIOGRAFIA. Disponíveis em: <https://bndigital.bn.gov.br/> e <http://ebiografia.com/pero_vaz_de_caminha/>. Acesso em: 21 fev. 2020.

1 Use as informações do texto e responda.

a) Em que ano Pedro Álvares Cabral nasceu? E Pero Vaz de Caminha?

_____

b) Qual era a diferença entre a idade de Pero Vaz de Caminha e a de Pedro Álvares Cabral em 1500? _____

c) A esquadra de Cabral chegou ao Brasil no dia 22 de abril de 1500. Qual foi a data de partida de Portugal? _____

2 Leia um trecho da famosa carta escrita por Caminha ao rei de Portugal e que é considerada o primeiro documento escrito da história do Brasil.

Carta de Pero Vaz de Caminha a El Rei dom Manuel

Primeiro de maio de 1500
"Senhor:

Posto que o capitão-mor desta vossa frota e assim os outros capitães escrevam a Vossa Alteza [sobre] a nova do achamento desta vossa nova terra, que nesta navegação ora se achou, não deixarei também de dar minha conta disso a Vossa Alteza, como eu melhor puder."

Fonte de consulta: CÂMARA DOS DEPUTADOS. Disponível em: <http://imagem.camara.gov.br/internet/midias/plen/PDF/carta.pdf>. Acesso em: 21 fev. 2020.

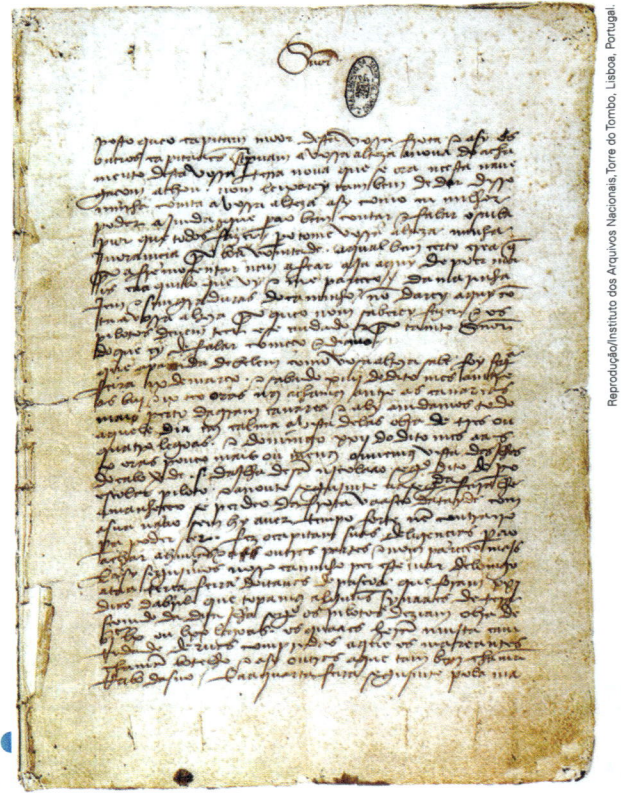

Carta de Pero Vaz de Caminha ao rei dom Manuel.

a) Pero Vaz de Caminha escreveu uma carta para comunicar-se com o rei de Portugal. Como você acha que a carta foi levada ao rei naquela época?

_____

b) Você já escreveu uma carta para alguém? _____

c) Como fazemos para que uma carta chegue ao destino dela?

_____

d) A carta é um meio de comunicação. Atualmente, utilizamos outros meios de comunicação. Liste pelo menos 3 exemplos.

_____

_____

e) Você achou a linguagem da carta muito diferente da que usamos hoje em dia? E essa linguagem é fácil ou difícil de entender?

_____

Medida de temperatura

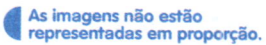
As imagens não estão representadas em proporção.

São muitas as situações do dia a dia nas quais utilizamos a medida da grandeza **temperatura**. Veja algumas.

No Brasil, para medir a temperatura usamos como unidade de medida o **grau Celsius (°C)**.

O instrumento que usamos para medir a temperatura é o termômetro.

Termômetro digital para medir a temperatura corporal.

Saiba mais

Consideramos que uma pessoa está com febre quando a medida da temperatura dela é maior do que 37 °C.

1 PESQUISA

Responda às questões referentes à medida de temperatura. No item **d**, pesquise para obter a resposta.

a) No geral, as medidas de temperatura são mais altas no verão ou no inverno?
_____

b) Quando uma medida de temperatura passa de 12 °C para 21 °C, dizemos que ela subiu ou baixou? Quantos graus Celsius? _____

c) No Brasil, as medidas de temperatura registradas na região Nordeste geralmente são mais altas ou mais baixas do que na região Sul? _____

d) Qual é a medida da temperatura na qual a água passa do estado líquido para o estado sólido (gelo)? _____

2 Veja neste gráfico as medidas das temperaturas mínima e máxima registradas em uma cidade em cada dia de uma semana.

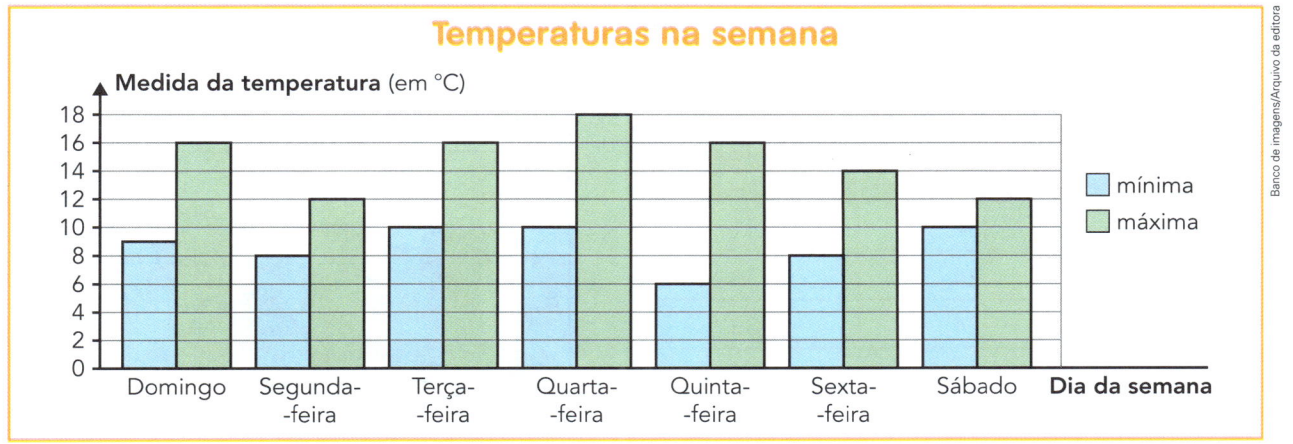

Gráfico elaborado para fins didáticos.

a) Qual foi a menor medida de temperatura registrada nessa semana?

Em qual dia da semana? _____

b) E qual foi a maior medida de temperatura registrada nessa semana? Em qual dia da semana? _____

c) Em qual dia dessa semana a medida da temperatura máxima foi 14 °C?

_____

d) Qual foi a medida da temperatura mínima registrada no domingo? _____

e) Qual foi a diferença entre as medidas das temperaturas máxima e mínima registradas na segunda-feira? _____

f) Qual foi a medida da temperatura máxima registrada com maior frequência nessa semana? Quantas vezes ela foi registrada? E em quais dias da semana?

_____

3 PESQUISA

ATIVIDADE ORAL EM GRUPO Descubra e, depois, converse com os colegas sobre as seguintes questões.

a) O que é o processo chamado **aquecimento global**?

_____

b) Que fatores estão sendo responsáveis por ele (causas)? Cite 2 fatores.

_____

4 A tabela abaixo mostra a previsão das medidas de temperatura mínima e máxima, em graus Celsius (°C), para o dia 29 de outubro de 2019 nas capitais dos estados da região Norte do Brasil.

Previsão de temperatura para 29/10/19

Capital	Temperatura mínima (°C)	Temperatura máxima (°C)
Belém	24	31
Macapá	24	36
Boa Vista	24	36
Palmas	24	34
Manaus	24	34
Rio Branco	23	33
Porto Velho	23	33

Fonte: <https://noticias.uol.com.br/cotidiano/ultimas-noticias/2019/10/29/previsao-do-tempo-como-ficam-as-temperaturas-para-hoje-29-nas-capitais.htm>. Acesso em: 9 dez. 2019.

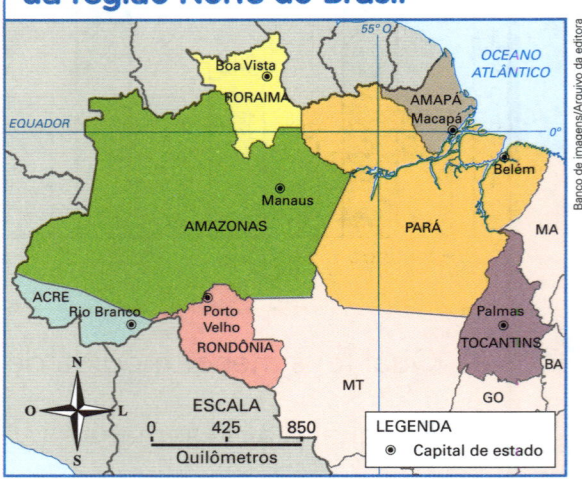

Adaptado de: IBGE. **Atlas geográfico escolar**. 8. ed. Rio de Janeiro, 2018. p. 90.

Consulte a tabela, faça pesquisas e complete:

a) A maior medida de temperatura prevista foi de _____ °C, nas cidades de _____ e Boa Vista.

b) A menor medida de temperatura prevista foi de _____ °C, nas cidades de _____ e _____.

> A diferença entre a medida de temperatura máxima e a medida de temperatura mínima é chamada de amplitude térmica.

c) A amplitude térmica na cidade de Boa Vista, que fica no estado de _____, foi de _____, pois _____ – _____ = _____.

d) A cidade com previsão de 24 °C de mínima e de 31 °C de máxima foi _____ no estado do _____. Lá, a amplitude térmica foi de _____.

5 Agora é sua vez! Em uma folha à parte, crie uma tabela semelhante à da atividade anterior e registre a medida de temperatura máxima e mínima diária da sua cidade durante uma semana. Depois construa um gráfico de barras para representar os dados coletados.

Mais atividades e problemas

1 Complete as afirmações sobre as trocas que podemos fazer.

a) 1 nota de R$ 100,00 por _____ notas de R$ 20,00.

b) 1 moeda de R$ 1,00 por _____ moedas de 25 centavos.

c) 1 nota de R$ 20,00 por 4 notas de R$ _____.

2 O filme a que Lucas e Ivo foram assistir durou 103 minutos. Veja o que cada um respondeu quando Marcelo perguntou a eles qual foi a duração do filme.

Lucas. 1 hora e 43 minutos.

Ivo. 1 hora e 3 minutos.

Qual deles respondeu corretamente? Justifique.

_____

_____

3 Escreva a palavra correspondente a cada símbolo de unidade de medida. Em seguida, escreva 5 frases em que apareçam essas palavras com o significado correto. Atenção: use 1 palavra em cada frase.

| h | kg | L | min | t |

_____ _____ _____ _____ _____

_____

_____

_____

_____

_____

cento e vinte e três 123

4 Na aula de Ciências, o professor falou da importância de manter a medida da massa (ou "peso") adequada, conforme a idade, a medida da altura e o sexo da pessoa, para evitar problemas de saúde.
Em casa, Paulo fez uma pesquisa com os familiares para conhecer a massa de cada um deles. Em seguida, ele construiu este gráfico.

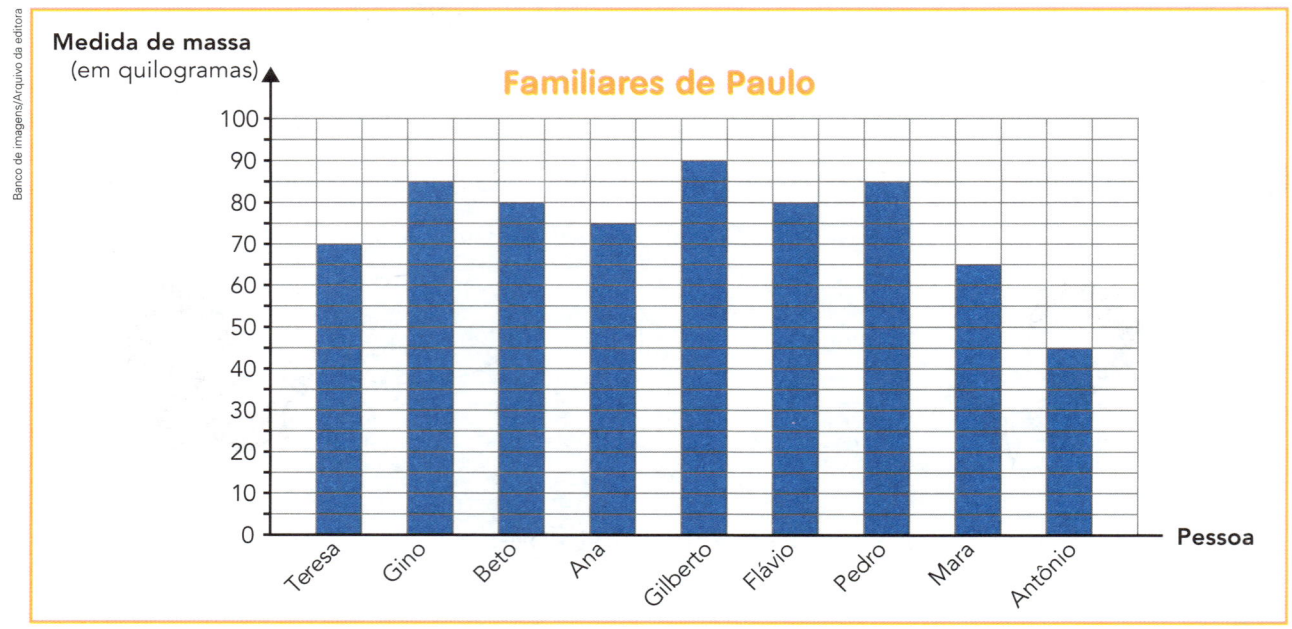

Gráfico elaborado para fins didáticos.

Complete as afirmações de acordo com o gráfico.

a) Mara "pesa" _____ kg e _____ "pesa" 70 kg.

b) A pessoa com maior medida de massa é _____, com _____ kg.

c) Beto e _____ têm "pesos" iguais (_____ kg).

d) Mara "pesa" 10 kg a menos do que _____.

e) Juntos, Teresa e Antônio "pesam" _____ kg.

f) _____ "pesa" o dobro de _____.

g) A diferença entre os "pesos" de Pedro e Teresa é _____ kg.

h) Os "pesos" de Ana (_____ kg), Mara (_____ kg), Gino (_____ kg) e Antônio (_____ kg), colocados em ordem crescente, ficam assim: _____, _____, _____, _____.

i) Se Gilberto emagrecer 7 kg, então ele ficará com _____ kg.

124 cento e vinte e quatro

5 Responda.

a) São 9 horas. Nesse horário, em que número do relógio de ponteiros está o ponteiro das horas?

E o dos minutos? _____

b) Nilo gasta 20 minutos para ir da casa dele até a escola. Ele saiu às 7 h 10 min de casa. A que horas ele chegará à escola? _____

c) Gilda saiu de casa às 16:45. Ela chegou ao supermercado 9 minutos depois. Fez compras durante 30 minutos e gastou mais 8 minutos para voltar para casa. A que horas Gilda chegou à casa dela? _____

d) Denise saiu de casa às 7 h 45 min e chegou à casa de Ana às 8 h 10 min. Quanto tempo ela gastou no trajeto? _____

Torre Elizabeth (Elizabeth Tower), em Londres, na Inglaterra, onde se encontram o sino Big Ben e um dos relógios mais famosos do mundo. Foto de 2016.

6 **ARROBA**

Você já ouviu falar em arroba?
É uma unidade de medida de massa, usada principalmente no comércio de animais, como bois e porcos.

As imagens não estão representadas em proporção.

1 arroba equivale a aproximadamente 15 quilogramas.

Use essa informação e complete:

a) Um boi de 60 arrobas tem massa igual a _____ quilogramas.

b) Um boi que "pesa" 795 kg tem _____ arrobas.

7 MILHA TERRESTRE E MILHA MARÍTIMA

A milha terrestre, ou apenas milha, é uma unidade de medida de comprimento usada principalmente nos países de língua inglesa, como os Estados Unidos e a Inglaterra.

Veja seu valor aproximado:

> 1 milha equivale a 1 600 m aproximadamente.

Com esses valores, use uma calculadora para determinar o que se pede e complete:

a) 5 milhas correspondem a _____ m ou _____ km.

b) _____ milhas correspondem a 24 km.

c) A **milha marítima** também é uma unidade de medida de comprimento e é usada na navegação.

Ela tem, aproximadamente, 250 metros a mais que a milha terrestre.

Então:

> 1 milha marítima tem aproximadamente _____ metros.

8 UNIDADE ASTRONÔMICA (UA)

Este é o nome de uma unidade de medida de comprimento. Ela é usada para registrar a medida de "grandes" distâncias relacionadas a corpos celestes, como planetas e estrelas.

> Uma unidade astronômica tem, aproximadamente, 150 000 000 km.

Use uma calculadora, descubra e complete:

a) Netuno é o planeta do Sistema Solar que fica mais distante do Sol: aproximadamente a 4 500 000 000 quilômetros, ou seja, _____ UA.

b) A distância entre os planetas Terra e Marte é de, aproximadamente, meia unidade astronômica, ou seja, _____ quilômetros.

9 TESTES ENVOLVENDO MEDIDAS

As imagens não estão representadas em proporção.

Assinale com um **X** o quadrinho com a resposta de cada item.

a) Quantos minutos temos das 11 h 40 min às 12 h 15 min de um mesmo dia?

☐ 45 minutos.   ☐ 35 minutos.

☐ 20 minutos.   ☐ 25 minutos.

b) Alfredo pagou R$ 7,00 em 250 g de queijo. Quanto ele vai pagar ao comprar 500 g do mesmo queijo?

☐ R$ 8,00   ☐ R$ 10,00   ☐ R$ 12,00   ☐ R$ 14,00

c) Cada embalagem de caixinha de suco tem 300 mL de suco. Quantas caixinhas é preciso comprar, no mínimo, para encher uma jarra com medida de capacidade de 1 L?

☐ 3 caixinhas.   ☐ 2 caixinhas.

☐ 5 caixinhas.   ☐ 4 caixinhas.

Caixinha de suco.

10
Para facilitar alguns cálculos, é comum considerar todos os meses do ano com 30 dias. É o chamado **mês comercial**.
Use esse valor e complete.

a) 1 ano comercial. ⟶ _____ dias.

b) 2 meses e 15 dias. ⟶ _____ dias.

c) 120 dias. ⟶ _____ meses.

d) 1 ano e 3 meses. ⟶ _____ meses. ⟶ _____ dias.

e) 2 anos e meio. ⟶ _____ meses. ⟶ _____ dias.

f) 80 dias. ⟶ _____ meses e _____ dias.

g) 1 ano, 5 meses e 10 dias. ⟶ _____ dias.

11 O golfinho-nariz-de-garrafa ou golfinho-comum é um mamífero aquático que nada a aproximadamente 40 km/h (quarenta quilômetros por hora) e dorme cerca de 8 horas por dia.

Golfinhos-nariz-de-garrafa.

Veja o quadro abaixo com mais alguns dados sobre o golfinho-nariz-de-garrafa.

Medida de comprimento	Medida de massa	Longevidade	Alimentação diária	Período de gestação
Entre 2 e 4 metros.	Cerca de 500 kg.	12 a 40 anos.	Por volta de 8 kg a 15 kg de lulas, camarões, enguias e outros peixes.	12 meses.

a) Use as informações dadas e responda: Qual a medida de massa aproximada de 3 golfinhos juntos? _____

b) 3 golfinhos juntos têm 79 anos. O golfinho mais velho tem 35 anos e o mais novo, 17. Qual é a idade do outro golfinho? _____

c) Se o golfinho menor come 8 kg de lulas, camarões, enguias e outros peixes e os outros 2 golfinhos comem 13 kg cada um, então quantos quilogramas os 3 juntos comem por dia? _____

d) Um golfinho nadou durante 2 horas sem parar. Quantos quilômetros ele nadou aproximadamente? _____

e) Finalmente, contorne nas frases a seguir as medidas que não estão de acordo com as informações dadas acima.

> Um golfinho de 60 anos de idade tem 3 metros de comprimento e demorou 12 meses para nascer. Certo dia ele comeu 35 kg de lulas, camarões, enguias e outros peixes e dormiu por 15 horas.

12 DESAFIO

Responda sem olhar em um calendário.

a) Se o dia 1º de um mês de 31 dias cair em uma quarta-feira, então quais dias desse mês também vão cair na quarta-feira? _____

b) Se o dia 30 de um mês cair em um domingo, então quais dias desse mês também vão cair no domingo? _____

13 DIREITOS DO CONSUMIDOR

Quando compramos algum produto alimentício, precisamos estar atentos às datas de fabricação e de vencimento que aparecem nas embalagens.

a) Preencha o quadro conforme o exemplo da 1ª linha.

As imagens não estão representadas em proporção.

Produto	Data de fabricação	Validade	Data de vencimento
Pão de fôrma	7/11/20	12 dias	19/11/20
Ricota	28/7/20	5 dias	
Leite em pó	7/2/20		7/8/21
Palmito		2 anos	19/6/22

b) **ATIVIDADE ORAL** Qual é a importância das datas nas embalagens dos produtos? Os seus familiares costumam verificar as datas de fabricação e de vencimento dos produtos quando fazem compras? Você costuma prestar atenção a elas também? Por que a validade é diferente de um produto para outro?

Vamos ver de novo?

> As imagens não estão representadas em proporção.

1 POSSIBILIDADES

Márcia quer fazer um suco com 2 frutas diferentes.
Ela tem 3 frutas: morango, mamão e laranja.

Morango, mamão e laranja.

a) Quais são as possibilidades de combinar 2 frutas no suco? _____

b) Quantas são essas possibilidades? _____

c) E se fossem 5 frutas, então quantas possibilidades seriam?

_____

2 ESTIMATIVA

a) Quanto você acha que mede o perímetro da região retangular ao lado? _____

b) Meça, calcule e registre. _____

3 DESLOCAMENTO E LOCALIZAÇÃO

Pinte no desenho um percurso que leve o beija-flor até a flor.
Mas atenção: o percurso deve ter 15 quadrinhos e deve passar por pelo menos 1 quadrinho em cada linha.

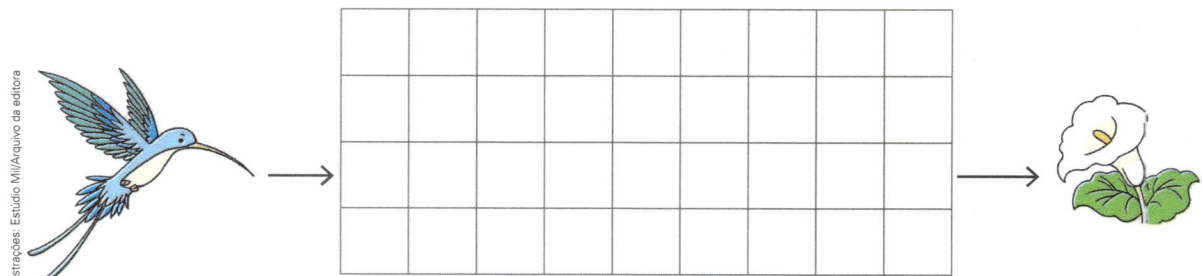

4 QUEM SÃO ELES?

Descubra e complete.
Juntos somam 40. A diferença entre eles é 10.

Os números são _____ e _____.

5 Em suas viagens, uma companhia aérea permite que cada passageiro leve uma bagagem de mão com no máximo 5 quilogramas. Se a bagagem tiver a forma de um paralelepípedo, então também deve-se levar em conta a soma das medidas das 3 dimensões e se a viagem é nacional ou internacional.

a) **ATIVIDADE ORAL** Qual é a diferença entre uma viagem nacional e uma viagem internacional?

b) **ATIVIDADE ORAL** O que significa dizer que uma bagagem tem **no máximo** 5 kg?

c) Para viagens no Brasil, a soma das medidas das 3 dimensões nessa companhia aérea deve ser, no máximo, 115 cm.

Jorge pretende comprar uma mala de mão para levar na sua viagem de Brasília a Recife (Pernambuco). Ele tem as opções abaixo. Registre as malas que Jorge pode comprar. _____

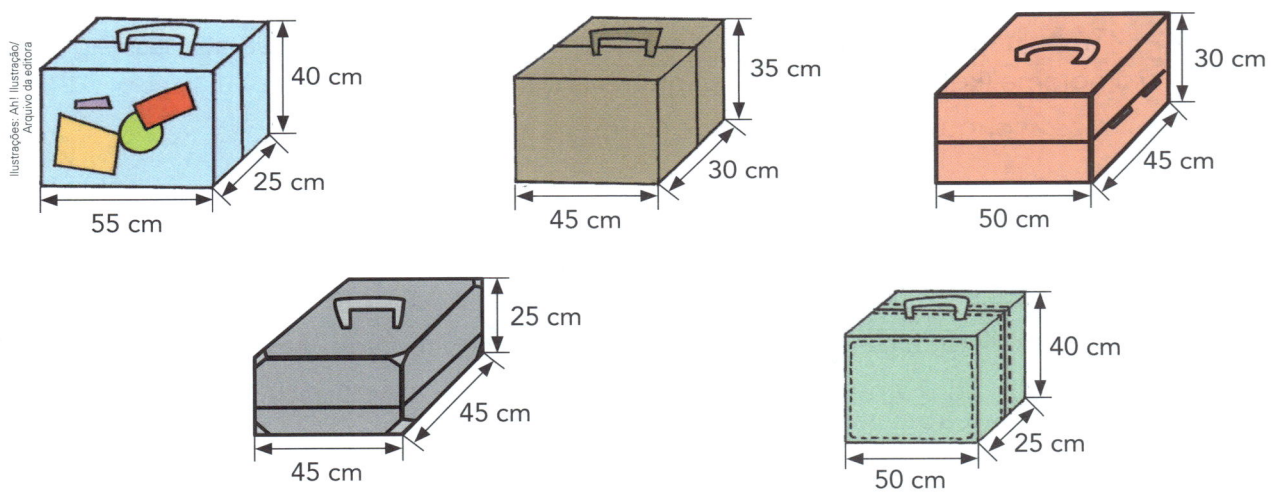

d) Em viagens internacionais, a soma das medidas das 3 dimensões nessa companhia aérea pode ser, no máximo, 125 cm. Que malas Jorge pode escolher para viajar de Brasília para Buenos Aires, na Argentina?

_____

_____

e) Marina vai fazer uma viagem de Recife (Pernambuco) até Porto Alegre (Rio Grande do Sul). Sua bagagem de mão tem a forma de paralelepípedo, seu comprimento mede 60 cm e sua largura mede 30 cm. Qual deve ser a medida de sua altura para que a bagagem seja a maior possível? _____

O que estudamos

As imagens não estão representadas em proporção.

Começamos com o estudo das medidas de 2 importantes grandezas: massa e capacidade.

Quando verificamos o nosso "peso", estamos utilizando uma medida de massa.

Quando verificamos na receita quanto de leite devemos colocar para fazer um bolo, estamos utilizando uma medida de capacidade.

Trabalhamos com diferentes unidades padronizadas de medida de massa: grama (g), quilograma (kg), tonelada (t) e miligrama (mg).

Nos açougues a carne é vendida em gramas e em quilogramas.

Trabalhamos também com unidades padronizadas de medida de capacidade: litro (L) e mililitro (mL).

A caixa-d'água de uma residência pode ter capacidade para 1 000 L.

Uma garrafinha de água costuma ter 500 mL de capacidade.

Relacionamos unidades de medida de uma mesma grandeza.

1 kg = 1 000 g   1 t = 1 000 kg   1 g = 1 000 mg   1 L = 1 000 mL

Estudamos também medidas de tempo, vendo inicialmente como ler e representar os horários antes e depois do meio-dia.

- Antes do meio-dia: 8 horas e 15 minutos ou oito e quinze.
  Representação: 8:15 ou 8 h 15 min

- Depois do meio-dia: 20 horas e 15 minutos ou vinte e quinze.
  Representação: 20:15 ou 20 h 15 min

Usamos diferentes unidades padronizadas de medida de intervalo de tempo: hora, minuto, segundo, dia, semana, mês, ano, década, século, milênio e outras.

- Este relógio está marcando 7 horas, 25 minutos e 50 segundos ou 7 h 25 min 50 s.
- O mês de maio tem 31 dias.
- 1 milênio corresponde a 1 000 anos ou 100 décadas ou 10 séculos.

Trabalhamos com o calendário, identificando com ele os dias, as semanas, os meses e o ano como unidades de medida de intervalo de tempo.

- O dia 4 de março de 2020 foi a primeira quarta-feira do mês.
- O último domingo do mês caiu no dia 29/03/20.

Estudamos a grandeza temperatura, a unidade de medida usada no Brasil (°C) e seu instrumento de medida (termômetro).

Resolvemos problemas que envolvem as medidas das grandezas estudadas.

- Se dona Elisa pagou R$ 48,00 por 2 kg de carne, então quanto ela pagaria por meio quilograma? R$ 12,00

    48 ÷ 2 = 24   24 ÷ 2 = 12

- Se uma torneira despeja 30 litros de água por minuto, então quantos litros ela despeja em 20 segundos? 10 litros

    20 = 60 ÷ 3   30 ÷ 3 = 10

- A medida da temperatura era 15 °C às 8 h e passou para 22 °C às 12 h. Qual foi a variação da medida de temperatura nesse período? Subiu 7 °C.

    22 − 15 = 7

- Você costuma reservar um horário para a lição de casa?
- Você tem sido pontual na hora de ir para a escola? Lembre-se: ser pontual significa respeitar as obrigações e as pessoas com quem marcamos um compromisso!

Unidade 4
Adição e subtração com números naturais

- O que as crianças estão fazendo nesta cena?
- Que recurso da Estatística aparece nesta cena?
- Como estão diferenciadas as quantidades de livros em língua espanhola e em língua portuguesa nesse recurso?

cento e trinta e cinco 135

Para iniciar

Na interpretação de gráficos, muitas vezes precisamos efetuar operações. No gráfico apresentado na abertura, por exemplo, para saber quantos livros tem de cada categoria ou quantos livros de poesia tem a mais do que os de literatura estrangeira, precisamos da adição e da subtração.

Essas operações serão retomadas nesta Unidade e, como sempre, o estudo delas será ampliado.

- Analise a cena das páginas de abertura desta Unidade. Converse com os colegas e respondam às questões a seguir.

Quantos livros tem de cada categoria representada no gráfico?

Qual é a diferença entre o número de livros de poesia e de ficção científica?

Quantos livros faltam para que a quantidade de livros de poesia seja 35?

Qual será o total de livros de literatura estrangeira se a biblioteca adquirir mais 3 livros dessa categoria?

As imagens não estão representadas em proporção.

- Converse com os colegas sobre mais estas questões.

a) Tirar uma quantidade de outra, verificar quanto uma quantidade tem a mais do que outra, descobrir quanto falta a uma quantidade para completar outra e separar uma quantidade são ideias de qual operação?

b) Qual operação devemos efetuar para saber o valor destas 3 moedas juntas? Qual é esse valor?

c) Carlos vai percorrer de carro uma distância medindo 300 km. Ele já percorreu 150 km de manhã e 100 km à tarde. Então, quantos quilômetros ainda faltam para completar a medida da distância total?

Adição com números naturais

Revendo as ideias da adição: juntar e acrescentar

1 João tem 2 caminhões para transportar frutas do Mercado Municipal da cidade para os supermercados e armazéns. Um deles transporta 325 caixas de frutas por dia e o outro transporta 186 caixas.

Quantas caixas os 2 caminhões transportam juntos por dia?

Para responder a essa pergunta devemos juntar 325 com 186, ou seja, devemos efetuar a adição 325 + 186.

a) Com o material dourado.

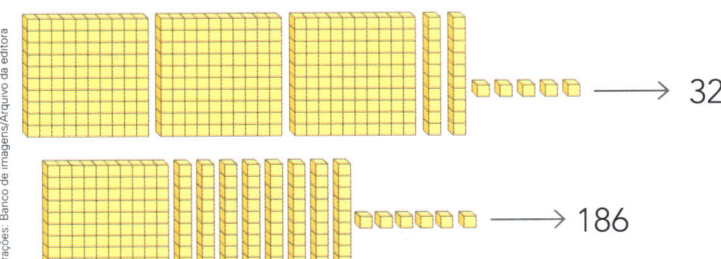 → 325

→ 186

Juntando as 2 quantidades, obtemos 325 + 186.

Trocamos 10 unidades por 1 dezena.

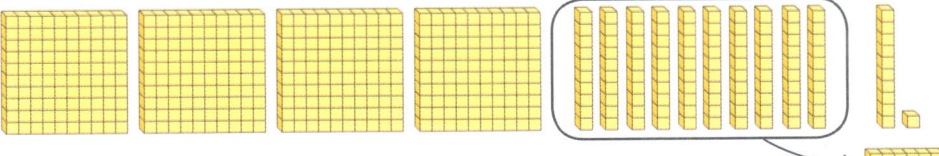

Trocamos 10 dezenas por 1 centena.

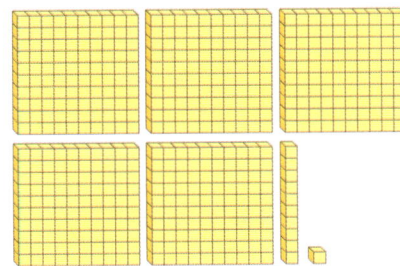

Complete a operação efetuada:

_____ + _____ = _____

> Se falo em unidade,
> Com dez faço dezena.
> Aumento a quantidade,
> Com cem faço centena.

b) Pelo algoritmo da decomposição.

Complete.

325 = 300 + 20 + 5
186 = 100 + 80 + 6

____ + ____ + ____ = ____

c) Pelo algoritmo usual.

Analise as várias etapas e suas justificativas e complete com o que falta.

Unidades
5 unidades + 6 unidades = _____ unidades
_____ unidades = _____ dezena + _____ unidade
Deixamos 1 unidade na coluna das unidades e levamos 1 dezena para a coluna das dezenas.

C	D	U
	☐	
3	2	5
+ 1	8	6

Dezenas
1 dezena + 2 dezenas + 8 dezenas = _____ dezenas
_____ dezenas = _____ centena + _____ dezena
Deixamos 1 dezena na coluna das dezenas e levamos 1 centena para a coluna das centenas.

C	D	U
☐		
3	2	5
+ 1	8	6

Centenas
1 centena + 3 centenas + 1 centena = _____ centenas

C	D	U
☐	☐	
3	2	5
+ 1	8	6

d) Agora, complete o algoritmo usual simplificado e escreva a resposta do problema.

```
   3 2 5
 + 1 8 6
```

Resposta: _____

2 Em um campeonato de voleibol, havia 1 657 pessoas 1 hora antes de começar a partida final. Até o início da partida chegaram mais 378 pessoas.

Havia quantas pessoas no início da partida?

Para responder a essa pergunta, precisamos acrescentar 378 a 1 657, ou seja, efetuar a adição 1 657 + 378.

Partida entre Brasil e Chile na disputa pela medalha de bronze do vôlei masculino nos Jogos Pan-Americanos de 2019 em Lima, Peru. Foto de 2019.

a) Complete.

Algoritmo usual

UM	C	D	U
☐	☐	☐	
1	6	5	7
+		3	7	8

- 7 unidades + 8 unidades = _____ unidades

  _____ unidades = _____ dezena + _____ unidades

- 1 dezena + 5 dezenas + 7 dezenas = _____ dezenas

  _____ dezenas = _____ centena + _____ dezenas

- 1 centena + 6 centenas + 3 centenas = _____ centenas

  _____ centenas = 1 milhar + _____ centena

- 1 milhar + 1 milhar = _____ milhares

b) Agora, complete o algoritmo usual simplificado, faça a indicação da operação efetuada e escreva a resposta do problema.

```
  1 6 5 7
+   3 7 8
---------
```

Operação: _____

Resposta: _____

3 Efetue as adições pelo algoritmo usual.

a)
```
   3 2 8
+  1 1 7
```

b)
```
   1 5 6 5
+    6 4 9
```

c)
```
   3 4 6 8
+  9 3 4 5
```

d)
```
   3 5 8 6 7
+  2 2 0 1 2
```

e)
```
   3 8 5 9 4
+  5 2 1 3 4
```

f)
```
   1 4 8 5
   3 2 3 8
+  4 1 2 3
```

4 Complete corretamente com os algarismos que faltam.

a)
```
   3 4 _
+  _ _ 2
---------
   7 5 8
```

b)
```
   _ 6 9
+    2 _
---------
   8 8 1
```

c)
```
   6 2 _ 3
+  _ 7 _ 9 5
-------------
   _ _ 1 9 _
```

5 **TERMOS DA ADIÇÃO**

Vamos recordar? Efetue a adição ao lado e observe o nome dos termos.

Depois, complete as frases.

```
  3 143  ← parcela
+ 2 852  ← parcela
  -----
         ← soma
```

a) Se as parcelas são 486 e 300, então a soma é _____.

b) A soma é _____ quando as parcelas são 847 e 3.

c) A soma é 3 000, e as parcelas são iguais: _____ + _____ = _____.

d) Se as parcelas são 17 346 e 13 584, então a soma é _____.

6 Faça o que se pede.

a) Efetue as adições da maneira que preferir.

800 + 400 = _____

426 + 1 000 = _____

587 + 432 = _____

1 100 + 31 = _____

b) Agora, pinte de azul os quadrinhos das adições cujo resultado for um número par e de verde se o resultado for um número ímpar.

c) Escreva os resultados em ordem decrescente.

_____, _____, _____, _____.

Adição: cálculo mental, arredondamento e resultado aproximado

1) CÁLCULO MENTAL

Veja neste gráfico a venda de livros na livraria do pai de Juliana, mês a mês, de janeiro a abril.

Ela resolveu calcular a venda juntando os meses.

Janeiro e fevereiro:
400 + 500 = 900, pois
4 centenas + 5 centenas = 9 centenas = 900.
Fevereiro e março: 500 + 600 = 1 100, pois
5 centenas + 6 centenas = 11 centenas = 1 100.

Gráfico elaborado para fins didáticos.

a) Calcule a venda juntando mais alguns meses.

- Março e abril: _____.

- Janeiro, fevereiro e março: _____.

- De janeiro a abril: _____.

b) Em qual mês a livraria vendeu mais livros? E menos livros? _____

2) FAÇA DO SEU JEITO!

Complete e depois veja como os colegas fizeram!

a) No 4º ano da escola de Pedro há 158 meninos e 200 meninas.

No total são _____ alunos.

b) Cléber tinha R$ 8 000,00 e recebeu R$ 3 000,00. Agora ele tem

R$ _____.

c) 4 998 + 3 = _____

d) 65 000 + 4 000 = _____

e) 15 000 + 1 869 = _____

f) 48 + 70 = _____

g) 995 + 5 = _____

h) 603 + 2 020 = _____

Arredondamentos e resultados aproximados na adição e na subtração

1 Faça arredondamentos, calcule mentalmente e determine o preço aproximado em milhares exatos de reais.

Computador. R$ 3 070,00

Automóvel. R$ 29 870,00

Geladeira. R$ 995,00

As imagens não estão representadas em proporção.

a) Geladeira e computador. _____

b) Automóvel e geladeira. _____

c) Computador e automóvel. _____

d) Os 3 produtos. _____

2 **ARREDONDAMENTO E RESULTADO APROXIMADO**

Um pomar que tem 496 laranjeiras vai ser ampliado com a plantação de 317 novas mudas. Quantas laranjeiras, aproximadamente, terá esse pomar? Para responder, você pode **arredondar** os números para as centenas exatas mais próximas e obter um **resultado aproximado**. Complete com o que falta.

```
  496              500
+ 317  arredondando  + 300
_____             _____
```

→ 5 centenas

→ 3 centenas

_____ centenas + _____ centenas = _____ centenas

O pomar terá **aproximadamente** _____ laranjeiras.

3 Faça arredondamentos e dê um **resultado aproximado**.

a) 316 + 695 = _____

b) 3959 + 4864 = _____

c) 39 + 498 = _____

d) 2987 + 5010 = _____

4 **REGULARIDADES NA ADIÇÃO (PROPRIEDADES)** Tiago e Jairo compraram o tablet e o videogame abaixo.

▸ As imagens não estão representadas em proporção.

a) Veja como eles calcularam o preço total e complete.

```
Tiago    3 6 9
       + 5 7 9
       _____
```

```
Jairo    5 7 9
       + 3 6 9
       _____
```

Tablet. R$ 369,00

Videogame. R$ 579,00

b) **ATIVIDADE ORAL** Como são as parcelas nessas 2 adições? E como são os resultados?

5 Efetue agora estas adições e veja se elas confirmam o que aconteceu nas adições da atividade anterior.

a) 3 + 4 = _____

4 + 3 = _____

b) 800 + 67 = _____

67 + 800 = _____

c) 60 + 10 + 20 = _____

20 + 10 + 60 = _____

10 + 60 + 20 = _____

6 De acordo com o que você observou nas adições, responda: O que acontece na adição quando trocamos a ordem das parcelas?

_____

7 Efetue as adições. Depois, responda à questão proposta.

a) 6 + 0 = _____   c) 45 + 0 = _____   e) 0 + 1 394 = _____

b) 0 + 37 = _____   d) 875 + 0 = _____   f) 7 400 + 0 = _____

O que acontece na adição quando uma das parcelas é 0 (zero)?

_____

cento e quarenta e três 143

8 Teo e Cleo estavam jogando dardos.

a) Veja como cada um calculou os pontos nesta jogada e calcule de outra forma, conforme indicado.

 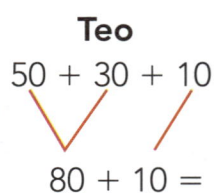 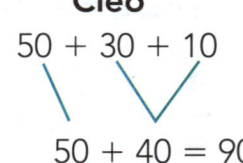 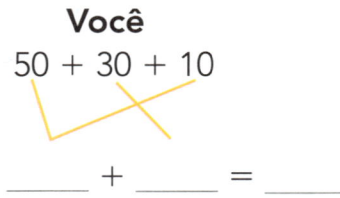

b) Agora, responda: Qual foi a soma nas 3 maneiras de efetuar a adição?

_____

9 Vamos verificar se o que aconteceu na atividade anterior também acontecerá nos casos abaixo.

a) Faça inicialmente as adições indicadas com ou sem parênteses e registre.

- 12 + 5 + 3 = _____   • 300 + (20 + 40) = _____

   12 + 5 + 3 = _____   (300 + 20) + 40 = _____

   12 + 5 + 3 = _____

b) Agora, responda: Ao agrupar as parcelas de modos diferentes, o resultado foi sempre o mesmo? _____

Na adição com mais de 2 parcelas, posso agrupar as parcelas do modo que achar melhor, pois o resultado será sempre o mesmo. Veja como fiz nos exemplos abaixo.

45 + 3 + 17 = 65   550 + 50 + 1 237 = 1 837   995 + 734 + 5 = 1 734
    20   600   1 000

10 Agrupe de forma conveniente e calcule a soma mentalmente. Registre os agrupamentos como nos exemplos acima.

a) 24 + 58 + 6 = _____   d) 5 + 37 + 25 + 3 = _____

b) 3 996 + 580 + 4 = _____   e) 2 500 + 2 500 + 2 500 + 2 500 = _____

c) 95 + 5 + 38 = _____   f) 1 837 + 600 + 400 = _____

Subtração com números naturais

Revendo as ideias da subtração: tirar, comparar, completar e separar

1 O professor de Educação Física levou 30 garrafas de água para a quadra. Os alunos consumiram 13 garrafas durante a aula. Quantas garrafas sobraram?

Compreender

Para responder a essa pergunta é preciso tirar 13 garrafas das 30 que o professor levou, ou seja, devemos efetuar a subtração 30 − 13.

Planejar

Vamos efetuar 30 − 13 com o material dourado e pelo algoritmo usual.

Executar

- Com o material dourado.
  Assim, 30 − 13 = 17.

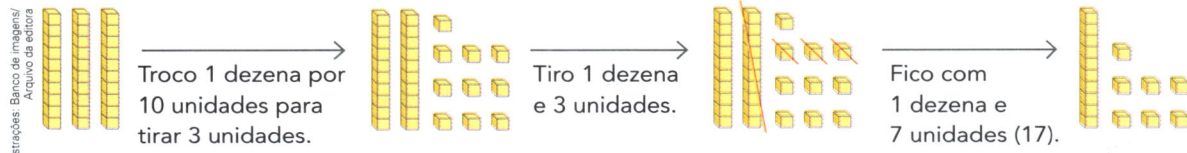

Troco 1 dezena por 10 unidades para tirar 3 unidades. → Tiro 1 dezena e 3 unidades. → Fico com 1 dezena e 7 unidades (17).

- Pelo algoritmo usual.
  Observe a sequência do algoritmo usual e justifique cada passagem com os colegas.

Verificar

D	U
3	0
− 1	3

→

D	U
₂̷3̷	¹0
− 1	3

→

D	U
₂̷3̷	¹0
− 1	3
1	7

ou

₂̷3̷	¹0
− 1	3

Adicionando as 17 garrafas que sobraram com as 13 que os alunos consumiram, devemos obter as 30 que o professor trouxe. Verifique.

```
  1 7
+ 1 3
```

Responder

Complete: Sobraram _____ garrafas de água.

2) Artur e Jairo fazem coleção de carrinhos. Artur tem 542 carrinhos. Jairo tem 278. Veja as perguntas que podemos fazer.

Qual é a diferença entre a quantidade de carrinhos de Artur e de Jairo?

Quantos carrinhos Artur tem a mais do que Jairo?

Quantos carrinhos Jairo tem a menos do que Artur?

Quanto falta para Jairo ter a mesma quantidade de carrinhos de Artur?

Para responder a essas perguntas, precisamos efetuar a subtração 542 − 278.

	C	D	U
	5	³4̶	¹2
−	2	7	8

⟶

	C	D	U
	⁴5̶	¹³4̶	¹2
−	2	7	8
	2	6	4

- Troco 1 dezena por 10 unidades e fico com 5 centenas, 3 dezenas e 12 unidades.
- Troco 1 centena por 10 dezenas e fico com 4 centenas, 13 dezenas e 12 unidades.
- Agora já posso subtrair 8 unidades de 12 unidades, 7 dezenas de 13 dezenas e 2 centenas de 4 centenas.

Para tirar a prova, ou seja, para verificar se a subtração 542 − 278 = 264 está correta, efetuamos a adição 264 + 278 e devemos obter 542. Confira!

a) Indique a subtração e faça a prova.

_____ − _____ = _____

```
    2 6 4
  + 2 7 8
```

b) Agora, complete as respostas das perguntas propostas.

A diferença entre o número de carrinhos de Artur e de Jairo é _____.

Artur tem _____ carrinhos a mais do que Jairo.

Jairo tem _____ do que Artur.

Faltam _____.

c) Finalmente, calcule e responda.

Juntando os carrinhos de Artur e de Jairo, quantos faltam para que o total seja 950 carrinhos? _____

3 DESAFIO

Resolva este problema por 2 caminhos diferentes: um deles efetuando duas subtrações e, o outro, efetuando uma adição e uma subtração.

Na escola de Mauro foram arrecadados 1 086 livros em uma campanha de doação de livros.

Livros.

- 245 desses livros foram separados para os alunos do 1º ao 5º ano.
- 351 desses livros foram separados para os alunos do 6º ao 9º ano.
- Os livros restantes foram para os alunos do Ensino Médio.

Quantos livros foram para os alunos do Ensino Médio? _____

4 Efetue as subtrações pelo algoritmo usual.

a) 2 894 − 1 562 = _____

b) 1 836 − 1 428 = _____

c) 52 839 − 21 287 = _____

d) 5 103 − 2 193 = _____

5 TERMOS DA SUBTRAÇÃO

Efetue a subtração ao lado e observe o nome dos termos.

```
   5 843   ← minuendo
 − 2 822   ← subtraendo
 ───────
           ← diferença ou resto
```

6 Calcule e complete.

a) A diferença entre 3 247 e 1 293 é _____.

b) Se o minuendo é igual ao subtraendo, então a diferença é _____.

c) Se o minuendo é oitocentos e quarenta e cinco e o subtraendo é duzentos e noventa e seis, então a diferença é o número _____.

7 Calcule e responda.

a) Quantas unidades sobram quando tiramos 135 de 219? ______

b) Quanto falta para R$ 37,00 chegar a R$ 100,00? ______

c) Quantas unidades 595 tem a mais do que 149? ______

d) Qual é a diferença entre 3185 e 58? ______

8 A eleição é o momento mais importante de uma democracia, pois o voto representa a vontade das pessoas. Em uma eleição, a candidata **A** recebeu 3475 votos e o candidato **B** obteve 1 948 votos.

Estúdio Mil/Arquivo da editora

Calcule e responda.

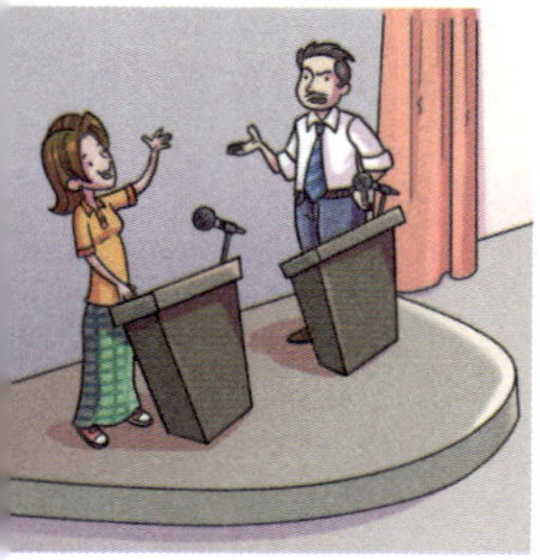

a) Quantos votos foram dados aos candidatos **A** e **B** juntos? ______

b) Quantos votos a candidata **A** recebeu a mais do que **B**? ______

c) Quantos votos faltaram à candidata **A** para que ela atingisse 4000 votos?

______

9 Crie um problema para ser resolvido adicionando R$ 1672,00 com R$ 2142,00 e subtraindo R$ 1188,00 da soma. Efetue as operações e escreva a resposta.

Problema: ______

______

Resposta: ______

Subtração: cálculo mental, arredondamento e resultado aproximado

1 CÁLCULO MENTAL

Márcio tem R$ 900,00 e Carlos tem R$ 400,00. Quanto Márcio tem a mais do que Carlos? Complete.

900 − 400 ⟶ 9 centenas − 4 centenas = _____ centenas

Logo, 900 − 400 = _____ , ou seja, Márcio tem _____ a mais do que Carlos.

2
Júlia e Silas pensaram na reta numerada para efetuar mentalmente 2 subtrações. Veja.

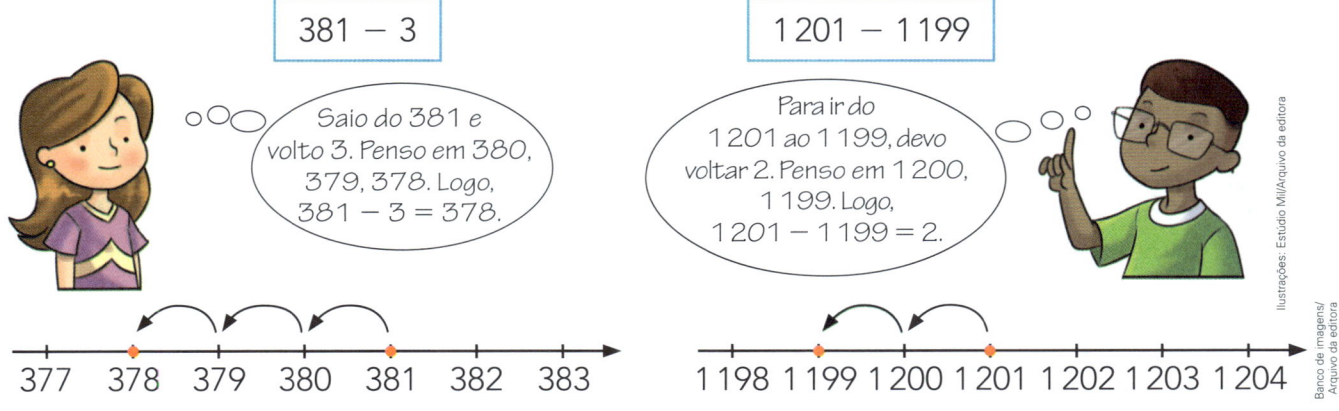

Agora, pense na reta numerada, calcule mentalmente e complete.

a) 1 600 − 4 = _____

b) 772 − 767 = _____

3 Pense no caminho que julgar melhor, calcule mentalmente e registre.

a) José tinha R$ 786,00 e gastou R$ 186,00. Ele ficou com R$ _____ .

b) Na escola em que Vanda estuda há 1 395 alunos. Faltam _____ alunos para que o número total de alunos seja 1 500.

c) 8 000 − 3 000 = _____

d) 1 803 − 4 = _____

e) 110 − 30 = _____

f) 7 200 − 4 000 = _____

g) 7 200 − 400 = _____

h) 845 − 841 = _____

i) 586 − 134 = _____

j) 586 − 34 = _____

4 **ARREDONDAMENTO E RESULTADO APROXIMADO**

Distância entre São Paulo e Belo Horizonte

Adaptado de: IBGE. **Atlas geográfico escolar**. 6. ed. Rio de Janeiro: IBGE, 2012.

A distância entre as cidades de São Paulo e Belo Horizonte é 586 quilômetros. Um caminhoneiro percorreu 198 quilômetros desse trecho.

Quantos quilômetros faltam, **aproximadamente**, para ele completar o percurso? Para responder a essa pergunta, é preciso fazer a subtração 586 − 198.

Para ter um **resultado aproximado**, arredondamos os valores e fazemos o cálculo mental. Por exemplo, arredondamos 586 para 600 e 198 para 200.

Complete: 600 − 200 = _____, ou seja, faltam aproximadamente _____ quilômetros para completar o percurso.

5 Faça arredondamentos, calcule mentalmente e assinale o valor **mais próximo** do valor exato, entre os valores citados.

a) Uma escola tem 2 033 alunos, dos quais 898 são do período da manhã. Qual é o número de alunos do período da tarde?

| 1 100 | | 2 900 | | 1 800 | |

b) Uma indústria já produziu 5 988 peças. Quantas peças ainda devem ser produzidas para atingir 10 000 peças?

| 400 | | 4 000 | | 5 000 | |

c) A uma partida de futebol compareceram 12 135 pessoas. A um *show* de *rock* foram 8 950 pessoas. Quantas pessoas um dos eventos teve a mais do que o outro?

| 4 000 | | 3 000 | | 5 000 | |

d) Uma livraria vendeu 698 livros em janeiro e 802 livros em fevereiro. Quantos livros foram vendidos nesses 2 meses?

| 2 500 | | 2 000 | | 1 500 | |

Mais atividades com adição e subtração

1 Leia com atenção e procure entender esta propriedade da igualdade. Depois, complete as operações para constatar a propriedade.

> Quando somamos ou subtraímos um número a um dos membros ("lados") de uma igualdade, para continuar a ter uma igualdade, devemos efetuar a mesma operação no outro membro.

a) 150 + 21 = 171

(150 + 21) − 10 = 171 − _____

_____

b) 17 + 11 = 20 + _____

(17 + 11) + 2 = (20 + _____) + _____

_____

2 UMA BOA ESTRATÉGIA PARA EFETUAR ALGUMAS ADIÇÕES

a) **ATIVIDADE ORAL EM DUPLA** Observe esta questão, converse com um colega e responda.

> Em uma adição, quando somamos ou subtraímos um número a uma das parcelas, o que devemos fazer com a outra parcela para que o resultado (soma) permaneça o mesmo?

b) Agora, complete com o que falta nas adições para conferir a resposta dada.

```
  12  +3→  15
+ 15   →  + ___
  27      27
```

```
  30  −2→
+ 40   →  + ___
```

```
  133   →
+  75  +2→  + ___
```

Posso aplicar essa conclusão para efetuar mentalmente adições em que uma das parcelas está próxima de uma dezena, centena ou unidade de milhar exata.

498 + 235
Somo 500 com 233.
Logo, 498 + 235 = 733.

As imagens não estão representadas em proporção.

3 Calcule mentalmente pelo processo visto acima, confira pelo algoritmo usual e, depois, responda:

Quanto uma pessoa vai gastar na compra desta geladeira e deste fogão? _____

Geladeira. R$ 2 995,00

Fogão. R$ 678,00

4. ATIVIDADE EM DUPLA

a) ATIVIDADE ORAL Agora a subtração. Troquem ideias sobre a seguinte questão.

> Em uma subtração, quando somamos ou subtraímos um número a um dos termos (minuendo ou subtraendo), o que devemos fazer com o outro termo para que o resultado (diferença) permaneça o mesmo?

b) Completem com o que falta nas subtrações para conferir a resposta dada.

```
  25   +2→   27          90   →             537   -2→
- 14    →  - ___       - 70   +10→ - ___  - 124    → - ___
  11        11
```

5. UMA BOA ESTRATÉGIA PARA EFETUAR ALGUMAS SUBTRAÇÕES

A conclusão da atividade anterior pode ser aplicada para efetuar subtrações em que o minuendo termina em zeros ou tem zeros intercalados. Veja os exemplos.

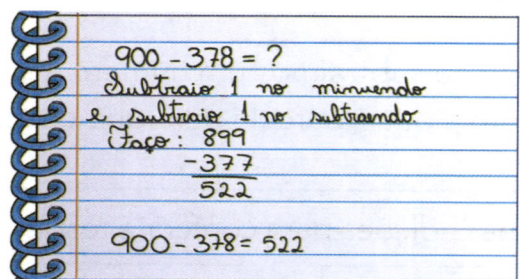
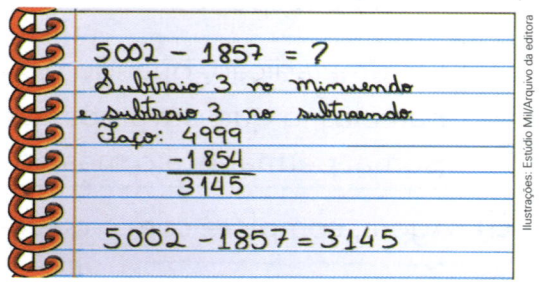

Agora, efetue mais estas subtrações usando a mesma estratégia. Na primeira subtração, faça também pelo algoritmo usual.

As imagens não estão representadas em proporção.

a) 800 − 346 = _____   b) 7 000 − 597 = _____   c) 601 − 248 = _____

6.

Alex fez uma viagem com a família. Antes de sair, ele marcou a quilometragem do carro: 8 765 km. Na chegada, de volta para casa, observou quanto o hodômetro (marcador de quilometragem) marcava. Veja ao lado. Quantos quilômetros foram percorridos nessa viagem? _____

Hodômetro do carro.

Relacionando a adição e a subtração: operações inversas

1 Juliana juntou os lápis destas 2 caixas. Complete.

a) Ela ficou com _____ lápis, pois

_____ ou _____ .

b) Se emprestar 4 desses lápis, então Juliana ficará

com _____ lápis, pois _____ .

c) Ou, se emprestar 3 desses lápis, então ela ficará

com 4 lápis, pois _____ .

2 Observe as **operações inversas** adição e subtração.
Adicionei 4 ao número 3 e obtive 7.
Para voltar ao 3, partindo do 7, faço a **operação inversa** e subtraio 4.

```
   3   ↘ ↗   7            ┌─┐  +4   ┌─┐
 + 4    ✕  − 4            │3│ ───→ │7│
 ─── ↙ ↘ ───              └─┘       └─┘
   7         3            ┌─┐  −4   ┌─┐
                          │3│ ←─── │7│
                          └─┘       └─┘
```

> Vai adicionando e volta subtraindo.
> Vai subtraindo e volta adicionando.

Complete cada operação e, depois, realize a operação inversa para voltar ao número inicial.

a) 3 8
  + 4 1
  ─────

b) 4 9 2
  − 2 3 9
  ───────

3 Veja o diagrama em cada item, calcule o número que falta e complete.

a) ☐ + 65 = 102

b) ☐ − 2 150 = 3 856

c) 335 + ☐ = 482

4 Faça o diagrama correspondente a cada operação, como na atividade anterior. Depois, descubra o valor procurado.

a) Pensei em um número, subtraí 56 dele e obtive 39.

Em que número pensei? ___________

b) Pensei em um número, somei 45 a ele e obtive 183.

Em que número pensei? ___________

c) Ana tinha uma quantia, ganhou R$ 75,00 e ficou com R$ 108,00.

Quanto Ana tinha? ___________

d) Rodrigo tinha certa quantia, comprou um livro por R$ 28,00 e ficou com R$ 75,00.

Quanto Rodrigo tinha? ___________

e) Sérgio tinha R$ 288,00. Comprou um brinquedo e ainda ficou com R$ 175,00.

Quanto custou o brinquedo? ___________

5 DESAFIO E CALCULADORA

a) Com uma calculadora, sem usar a tecla [–], descubra se o resultado de cada subtração está correto ou incorreto.

Banco de imagens/Arquivo da editora

5842 − 1975 = 3867 ___________

539 − 168 = 431 ___________

b) Agora, sem usar a calculadora, refaça a subtração que está incorreta. _______________

Brincando também aprendo

JOGO PARA 2 PARTICIPANTES.

Cruzadinhas

Inicialmente, usando uma calculadora, os participantes do jogo determinam e registram os números nos quadros.

a) 731 + 514 = ☐

b) ☐ + 406 = 737

c) 855 + ☐ = 900

d) 4 146 − 841 = ☐

e) ☐ − 221 = 91

f) 119 − ☐ = 66

Calculadora.

1º jogo

Os participantes devem preencher o que falta na 1ª cruzadinha com os números que aparecem nos quadros (1 algarismo em cada quadrinho). Ganha o jogo quem terminar primeiro e corretamente.

2º jogo

Os participantes devem preencher o que falta na 2ª cruzadinha com o nome dos termos das operações dos itens **a** e **d**.

Quem terminar primeiro e corretamente será o vencedor do jogo.

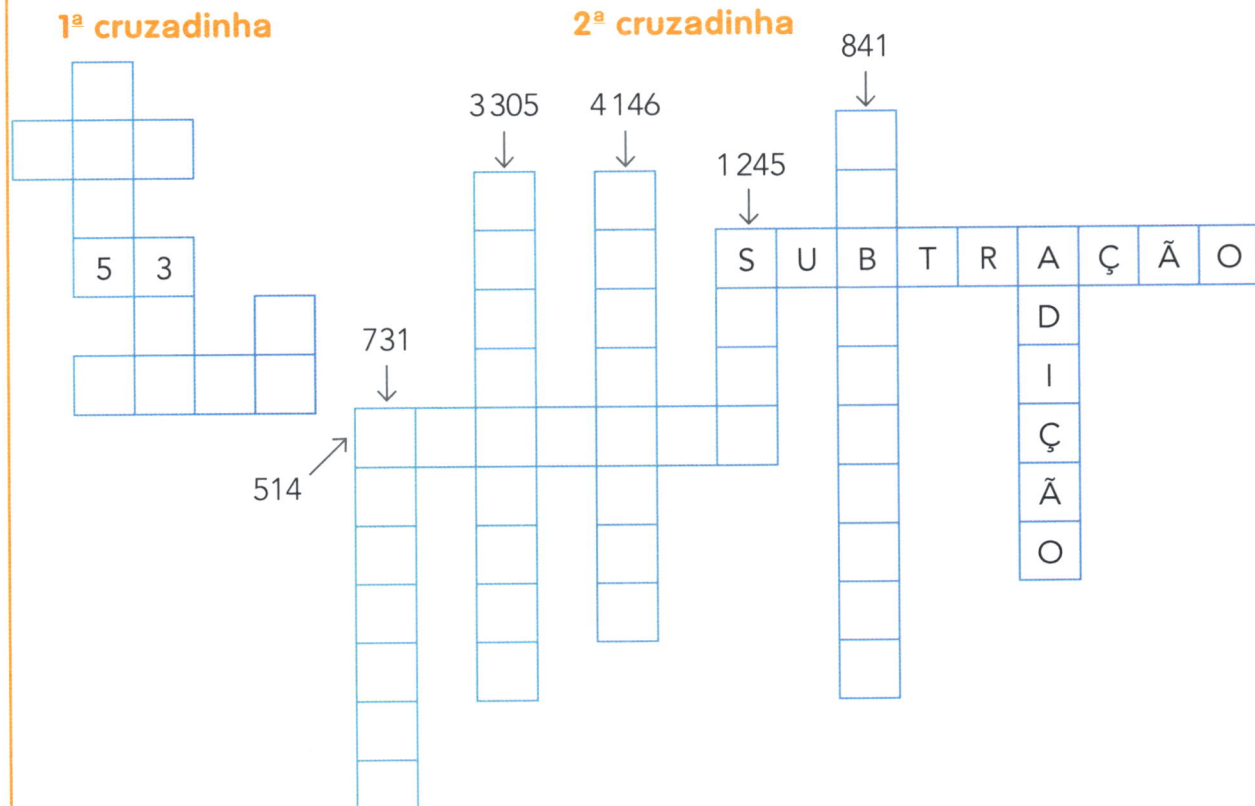

Mais atividades e problemas

1 **ATIVIDADE ORAL EM DUPLA** Nos problemas devemos sempre pensar nas fases da resolução: **compreender**, **planejar**, **executar**, **verificar** e **responder**.
O que fazer em cada uma delas? Converse com um colega.

2 Lívia resolveu um problema efetuando a operação abaixo. Complete o que falta na operação, no enunciado do problema e na resposta.

```
      4
 +    3
 ─────
    0 1
```

Em uma partida de basquete um time marcou _____ pontos nos dois primeiros quartos e marcou _____ pontos nos outros dois quartos.
Quantos pontos o time marcou ao todo no jogo?

_____

3 O pai de João gastou entre R$ 25,00 e R$ 35,00 em uma compra. Pagou com 2 notas de mesmo valor e recebeu menos do que R$ 10,00 de troco.
Formule um problema que esteja de acordo com as condições acima, escreva as operações efetuadas e dê a resposta.

_____

_____

_____

4 Você sabe o que são **quadrados mágicos**? Em todas as suas linhas, colunas e diagonais a soma dos elementos é a mesma (soma mágica). Efetue as adições mentalmente e complete com o que falta.

a) Soma mágica: 12.
Use os números naturais de 0 a 8.

b) Soma mágica: _____.
Use os números naturais de 4 a 12.

c) Soma mágica: 15.
Use os números naturais de 1 a 9.

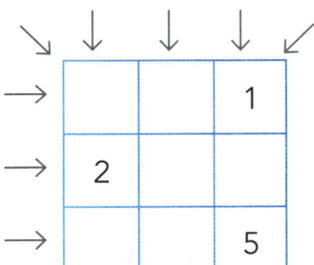 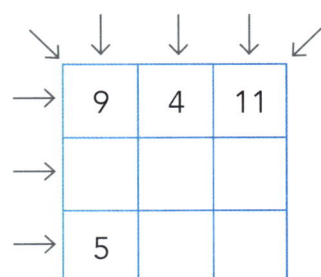 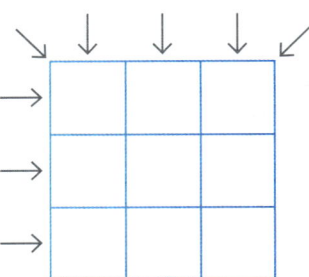

5 Faça o que se pede.

a) Observe o extrato bancário, que mostra a movimentação da conta de Ramiro no período de 12/7/20 a 20/7/20. Depois, complete os valores que faltam na coluna do saldo.

BANCO TAL E TAL			EXTRATO Nº 0009
DATA	DEPÓSITO	RETIRADA	SALDO
12/7/20	—	—	R$ 847,00
14/7/20	R$ 1 000,00	—	
17/7/20	—	R$ 539,00	
20/7/20	R$ 735,00	—	

b) Calcule e responda: O saldo de 20/7 em relação ao de 12/7 aumentou ou diminuiu? Quanto? _____

c) **ATIVIDADE ORAL EM GRUPO** Troque ideias com os colegas sobre o significado de termos como extrato bancário, movimentação de conta bancária, depósito, retirada, saldo e outros termos de Matemática financeira.

6 Das 300 latas de ervilha que estavam na prateleira de um supermercado, 37 foram separadas por estarem com a data de validade vencida. Quantas latas de ervilha restaram na prateleira? _____

Bicicleta.
R$ 234,00

7 Jeremias comprou esta bicicleta. Ele pagou com 2 notas de R$ 100,00 e 1 nota de R$ 50,00 e recebeu R$ 26,00 de troco. O troco está correto? Se houve erro, corrija-o.

_____

8 Um farmacêutico teve um gasto de R$ 1 487,00 na compra de remédios para revender. Na venda desses remédios ele recebeu R$ 3 500,00. Ele teve lucro ou prejuízo? De quanto? _____

As imagens não estão representadas em proporção.

9 Rafael afirmou que a metade de 1 278 é 639. Será que ele está correto? Marina verificou efetuando uma adição, e Jonas verificou efetuando uma subtração.
Indique como Marina e Jonas fizeram e responda se Rafael está correto.

_____

10 **ATIVIDADE ORAL EM GRUPO (TODA A TURMA)** Calcule mentalmente e converse com os colegas. Em cada item, um aluno da turma faz o cálculo e justifica para os colegas. Depois, cada um registra em seu livro.

a) 70 + 10 = _____

b) 500 + 400 = _____

c) 3 000 + 3 000 = _____

d) 80 + 40 = _____

e) 900 + 200 = _____

f) 45 000 + 4 000 = _____

11 Beto tem R$ 128,00, Carla tem R$ 85,00 a menos do que Beto e Caio tem tanto quanto Beto e Carla juntos.

Quantos reais os 3 têm juntos? _____

12 Jonas sabe que é preciso gastar menos do que se ganha. Por isso, ele coloca na conta-poupança todo o dinheiro que sobra mensalmente.
Ele tinha R$ 2 576,00 na poupança e depositou R$ 1 630,00. Quanto ele tem agora de saldo na poupança? _____

13 **FAZ DE CONTA**

Sabendo que os ursos do zoológico estão em constante crescimento, os veterinários foram "pesar" 2 ursos individualmente.
Quanto vai ser registrado na 3ª pesagem? Faça o cálculo e registre o resultado.

375 quilogramas.

415 quilogramas.

14 Rosa está fazendo compras. Leia o que ela afirmou.

Agora ela vai comprar um livro que custa R$ 55,00.

Calcule e complete o que ela poderá afirmar depois dessa compra.

Já gastei R$ _____ e ainda tenho R$ _____.

15 Os quadros a seguir apresentam a distância rodoviária aproximada entre João Pessoa e as outras capitais dos estados da região Nordeste do Brasil.

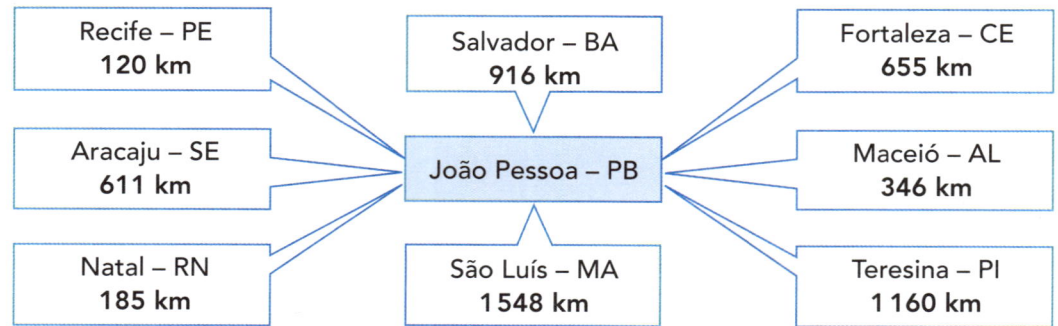

Nos dias 13 e 14 de abril, Júlia viajou de carro de João Pessoa a Salvador, passando por Recife. No dia 13 ela percorreu o trecho entre João Pessoa e Recife e, no dia 14, de Recife a Salvador. No dia 14 de abril, Davi, amigo de Júlia, viajou de carro de Recife a Fortaleza, passando por João Pessoa.

a) Qual deles percorreu a maior distância no dia 14 de abril? _____

b) Quantos quilômetros a mais do que o outro? _____

c) Quantos estados tem a região Nordeste do Brasil? _____

Saiba mais

Censo demográfico é o levantamento de dados da população, como escolaridade, gênero e tipo de moradia.

16 DESAFIO

No Censo 2010, realizado pelo Instituto Brasileiro de Geografia e Estatística (IBGE), foram registrados os seguintes dados sobre o Brasil.

- População urbana: 160 925 792 habitantes.
- População rural: 29 830 007 habitantes.

Recenseador do IBGE entrevistando habitante de São José dos Campos, São Paulo, para o Censo 2010. Foto de 2010.

a) ATIVIDADE ORAL EM GRUPO (TODA A TURMA) Converse com os colegas sobre o significado de população urbana e população rural e também sobre as características de cada um dos ambientes (cidade e campo).

b) Agora, arredonde os 2 números que representam essas populações para a unidade de milhão exata mais próxima e calcule a população aproximada do Brasil em 2010. _____

c) Também de acordo com o IBGE, a população brasileira estimada em julho de 2019 era de 210 100 000 habitantes. Arredonde esse número para a unidade de milhão exata mais próxima. _____

d) Compare os valores aproximados da população brasileira em 2010 e em julho de 2019 e responda: Nesse período ela aumentou ou diminuiu? Em aproximadamente quantos milhões? _____

Charles M. Schulz. **Ser cachorro é um trabalho de tempo integral**. São Paulo: Conrad, 2004. p. 69.

Tecendo saberes

Educação financeira

1 Observe a imagem ao lado. Você sabe o que ela representa?

Extrato				
DATA MOV.	NR. DOC	HISTÓRICO	VALOR	SALDO
	000000	SALDO ANTERIOR	0,00	16,00 D
05/11/2020	000085	CRED TED	600,00 C	584,00 C
05/11/2020	015111	PREST HAB	295,00 D	289,00 C
10/11/2020	102015	DEB CESTA	73,00 D	216,00 C

a) Por que os valores são descritos com 2 cores diferentes? Converse com os colegas e o professor.

b) O que significam as letras **D** e **C**? _____

c) O saldo anterior era 16,00 **D**. Nessa data, a pessoa estava:

☐ com pouco dinheiro na conta.

☐ com muito dinheiro na conta.

☐ devendo dinheiro.

▸ As imagens não estão representadas em proporção.

d) Você já pediu algo emprestado para alguém? Se sim, por que pediu?

e) O que devemos fazer quando pegamos algo emprestado de alguém?

f) Você sabia que o banco, muitas vezes, empresta dinheiro? Será que basta devolver ao banco a mesma quantia que nos foi emprestada?

2 Vamos imaginar que você pegue uma moeda emprestada e, cada dia que ficar com ela, deverá entregar, além da moeda emprestada, mais uma. Veja:

dia 1 moeda emprestada | dia 2 moeda emprestada | dia 3 moeda emprestada | dia 4 moeda emprestada

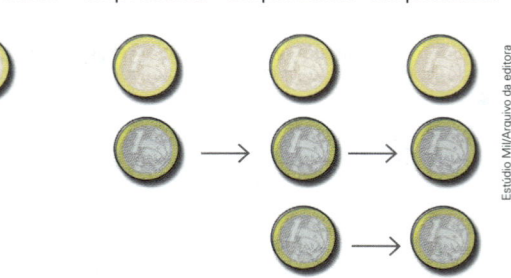

a) Quantas moedas deverá entregar no 4º dia? _____

b) E no décimo dia? _____

c) Em sua opinião, vale a pena pegar a moeda emprestada nessas condições? Por quê? _____

3 Observe novamente o extrato bancário da página anterior.

a) No dia 10/11, qual era o saldo dessa pessoa, ou seja, quanto dinheiro ela tinha? _____

b) Veja o que ela decidiu comprar. Ela tem dinheiro suficiente para realizar as 2 compras ou apenas uma delas? Por quê?

As imagens não estão representadas em proporção.

R$ 265,00

R$ 145,00

c) Em sua opinião, o que ela deve fazer? Por quê? Converse com os colegas e o professor.

d) Essa pessoa decidiu comprar apenas os alimentos e deixou as roupas para serem adquiridas no mês seguinte. Complete o extrato bancário dela ao realizar essa compra.

4 Será que compramos apenas o que, de fato, precisamos? Você já comprou alguma coisa e depois se arrependeu? Ou comprou algo que ficou guardado sem uso? Converse com os colegas e o professor.

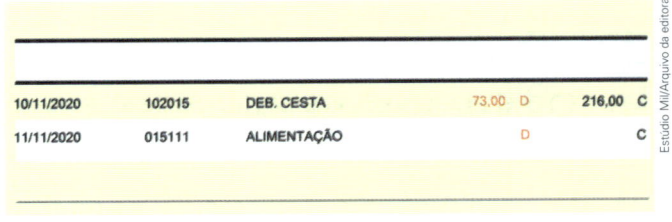

| 10/11/2020 | 102015 | DEB. CESTA | 73,00 D | 216,00 C |
| 11/11/2020 | 015111 | ALIMENTAÇÃO | D | C |

5 Quando vai escolher um produto, você se preocupa com o tipo de embalagem? Você sabia que um dos grandes problemas mundiais é o lixo que produzimos?

6 **ATIVIDADE EM GRUPO** Elabore com mais 2 colegas uma lista com dicas para que as pessoas não fiquem endividadas, tenham uma vida financeira mais saudável e, ainda, cuidem do meio ambiente.

Vamos ver de novo?

1 Observe estas figuras.

Escreva as letras correspondentes às figuras, de acordo com as classificações.

a) Região poligonal. _____

b) Polígono. _____

c) Triângulo. _____

d) Região triangular. _____

e) Quadrado. _____

f) Região pentagonal. _____

2 Gisele é a 7ª pessoa de uma fila. Se todas as pessoas da fila derem meia-volta, então ela passará a ser a 5ª da fila.

Quantas pessoas há na fila? _____

3 **ESTATÍSTICA**

O pai de Mateus é taxista. Ele anota quanto gasta por mês com combustível.
Veja no gráfico os valores de janeiro a abril de determinado ano.

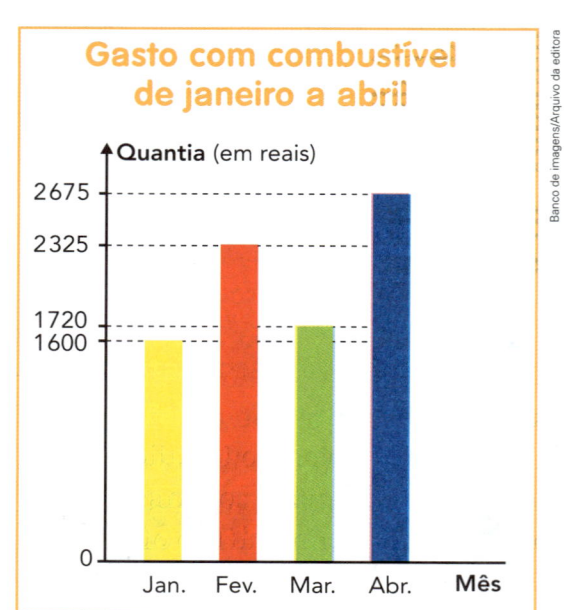

a) Quanto ele gastou nos 4 meses juntos?

_____

b) O gasto de fevereiro foi de quantos reais a mais do que o de janeiro?

_____

Gráfico elaborado para fins didáticos.

O que estudamos

Utilizamos vários processos para efetuar adições e subtrações.

$$327 + 444$$

$327 = 300 + 20 + 7$
$444 = 400 + 40 + 4$
$700 + 60 + 11 = 771$

$$\begin{array}{r} \overset{1}{3}27 \\ +\ 444 \\ \hline 771 \end{array}$$

$$528 - 125$$

$528 - 100 = 428$
$428 - 20 = 408$
$408 - 5 = 403$

$$\begin{array}{r} 528 \\ -\ 125 \\ \hline 403 \end{array}$$

Fizemos arredondamentos para obter resultados aproximados na adição e na subtração.

$$158 + 203$$

$158 \rightarrow 160$
$+\ 203 \rightarrow +\ 200$
$ \rightarrow 360$ (soma aproximada)

$$5\,008 - 2\,979$$

$5\,008 \rightarrow 5\,000$
$-\ 2\,979 \rightarrow -\ 3\,000$
$2\,000$ (diferença aproximada)

Vimos estratégias para efetuar algumas adições e subtrações.

$98 + 37 = ?$
$+2 \downarrow\ \ -2 \downarrow$
$100 + 35 = 135$

Logo, $98 + 37 = 135$.

$500 - 284 = ?$
$-1 \rightarrow 499$
$-1 \rightarrow -\ 283$
$\overline{216}$

Logo, $500 - 284 = 216$.

Vimos que a adição e a subtração são operações inversas (o que uma faz, a outra desfaz).

$100 + 30 = 130 \leftrightarrow 130 - 30 = 100$
$12 - 8 = 4 \leftrightarrow 4 + 8 = 12$

Resolvemos problemas usando a adição e a subtração.

Renato tinha R$ 1 000,00, comprou 1 calça por R$ 127,00 e 1 casaco por R$ 188,00. Com quanto ele ficou? R$ 685,00

$$\begin{array}{r} \overset{1}{1}\overset{1}{2}7 \\ +\ 188 \\ \hline 315 \end{array}$$

$1000 - 315 = ?$

$$\begin{array}{r} 999 \\ -\ 314 \\ \hline 685 \end{array}$$

- Você tem respeitado as opiniões dos colegas?
- Quando discorda de alguém, você consegue explicar com calma seu ponto de vista? Tudo isso ajuda a melhorar a convivência e até a aprendizagem!

Unidade 5

Multiplicação com números naturais

MESA 4 LUGARES
2 PRESTAÇÕES IGUAIS DE R$ 500,00

- O que você vê nesta cena?
- Quais produtos aparecem à venda?
- Ao serem comprados, esses produtos costumam ficar em qual cômodo de uma residência?

Para iniciar

Em muitas situações do dia a dia precisamos efetuar a operação de multiplicação. Na cena da abertura, por exemplo, usamos a multiplicação para saber o preço total da cama ou da mesa.

Nesta Unidade vamos rever e ampliar o estudo da multiplicação.

- Analise a cena das páginas de abertura desta Unidade. Converse com os colegas e respondam às questões a seguir.

"A mesa está sendo vendida em quantas prestações?"

"Qual é o preço total da cama?"

"Qual é o valor de cada prestação? E qual é o preço total da mesa?"

"Quanto uma pessoa vai pagar a menos, em relação a essa oferta, se comprar a cama em 3 prestações de R$ 250,00 cada uma?"

As imagens não estão representadas em proporção.

- Converse com os colegas sobre mais estas questões.

   a) Se você comprar 5 pacotes de figurinhas, com 4 figurinhas em cada pacote, então vai obter quantas figurinhas no total?

   b) Que multiplicação pode ser feita para determinar quantas maçãs há nesta caixa?

   Caixa com maçãs.

   c) Partindo do 0 e contando de 5 em 5, quais são os números que você vai falar até chegar ao 40?

   | 0 | 5 | 10 | ... ? ... | 40 |

   d) E contando de 8 em 8?

Ideias da multiplicação

1 ADIÇÃO DE QUANTIDADES IGUAIS

a) Complete.

- Há _____ aranhas ao lado.
- Cada aranha tem _____ pernas.
- Total de pernas:

_____ + _____ + _____ + _____ + _____ = _____

ou

_____ × _____ = _____

Aranhas.

b) E no caso de 7 aranhas, quantas pernas seriam?

Indique a multiplicação e a resposta.

_____

Diga várias vezes bem rápido:
A aranha arranha o jarro?
O jarro arranha a aranha?
Nem a aranha arranha o jarro
Nem o jarro arranha a aranha.

2 DISPOSIÇÃO RETANGULAR

Observe as carteiras na sala de aula de Caio, ilustrada ao lado. Quantas carteiras são ao todo? Complete e indique a resposta.

As imagens não estão representadas em proporção.

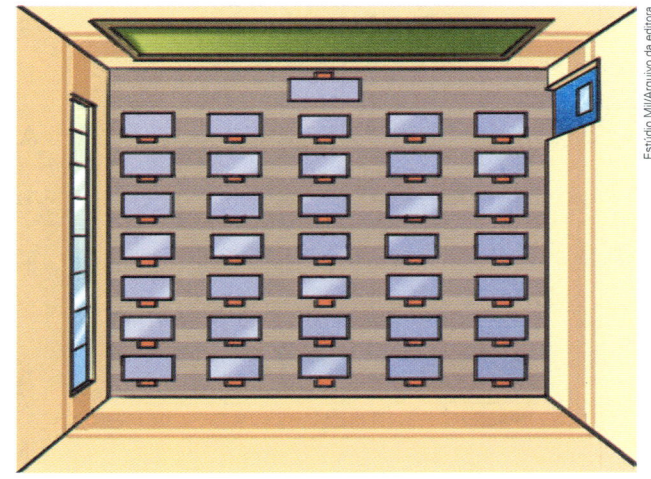

7 linhas de 5 carteiras

$7 \times 5 = ?$

$5 + 5 + 5 + 5 + 5 + 5 + 5 =$ _____

$7 \times 5 =$ _____
↑ ↑   ↑
fator fator produto

ou

5 colunas de 7 carteiras

$5 \times 7 = ?$

$7 + 7 + 7 + 7 + 7 =$ _____

$5 \times 7 =$ _____

Resposta: _____

3 COMBINAÇÃO DE POSSIBILIDADES

Uma lanchonete oferece 4 sabores de suco natural: laranja, abacaxi, açaí e manga.

Os sucos são servidos em copos de 3 tipos: pequeno, médio e grande. De quantas maneiras diferentes podemos pedir um suco nessa lanchonete?

Podemos chegar à resposta de várias maneiras. Veremos 3 delas: pela **árvore de possibilidades**, por uma **tabela** e pela **multiplicação**.

Complete a tabela e os quadros com as multiplicações.

Depois, escreva a resposta do problema.

Árvore de possibilidades

As imagens não estão representadas em proporção.

Tabela de possibilidades

Copo / Sabor	Pequeno	Médio	Grande
Laranja	Laranja pequeno.		
Abacaxi		Abacaxi médio.	
Açaí			
Manga			Manga grande.

Tabela elaborada para fins didáticos.

Para cada um dos 4 sabores há 3 tipos de copo:

_____ × _____ = _____

ou

Para cada um dos 3 tipos de copo há 4 sabores:

_____ × _____ = _____

Resposta: _____

170 cento e setenta

Saiba mais

Em 2012, o Brasil foi o terceiro maior produtor de frutas do mundo. Ele só perdeu para a China (1º lugar) e para a Índia (2º lugar). Veja a colocação do Brasil em 2012 no *ranking* mundial de produção das frutas citadas na atividade anterior.

- Laranja: 1º colocado.
- Abacaxi: 3º colocado.
- Açaí: 1º colocado.
- Manga: 8º colocado.

As imagens não estão representadas em proporção.

Laranja.

Abacaxi.

Açaí.

Manga.

Fonte de consulta: FOOD AND AGRICULTURE ORGANIZATION OF THE UNITED NATIONS (FAO). Disponível em: <www.fao.org/docrep/018/i3107e/i3107e.PDF>. Acesso em: 28 fev. 2020.

4) PROPORCIONALIDADE

Lurdes comprou esta caixa com ovos e pagou R$ 5,00. Para fazer uma receita, João precisa de 1 dúzia de ovos (12 ovos). Quanto ele vai gastar?

Caixa com ovos.

a) Complete o esquema e escreva a resposta.

× _____ ⟨ 6 ovos custam R$ _____ ⟩ × _____
         12 ovos custam R$ _____

Resposta: _____

b) Agora, monte um esquema, calcule e responda: Quantos ovos é possível comprar com R$ 25,00? _____

5) Calcule, responda e indique a multiplicação. Quantas crianças estão se apresentando na aula de dança? _____

6 Novamente, calcule, responda e indique a multiplicação correspondente.

Mara tem estas notas.

Qual é a quantia total que ela tem? _____

As imagens não estão representadas em proporção.

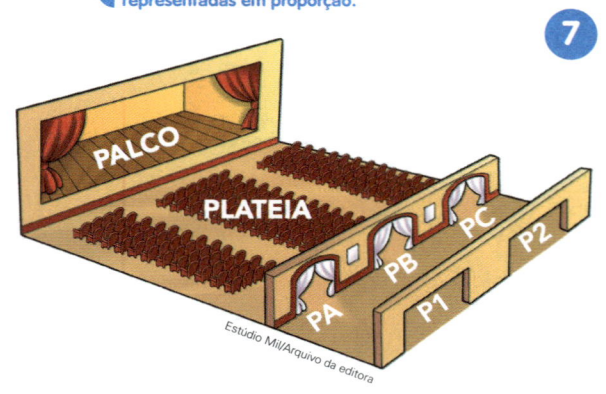

7 Sueli foi ao teatro com o pai dela.

Havia 2 portas para chegar à sala de espera (**P1** e **P2**) e mais 3 portas para ir dessa sala até a plateia (**PA**, **PB** e **PC**).

Calcule e responda.

a) Quantas são as possibilidades de ir do lado de fora do teatro até a plateia? _____

b) Qual operação devemos efetuar para chegar ao valor do item **a**? _____

c) Uma das possibilidades pode ser indicada por **P1**-**PA**. Copie essa possibilidade e indique as demais. _____

8 **SEQUÊNCIAS COM OS RESULTADOS DAS TABUADAS**

Procure se lembrar das tabuadas e complete. Depois, confira com os colegas.

a) Do 2:   0,   2,   4,   6,   ____, ____, ____, ____, ____, ____, ____.

b) Do 3:   0,   3,   6,   9,   ____, ____, ____, ____, ____, ____, ____.

c) Do 4:   0,   4,   8,   ____, ____, ____, ____, ____, ____, ____, ____.

d) Do 5:   0,   5,   ____, ____, ____, ____, ____, ____, ____, ____, ____.

e) Do 6: ____, ____, ____, ____, ____, ____, ____, ____, ____, ____, ____.

f) Do 7: ____, ____, ____, ____, ____, ____, ____, ____, ____, ____, ____.

g) Do 8: ____, ____, ____, ____, ____, ____, ____, ____, ____, ____, ____.

h) Do 9: ____, ____, ____, ____, ____, ____, ____, ____, ____, ____, ____.

Multiplicação por 10, 100 e 1000

1 REGULARIDADES

a) Observe as multiplicações e os resultados e complete com o que falta.

2 × 1 = 2

2 × 10 = 10 + 10 = 20

2 × 100 = 100 + 100 = 200

2 × 1000 = 1000 + 1000 = 2000

3 × 1 = 3

3 × 10 = 10 + 10 + 10 = _____

3 × 100 = 100 + 100 + 100 = _____

3 × 1000 = 1000 + 1000 + 1000 = _____

b) **ATIVIDADE ORAL EM GRUPO** Existe uma regularidade que permite colocar diretamente o resultado nas multiplicações que têm os números 10, 100, 1000, etc. como um dos fatores.

Converse com os colegas para descobrir qual é essa regularidade. Depois, registre a descoberta.

Para multiplicar um número natural:

• por **10**, basta acrescentar _____.

• por **100**, basta acrescentar _____.

• por **1000**, basta acrescentar _____.

2 Complete com o produto.

a) 5 × 10 = _____

b) 12 × 10 = _____

c) 9 × 100 = _____

d) 100 × 14 = _____

e) 4 × 1000 = _____

f) 1000 × 13 = _____

g) 10 × 129 = _____

h) 70 × 1000 = _____

3 Observe o preço deste livro e responda.

a) Qual é o preço de 8 livros iguais a este? _____

b) E de 20 livros? _____

R$ 10,00

4 Qual é o número que multiplicado por 10 resulta no número 7 500? _____

5 Pedro e a turma dele decidiram coletar garrafas de plástico para reciclagem. Para isso, eles colocaram as garrafas em caixas como esta.

a) Quantas garrafas há na caixa? _____

b) E em 100 caixas como esta? _____

c) E em 10 caixas? _____

As imagens não estão representadas em proporção.

6 Veja como podemos decompor o número 1 305.

> 1 305 = 1 unidade de milhar + 3 centenas + 0 dezena + 5 unidades
>
> ou
>
> 1 305 = 1 × 1 000 + 3 × 100 + 0 × 10 + 5 × 1
>
> ou
>
> 1 305 = 1 000 + 300 + 0 + 5

a) Decomponha os números de 3 maneiras, como no exemplo dado.

- 2 439 = _____

- 5 740 = _____

- 6 907 = _____

b) Faça a composição dos números, ou seja, determine os números a partir da decomposição.

- 2 × 1 000 + 4 × 100 + 3 × 10 + 7 × 1 = _____

- 5 × 1 000 + 0 × 100 + 6 × 10 + 8 × 1 = _____

- 1 × 1 000 + 6 × 100 + 8 × 10 + 9 × 1 = _____

Cálculo mental, arredondamento e resultado aproximado

1 REGULARIDADES

Observe as multiplicações em cada quadro e os resultados.

$3 \times 2 = 6$	$4 \times 3 = 12$	$6 \times 5 = 30$
$3 \times 20 = 60$	$4 \times 30 = 120$	$6 \times 50 = 300$
$3 \times 200 = 600$	$4 \times 300 = 1200$	$6 \times 500 = 3000$
$3 \times 2000 = 6000$	$4 \times 3000 = 12000$	$6 \times 5000 = 30000$

Agora, calcule mentalmente e complete.

a) $2 \times 7 =$ _____

$2 \times 70 =$ _____

$2 \times 700 =$ _____

$2 \times 7000 =$ _____

b) $3 \times 9 =$ _____

$3 \times 90 =$ _____

$3 \times 900 =$ _____

$3 \times 9000 =$ _____

c) $9 \times 5 =$ _____

$9 \times 50 =$ _____

$9 \times 500 =$ _____

$9 \times 5000 =$ _____

2

Em um estacionamento há 20 filas de carros, com 40 carros em cada uma. Qual é o total de carros nesse estacionamento?

Para encontrar esse total, você precisa multiplicar 20 por 40. Complete.

- $2 \times 4 = 8$

- $2 \times 40 =$ _____ → $\begin{array}{r} 4\,0 \\ \times\ 2 \\ \hline \end{array}$ $\xrightarrow{\text{decomponha}}$ $\begin{array}{r} 10 + 10 + 10 + 10 \\ \times\ 2 \\ \hline \end{array}$

   _____ $\xleftarrow{\text{adicione}}$ ___ + ___ + ___ + ___ = ___

- $2 \times 400 =$ _____ → $\begin{array}{r} 4\,0\,0 \\ \times\ \ 2 \\ \hline \end{array}$ $\xrightarrow{\text{decomponha}}$ $\begin{array}{r} 100 + 100 + 100 + 100 \\ \times\ 2 \\ \hline \end{array}$

   _____ $\xleftarrow{\text{adicione}}$ ___ + ___ + ___ + ___ = ___

- $20 \times 40 =$ _____ → $\begin{array}{r} 4\,0 \\ \times\ 2\,0 \\ \hline \end{array}$ $\xrightarrow{\text{decomponha}}$ $\begin{array}{r} 10 + 10 + 10 + 10 \\ \times\ 20 \\ \hline \end{array}$

   _____ $\xleftarrow{\text{adicione}}$ ___ + ___ + ___ + ___ = ___

Resposta: _____

3 MAIS REGULARIDADES E CÁLCULO MENTAL

a) ATIVIDADE ORAL EM GRUPO Veja outros exemplos e procure descobrir uma regularidade.
Converse com os colegas sobre ela.

| 6 × 3 = 18 |
| 6 × 30 = 180 |
| 6 × 300 = 1800 |
| 60 × 300 = 18 000 |

| 2 × 5 = 10 |
| 20 × 5 = 100 |
| 20 × 50 = 1 000 |
| 200 × 500 = 100 000 |

| 300 × 300 = 90 000 |

| 500 × 40 = 20 000 |

b) Decomponha e verifique por que 200 × 50 = 10 000. Você pode fazer 50 × 200.

c) Agora, descubra mentalmente os resultados e registre-os.

- 40 × 80 = _____
- 60 × 200 = _____
- 700 × 700 = _____

- 3 000 × 20 = _____
- 4 000 × 2 000 = _____
- 20 × 50 = _____

4 CÁLCULO MENTAL

ATIVIDADE EM DUPLA Fiquem atentos aos números e às operações e calculem mentalmente. Cada um registra em seu livro.

- **a)** 40 × 2 = _____
- **b)** 40 + 2 = _____
- **c)** 40 − 2 = _____
- **d)** 40 × 20 = _____
- **e)** 40 + 20 = _____
- **f)** 40 − 20 = _____

- **g)** 400 + 20 = _____
- **h)** 400 − 20 = _____
- **i)** 400 × 20 = _____
- **j)** 90 × 4 000 = _____
- **k)** 60 × 500 = _____
- **l)** 100 × 6 000 = _____

5 Jairo e o pai dele foram assistir a uma partida de basquete amador. Foram vendidos 3 024 ingressos a R$ 5,00 cada um deles. Qual foi a arrecadação aproximada com a venda desses ingressos?

Para encontrar a resposta **aproximada**, você **arredonda** e multiplica.

Complete.

Arredondamento: 3 024 ⟶ 3 000

Multiplicação: 3 000 × 5 = _____

A arrecadação aproximada foi de R$ _____.

6 Faça arredondamentos e dê o resultado aproximado, como nestes exemplos.

3 × 49 ⟶ 3 × 50 = 150

11 × 39 ⟶ 10 × 40 = 400

a) 306 − 19 ⟶ _____

d) 1 398 + 61 ⟶ _____

b) 98 × 14 ⟶ _____

e) 71 × 21 ⟶ _____

c) 6 × 2 101 ⟶ _____

f) 3 984 × 4 ⟶ _____

7 PROBLEMAS

Leia, pense e complete com o valor aproximado.

a) Em uma apresentação de dança foram formadas 7 filas com 98 pessoas em cada fila. O número de pessoas participantes é próximo de _____.

b) Uma pizzaria oferece 28 sabores de *pizza* e 6 tipos de suco. O número de escolhas diferentes que se pode fazer de 1 tipo de *pizza* com 1 tipo de suco é aproximadamente _____.

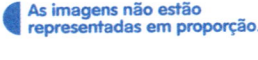

c) Augusto comprou 1 par de tênis por R$ 96,00 e 1 camiseta por R$ 32,00. No total ele gastou cerca de R$ _____.

d) Um pipoqueiro vendeu 196 saquinhos de pipoca em 1 dia. Mantendo essa média, em 1 mês ele venderá aproximadamente _____ saquinhos.

Carrinho de pipoca.

Regularidades na multiplicação (propriedades)

Explorar e descobrir

Vamos explorar 3 regularidades da multiplicação.

- **1ª atividade**

  a) Registre os resultados e, depois, confira nas tabuadas da página 172.

  3 × 4 = _____   7 × 8 = _____   5 × 9 = _____

  4 × 3 = _____   8 × 7 = _____   9 × 5 = _____

  b) **ATIVIDADE ORAL EM GRUPO** Converse com os colegas sobre o que você observou nessas multiplicações e responda: O que acontece com o resultado da multiplicação quando trocamos a ordem dos fatores?

  c) **CALCULADORA**

  Agora, use uma calculadora e verifique mais estes casos.

  3 × 89 = _____   65 × 44 = _____   206 × 21 = _____

  89 × 3 = _____   44 × 65 = _____   21 × 206 = _____

  d) Efetue o cálculo fazendo uma adição de parcelas iguais:

  257 × 3 = _____

- **2ª atividade**

  a) Registre os resultados e confira nas tabuadas.

  3 × 1 = _____   1 × 5 = _____   1 × 9 = _____   7 × 1 = _____

  b) **ATIVIDADE ORAL EM GRUPO** Converse com os colegas e responda: O que acontece com o resultado da multiplicação quando um dos fatores é 1?

- **3ª atividade**

  a) Complete.

  3 × 0 = _____ + _____ + _____ = _____

  0 × 2 = 2 × 0 = _____ + _____ = _____

  4 × 0 = _____

  0 × 6 = _____

  b) **ATIVIDADE ORAL EM GRUPO** O que acontece com o resultado da multiplicação quando um dos fatores é 0 (zero)?

1 Veja na lousa a multiplicação que a professora pediu aos alunos que efetuassem.

Neusa e Ivo seguiram caminhos diferentes.

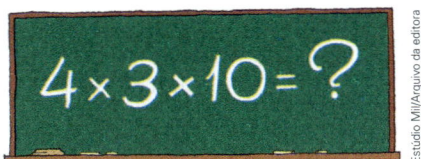

Neusa
4 × 3 × 10 = 12 × 10 = _____
      ⎵
      12

Ivo
4 × 3 × 10 = 4 × 30 = _____
    ⎵
    30

a) Observe os 2 caminhos e complete os cálculos.

b) Quais foram os resultados obtidos? _____

c) Agora, calcule assim: 4 × 3 × 10 = _____

2 Você acha que o que aconteceu na atividade anterior sempre acontece?

a) Verifique em mais estes casos, efetuando primeiro o que está entre parênteses.

(2 × 3) × 4 = _____
2 × (3 × 4) = _____

5 × (20 × 3) = _____
(5 × 20) × 3 = _____

(20 × 10) × 30 = _____
20 × (10 × 30) = _____

b) **ATIVIDADE ORAL EM GRUPO** Agora, converse com os colegas e depois responda: Agrupando os fatores de maneiras diferentes, o que acontece com o produto?

3 CÁLCULO MENTAL

Escolha a melhor maneira de agrupar os fatores e calcule mentalmente.

a) 9 × 6 × 5 = _____

b) 4 × 5 × 9 = _____

c) 7 × 100 × 4 = _____

d) 2 × 16 × 50 = _____

e) 3 × 4 × 2 × 3 = _____

f) 5 × 4 × 6 × 5 = _____

g) 5 × 2 × 6 = _____

h) 2 × 3 × 5 × 20 = _____

4 PROBLEMAS

Leia, pense e resolva fazendo os cálculos mentalmente.

a) Marta tinha 6 notas de R$ 20,00 e fez uma compra de R$ 90,00. Com quanto ela ainda ficou? _____

b) Na parede de um prédio há 20 filas de tijolos. Em cada fila há 70 tijolos. Qual é o total de tijolos nessa parede?

_____

c) João vendeu 40 maçãs de manhã e 30 maçãs à tarde, na banca de feira dele. No total ele vendeu quantas maçãs? _____

d) Um quarteirão de forma quadrada tem lados com medida de comprimento de 90 metros. Quantos metros tem o comprimento da volta toda do quarteirão?

_____

e) Um automóvel está sendo vendido em 30 prestações de R$ 800,00 cada uma delas. Qual é o preço total desse automóvel?

_____

f) Uma escrivaninha tem 4 gavetas. Em cada gaveta há 5 pastas e em cada pasta há 30 fichas. Qual é o total de fichas nessa escrivaninha?

_____

g) Marcelo tinha R$ 235,00 no banco e fez uma retirada de R$ 130,00. Após essa movimentação, qual passou a ser o saldo da conta dele?

_____

5 DESAFIO

Uma torneira despeja 5 litros de água por minuto. Para escovar os dentes, uma pessoa deixa a torneira aberta, em média, por 3 minutos.

Nesse caso, em uma cidade com 100 000 habitantes, quanto se gastará de água diariamente com escovação, se cada habitante escovar os dentes 4 vezes por dia?

Representação artística em cores fantasia.

Multiplicação: algoritmo da decomposição

1 Noemi está brincando com botões. Observe como ela colocou os mesmos botões sobre a mesa em 2 momentos diferentes e complete os espaços.

Inicialmente ela fez assim:

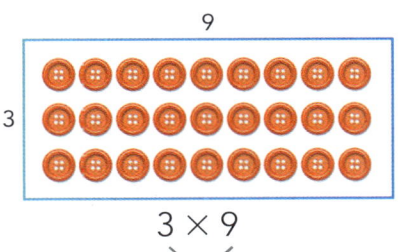

3 × 9

____

Como 9 = 5 + 4, ela escreveu 3 × 9 assim:

3 × (5 + 4)

Depois ela fez assim:

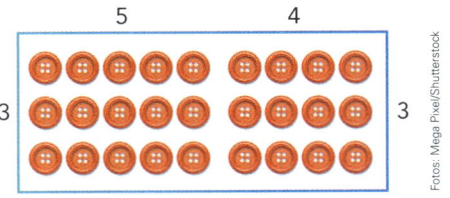

3 × (5 + 4)

3 × 5 + 3 × 4

____ + ____ = ____

2 Veja mais um exemplo.

5 × 132 = 5 × (100 + 30 + 2) = 5 × 100 + 5 × 30 + 5 × 2 = 500 + 150 + 10 = 660

Observe outras maneiras de efetuar essa multiplicação, complete os algoritmos da decomposição e indique a multiplicação efetuada.

```
  100  +  30  +   2              100 + 30 + 2         Multiplicação:
               ×   5                     ×  5         _____
  ___ + ___ + ___ = _____               1 0
                                        1 5 0
                                      + 5 0 0
                                      _____
```

3 PROBLEMAS

Use o algoritmo da decomposição nas multiplicações.

a) João recebe um salário mensal de R$ 1 250,00. Quanto ele recebe em 1 trimestre? E em 1 semestre?

_____

b) Uma granja tem 6 barracões. Em cada barracão há 1 516 frangos. Quantos frangos há na granja? _____

4 Multiplique usando o algoritmo da decomposição. A maneira de representar você escolhe.

a) 5 × 384 = _____

b) 4 × 452 = _____

c) 2 × 297 = _____

d) 3 × 845 = _____

5 Escreva um problema que pode ser resolvido pela multiplicação 3 × 235, associada à ideia de adição de parcelas iguais, e resolva utilizando o algoritmo da decomposição.

_____
_____
_____
_____
_____
_____
_____
_____
_____
_____

Algoritmo usual da multiplicação: um dos fatores é formado por apenas 1 algarismo

1 Nando foi a uma loja comprar um telefone e encontrou esta oferta.

Qual é o preço total deste telefone?

Para responder a essa pergunta, precisamos efetuar a multiplicação 4 × 153.

Veja como efetuar pelo algoritmo usual.

4 × R$ 153,00

	C	D	U
	1	¹5	3
×			4
			2

→

	C	D	U
	²1	¹5	3
×			4
		1	2

→

	C	D	U
	²1	¹5	3
×			4
	6	1	2

As imagens não estão representadas em proporção.

Telefone.

Unidades:
4 × 3 unidades = 12 unidades.
12 unidades correspondem a
1 dezena e 2 unidades.

Dezenas:
4 × 5 dezenas = 20 dezenas.
20 dezenas com mais 1 dezena
são 21 dezenas, que correspondem
a 2 centenas e 1 dezena.

Centenas:
4 × 1 centena = 4 centenas.
4 centenas com
mais 2 centenas
são 6 centenas.

a) Registre o algoritmo usual simplificado.

b) Escreva a resposta do problema. _____

2 Pratique um pouco mais o algoritmo usual da multiplicação.

a)

	C	D	U
	3	2	5
×			2

b)
```
   1 6 1
 ×     5
```

c)

	UM	C	D	U
	1	5	3	2
×				3

d)
```
   2 3 4 2 1
 ×         4
```

3 **PROBLEMAS**

Pense, efetue as multiplicações pelo algoritmo usual e responda.

a) Elisa comprou uma máquina de costura e pagou da seguinte forma: uma entrada de R$ 250,00 e mais 3 prestações de R$ 275,00 cada uma delas. Quanto ela pagou pela máquina de costura?

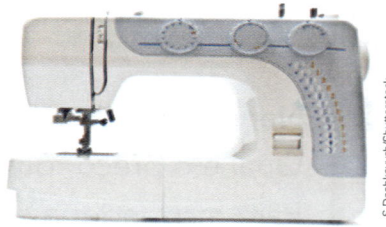

Máquina de costura.

_____

b) Todos os barris têm a mesma massa. Quantos quilogramas a segunda balança deve marcar?

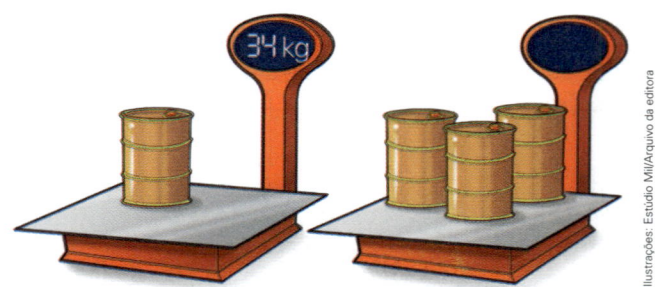

_____

c) O cachorro de Beto tem 8 anos e 7 meses. Quantos meses ele tem?

_____

4 Você já viu: O **dobro** significa 2 vezes.
                O **triplo** significa 3 vezes.
Veja agora: O **quádruplo** significa 4 vezes.
                O **quíntuplo** significa 5 vezes.

Calcule e complete.

a) O dobro de 2 396 é _____.

b) O triplo de R$ 740,00 é _____.

c) O quádruplo de 37 é _____.

d) O quíntuplo de 128 é _____.

5 **ATIVIDADE EM DUPLA** Invente e resolva um problema com a palavra **triplo**. Mostre a um colega o problema que você inventou e peça a ele que o resolva.

_____

_____

Algoritmos da multiplicação: os 2 fatores com mais de 1 algarismo

Um dos fatores é dezena, centena ou unidade de milhar exata

1 Em uma viagem, este ônibus pode transportar 42 pessoas.
Em 20 viagens, quantas pessoas ele pode transportar?
Para descobrir, você precisa multiplicar 42 por 20. Observe.

Ônibus de viagem.

20 × 42 = 2 × 10 × 42 = 84 × 10 = 840
↓   └──84──┘
2 dezenas

Simplificando:

```
   4 2
×  2 0
------
 8 4 0
```

Escreva a resposta do problema.

_____

 **2** **ATIVIDADE ORAL EM GRUPO** Veja outros exemplos.

```
   6 3          2 4         ² ³           3 2
                           1 5 7
×  2 0       × 2 0 0      ×   5 0      × 3 0 0 0
-------      ---------    ---------    -----------
 1 2 6 0      4 8 0 0      7 8 5 0      9 6 0 0 0
```

Converse com os colegas sobre como foram efetuadas essas multiplicações. Depois, pratique um pouco, efetuando estas outras.

a) 30 × 249 = _____

b) 634 × 20 = _____

c) 121 × 70 = _____

d) 200 × 53 = _____

e) 40 × 1 252 = _____

f) 13 × 6 000 = _____

Nenhum dos fatores é dezena, centena ou unidade de milhar exata

1 Uma operadora de telefonia móvel oferece ligações para telefones fixos a 13 centavos o minuto. Quanto custa uma ligação de 12 minutos nesse caso?

Há vários modos de efetuar 12 × 13. Copie o processo geométrico em papel quadriculado e cole-o no caderno.

Copie também no caderno o algoritmo da decomposição e o algoritmo usual simplificado. Finalmente, escreva a resposta do problema e troque ideias com os colegas sobre cada processo.

Celular.

- Geometricamente, com papel quadriculado.

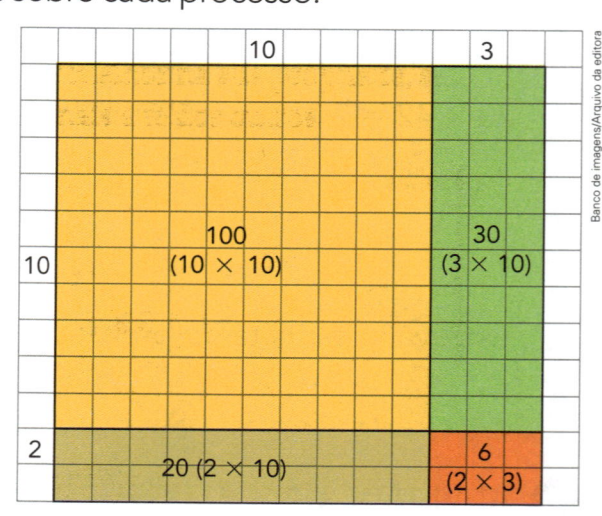

```
  1 0 0
    3 0
    2 0
+    6
-------
  1 5 6
```

156 centavos
ou
R$ 1,56

- Pelo algoritmo da decomposição.

Como 12 = 10 + 2 e 13 = 10 + 3, temos:

12 × 13 = (10 + 2) × (10 + 3) = 100 + 30 + 20 + 6 = 156

(onde 10 × 10 = 100, 10 × 3 = 30, 2 × 10 = 20, 2 × 3 = 6)

- Pelo algoritmo usual.

2 vezes 13
2 × 13 = 26

D	U
1	3
× 1	2
2	6

→

1 dezena vezes 13
ou 10 vezes 13
10 × 13 = 130

C	D	U
	1	3
×	1	2
	2	6
1	3	0

→

Somando
26 + 130 = 156

C	D	U
	1	3
×	1	2
	2	6
+ 1	3	0
1	5	6

Algoritmo usual simplificado

```
    1 3
  × 1 2
  -----
    2 6
  +1 3 0
  -----
  1 5 6
```

Resposta: _____

2 Os torcedores do Flamengo do Rio de Janeiro estão organizando uma viagem para assistir à partida Flamengo × Corinthians, em São Paulo.

Em cada ônibus cabem 43 torcedores. Foram reservados 15 ônibus. Quantos torcedores podem viajar? Para dar a resposta, devemos efetuar a multiplicação 15 × 43.

Partida entre Corinthians e Flamengo na Arena Corinthians, em São Paulo, pelo Campeonato Brasileiro de 2019.

a) Complete cada passagem do algoritmo usual.

Algoritmo usual simplificado

```
  ¹43           43              43
× 15          × 15            × 15
-----         -----           -----
_____ ← 5 × 43  _____         _____
              _____ ← 10 × 43  +_____
                              -----
                              _____
```

b) Analise novamente o algoritmo usual simplificado e escreva a resposta do problema. _____

3 Observe a multiplicação feita pelo algoritmo usual e complete as etapas.

```
   ¹
   ³
   4 7
 × 2 5
 -------
   2 3 5
 + 9 4 0
 -------
 1 1 7 5
```

1ª etapa: _____ × _____ = _____

2ª etapa: _____ × _____ = _____

3ª etapa: _____ + _____ = _____

4 Examine mais 2 multiplicações efetuadas pelo algoritmo usual e efetue as demais.

```
    ² ¹
    2 5 3
  ×    1 4
  ---------
    1 0 1 2
  + 2 5 3 0
  ---------
    3 5 4 2
```

```
      ⁴
      ¹
      1 6 0
  ×      8 2
  ---------
        3 2 0
         ¹
  + 1 2 8 0 0
  -----------
    1 3 1 2 0
```

a)
```
    3 4
  × 2 2
```

b)
```
    3 8 2
  ×    1 5
```

5 **PROBLEMAS**

Leia com atenção, pense e resolva.

a) Uma turma de 16 pessoas vai assistir a uma peça de teatro cujo ingresso custa R$ 25,00.
Se cada um der R$ 40,00, então quanto vai sobrar no total para tomar lanche? _____

b) O carro de Beto percorre 13 km com 1 litro de gasolina.
- Quantos quilômetros ele pode percorrer com 45 litros de gasolina?
_____
- E quantos litros ele gasta para percorrer 26 km? _____

c) Felipe comprou 15 agendas para presentear os funcionários da empresa dele. Cada agenda custou R$ 15,00, e ele pagou com 5 notas de R$ 50,00.
Quanto ele recebeu de troco? _____

6 Um ônibus faz 3 vezes ao dia o percurso de ida e volta entre as cidades pernambucanas de Caruaru e Recife. Observe no mapa a medida da distância entre elas e responda: Quantos quilômetros esse ônibus percorre em 1 semana?

_____

Distância entre Caruaru e Recife

Adaptado de: IBGE. **Atlas geográfico escolar**. 6. ed. Rio de Janeiro: IBGE, 2012.

Uso do dinheiro em reais e centavos

1 Observe a quantia indicada em cada quadro.

> As imagens não estão representadas em proporção.

75 centavos.
R$ 0,75

130 centavos ou
1 real e 30 centavos.
R$ 1,30

2 reais e 15 centavos
ou 215 centavos.
R$ 2,15

Agora, escreva o valor correspondente às moedas em cada item.

a)

b)

c)

_____

_____

_____

2 **ADIÇÃO, SUBTRAÇÃO E MULTIPLICAÇÃO COM DINHEIRO**

a) ATIVIDADE ORAL EM GRUPO Observe um exemplo de adição e troque ideias com os colegas sobre como ela foi efetuada.

R$ 3,70 + R$ 2,40

↓ ↓

370 centavos 240 centavos

$$\begin{array}{r} \overset{1}{3}\,7\,0 \\ +\,2\,4\,0 \\ \hline 6\,1\,0 \end{array}$$ centavos
ou R$ 6,10

Simplificando:

$$\begin{array}{r} \overset{1}{R\$\,3,70} \\ +\,R\$\,2,40 \\ \hline R\$\,6,10 \end{array}$$

b) Efetue e complete: R$ 6,45 + R$ 1,25 = R$ _____

cento e oitenta e nove 189

c) Agora, observe um exemplo de subtração.

R$ 19,40 ⟶ 19̶⁸40 centavos   Simplificando:
− R$ 3,90 ⟶ − 390 centavos   R$ 19̶⁸,40
?   1 5 5 0 centavos ou R$ 15,50   − R$ 3,90
                                                               R$ 15,50

Efetue R$ 2,40 − R$ 1,25. Depois, indique essa subtração na forma simplificada.

d) Finalmente, observe o exemplo de multiplicação de um número natural por uma quantia de dinheiro.

4 × R$ 3,70 = ?   ²370 centavos   Simplificando:
                      ×   4   R$ ²3,70
                     1480 centavos ou R$ 14,80   ×   4
                                                                      R$ 14,80

Efetue mais esta multiplicação e complete: 3 × R$ 5,40 = _____

3 PROBLEMA

Luciana tinha R$ 9,70, ganhou R$ 9,50 de seu pai e comprou 3 canetas. Cada caneta custou R$ 4,50.
Com quanto Luciana ainda ficou?

_____

Canetas.

Mais atividades e problemas

1 Efetue os cálculos mentalmente e responda às perguntas.

a) Uma piscina tem 50 metros de comprimento. Leila nadou 4 vezes de um lado ao outro da piscina. Quantos metros ela nadou? _____

b) Uma indústria de confecções produz 600 unidades de camisetas por dia. Qual é a produção em 7 dias?

_____

c) Marcela fez uma viagem que durou 2 horas e 10 minutos. A duração dessa viagem foi de quantos minutos? _____

2 Complete.

a) Abril é um mês de _____ dias. Cada dia tem _____ horas.

Então, o mês de abril tem _____ horas.

b) Cada caixa com sabonetes custa R$ 30,00 ao lojista. Se Carlos comprar 20 caixas para sua loja, então gastará R$ _____.

 As imagens não estão representadas em proporção.

Caixa com sabonetes.

3 Complete a tabela. Em cada linha o número de carros deve ser o dobro do número de motos.

Número de veículos

Número de carros	Número de motos	Total de veículos
2	1	3
	5	
14		
		9
	17	

Tabela elaborada para fins didáticos.

Carros e moto.

4 Na escola de Paula há 13 turmas de 35 alunos e 9 turmas de 34 alunos.

   a) Qual é o número total de alunos nessa escola? _____

   b) Pesquise quantas e quais são as turmas de 4º ano em sua escola e quantos alunos há em cada uma. Depois, calcule o total de alunos do 4º ano de sua escola. _____

5 Calcule e responda.

   a) Quantos meses há em 1 século? _____

   b) Quantos dias há em 125 semanas? _____

   c) Quantos dias há em 3 anos não bissextos? _____

6 **DESAFIO**

   Calcule e descubra qual número é maior.

   a) O quíntuplo de 879 ou o quádruplo de 1 315? _____

   b) 777 + 777 + 777 + 777 ou 666 + 666 + 666 + 666 + 666?
   _____

   c) 16 × 78 ou 621 + 627? _____

7 REGULARIDADES

ATIVIDADE EM DUPLA

A atividade pode ser feita em dupla, mas cada aluno responde em seu livro.

a) Completem as multiplicações e descubram uma regularidade.

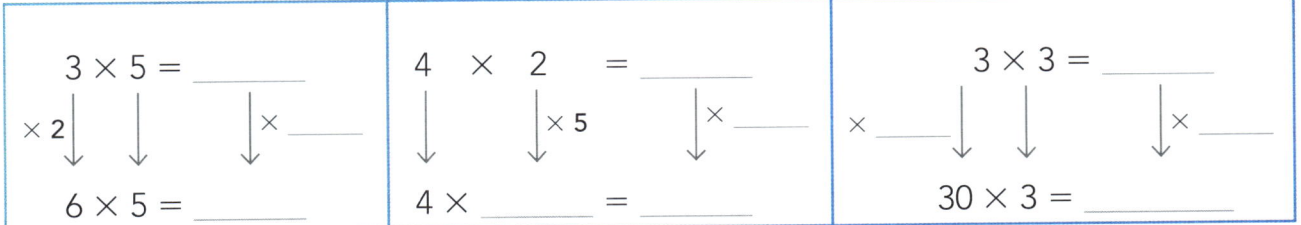

b) Se, em uma multiplicação, apenas 1 dos fatores for multiplicado por certo número, então o que acontece com o resultado (produto)?

_____

_____

c) Agora os 2 fatores serão multiplicados. Completem as multiplicações.

5 × 4 = _____	2 × 5 = _____	3 × 3 = _____
×2 ×3 ×___	×3 ×3 ___	___ ___ ___
10 × ___ = ___	___ × ___ = ___	30 × 6 = ___

d) Se, em uma multiplicação, um fator for multiplicado por 5 e o outro por 4, então o que acontece com o resultado (produto)?

_____

_____

e) Analisem com atenção e completem.

- Se 7 × 9 = 63, então 14 × 9 = _____ × 63.

- Se 12 × 6 = 72, então 12 × 30 = _____ × 72.

- Se 11 × 8 = 88, então 55 × 16 = _____ × 88.

8 Uma agência de turismo está promovendo uma excursão. Veja as informações.

Saída	28/12 às 10 h 30 min
Duração da excursão	5 dias (contando 28/12 como o 1º dia)
Horário de embarque para retorno a São Paulo	13 h
Duração total do voo (com escala)	2 h 30 min
Distância aérea percorrida de São Paulo a Porto Seguro	1 142 km

Use essas informações e responda.

PREÇO POR PESSOA
R$ 2 530,00

a) Em que dia será o retorno? _____

b) Qual é o horário previsto para a chegada a Porto Seguro? _____

c) Qual é o horário previsto para a chegada a São Paulo? _____

d) Na viagem de ida e volta, quantos quilômetros serão percorridos?
_____

e) Quanto vai pagar um casal que vai a essa excursão? _____

9 **CALCULADORA**

ATIVIDADE EM DUPLA Resolvam o problema a seguir usando uma calculadora.

Em um final de ano, uma loja vendeu 15 fornos de micro-ondas, 22 bebedouros, 36 aparelhos de *blu-ray* e 40 liquidificadores.

Quanto ela arrecadou com essa venda?

As imagens não estão representadas em proporção.

R$ 315,00

R$ 130,00

Liquidificador.

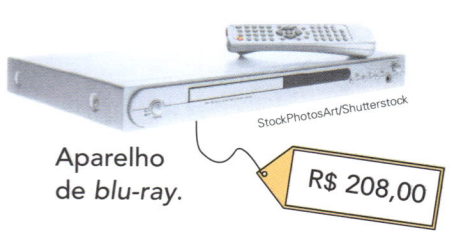

Aparelho de *blu-ray*.
R$ 208,00

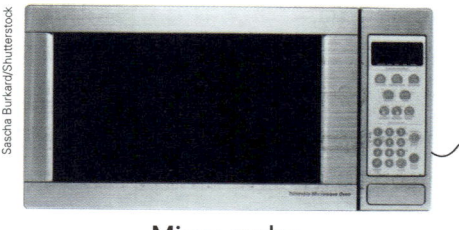

Micro-ondas.

R$ 328,00

Bebedouro.

Vamos ver de novo?

1 ESTATÍSTICA

Na turma de Juçara foi feita uma pesquisa sobre o esporte favorito dos alunos.

a) Complete a tabela e o gráfico com o resultado da pesquisa.

Esportes favoritos

Esporte	Marcas	Quantidade de votos
Futebol (F)	⊠ L	7
Basquete (B)	☐	4
Vôlei (V)	⊠	
Natação (N)	☐	
Tênis (T)	L	

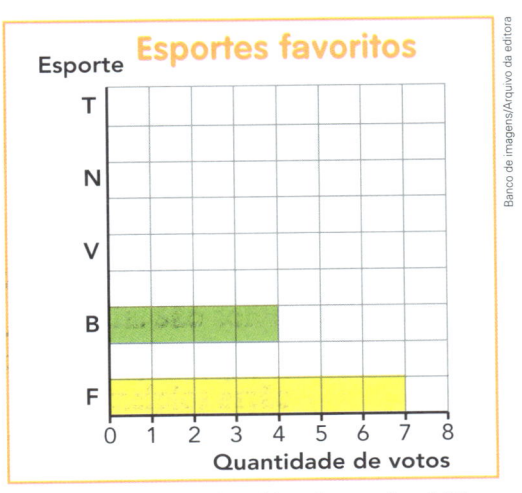

Tabela e gráfico elaborados para fins didáticos.

b) Qual foi o esporte mais votado? E o menos votado? _____

c) Há quantos alunos nessa turma? _____

d) Qual é a diferença entre a quantidade de votos dados ao futebol e à natação? _____

e) Quantos votos o vôlei teve a mais do que o tênis? _____

f) Que esporte recebeu 8 votos? _____

g) No caderno, elabore um texto-síntese sobre essa pesquisa.

2 ESTIMATIVA

a) Observe bem cada figura e faça uma estimativa, sem fazer a contagem. Qual destas figuras tem o maior número de segmentos de reta? _____

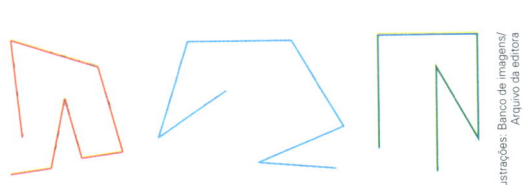

b) Agora, conte o número de segmentos de reta em cada figura e confira sua estimativa. _____

3 TESTES

As imagens não estão representadas em proporção.

Em cada item, descubra e assinale o quadrinho da alternativa correta.

a) Qual é o número natural formado por metade de 1 dezena de milhar, mais a metade de 1 centena, mais 5 dezenas?

☐ 5 550   ☐ 5 055

☐ 5 100   ☐ 5 010

b) Marina vai comprar este livro e vai pagar com 3 notas de R$ 20,00. Com quantas notas o troco pode ser feito?

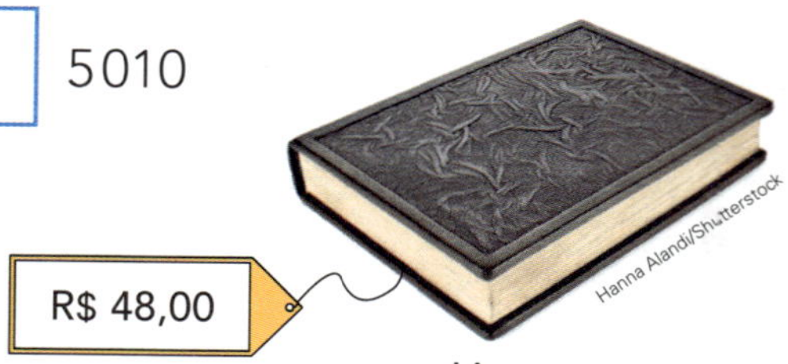

R$ 48,00

Livro.

☐ 1 única nota.   ☐ 2 notas diferentes.

☐ 2 notas iguais.   ☐ 3 notas iguais.

c) Quando uma pirâmide tem o número de vértices igual ao número de arestas?

☐ Sempre.

☐ Às vezes.

☐ Nunca.

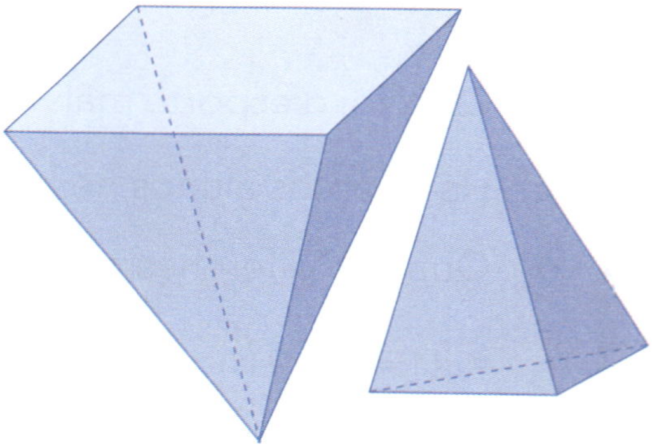

d) Que horário este relógio está marcando, no período da tarde?

☐ 15 h 30 min   ☐ 16 h 30 min

☐ 16 h 6 min   ☐ 18 h 22 min

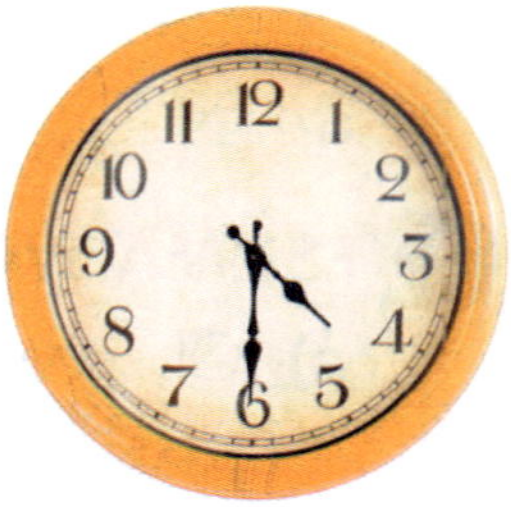

Relógio.

e) Qual destes sólidos geométricos pode ter apenas 2 faces triangulares?

☐ Um prisma.   ☐ Um cubo.

☐ Uma pirâmide.   ☐ Um cone.

O que estudamos

As imagens não estão representadas em proporção.

Identificamos as ideias associadas à multiplicação.

- Adição de parcelas iguais.
  8 flores no total.
  $2 + 2 + 2 + 2 = 8$
  ou $4 \times 2 = 8$

- Disposição retangular.

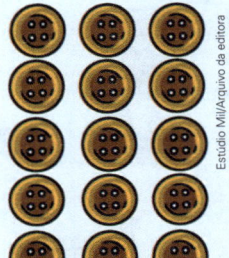

  15 botões.
  $3 \times 5 = 15$ ou $5 \times 3 = 15$

- Combinando possibilidades.

   2 figuras

   3 cores

  6 possibilidades de pintar essas figuras com essas cores.
  $2 \times 3 = 6$ ou $3 \times 2 = 6$

- Proporcionalidade.

  $\times 2$ $\begin{cases} 2 \text{ bolos custam R\$ 13,00} \\ 4 \text{ bolos custam R\$ 26,00} \end{cases}$ $\times 2$

Efetuamos a multiplicação usando vários processos, como o algoritmo da decomposição e o algoritmo usual.

$3 \times 25 = ?$

$$\begin{array}{r} 20 + 5 \\ \times 3 \\ \hline 60 + 15 = 75 \end{array}$$

ou $3 \times (20 + 5) = 60 + 15 = 75$

$$\begin{array}{r} \overset{1}{2}5 \\ \times 3 \\ \hline 75 \end{array}$$

Resolvemos atividades e problemas envolvendo a multiplicação.

Pedro comprou 3 cadernos e 2 canetas. Cada caderno custou R$ 12,00 e cada caneta, R$ 9,00.
Quanto ele gastou no total? R$ 54,00

$$\begin{array}{r} 12 \\ \times 3 \\ \hline 36 \end{array}$$

$2 \times 9 = 18$

$$\begin{array}{r} \overset{1}{3}6 \\ +18 \\ \hline 54 \end{array}$$

- Você revisou os assuntos desta Unidade em sua casa?
- Você está satisfeito com seu desempenho escolar? Acha que precisa melhorar algo? Converse com o professor sobre isso.

Unidade 6
Divisão com números naturais

- O que você vê nesta cena?
- Você acha importante realizar atividades como esta? Por quê?

Para iniciar

Na cena de abertura, os alunos de uma turma estão realizando um trabalho em grupos.

Para decidir quantos grupos formar ou quantos alunos deverá ter cada grupo, a professora usa uma **divisão**, operação que será estudada nesta Unidade.

- Analise a cena das páginas de abertura desta Unidade. Converse com os colegas e respondam às questões a seguir.

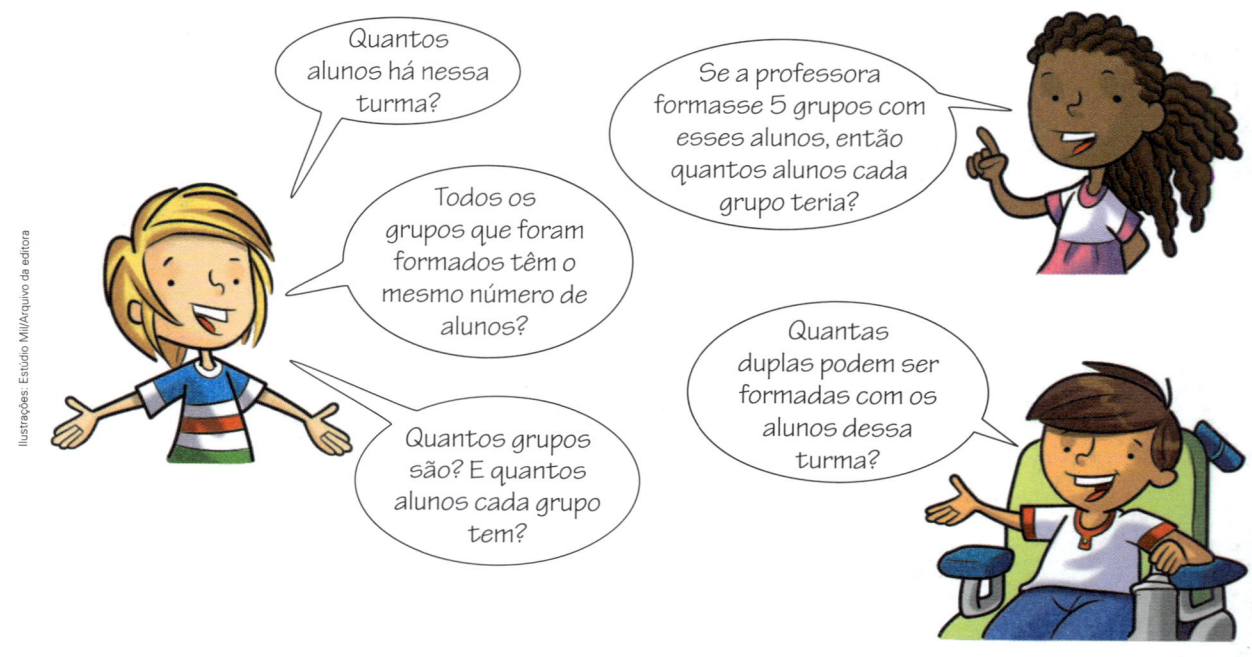

As imagens não estão representadas em proporção.

- Converse com os colegas sobre mais estas questões.

    a) Observe o preço de cada caderno. Quantos destes cadernos podemos comprar com R$ 16,00?

    b) Você sabe o significado da palavra **metade**? Cite uma situação em que ela é usada.

    c) Você sabe dizer 3 divisões cujo resultado é 10?

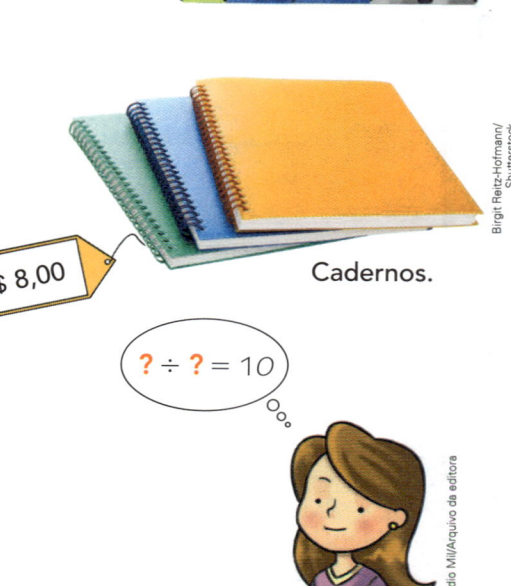

Cadernos.

Divisão com números naturais

Revendo as ideias da divisão

1 **A IDEIA DE REPARTIR OU DISTRIBUIR IGUALMENTE**

Para uma festa de aniversário, Cristina fez 108 bolinhos de vários sabores e repartiu-os igualmente em 2 bandejas. Quantos bolinhos foram colocados em cada bandeja?

Bolinhos de festa de aniversário.

Compreender

Para repartir igualmente 108 bolinhos em 2 bandejas, devemos efetuar a divisão 108 ÷ 2.

Planejar

Vamos efetuar 108 ÷ 2 usando o material dourado e pelo algoritmo usual.

Executar

Use o material dourado, siga a sequência e confira no algoritmo usual.

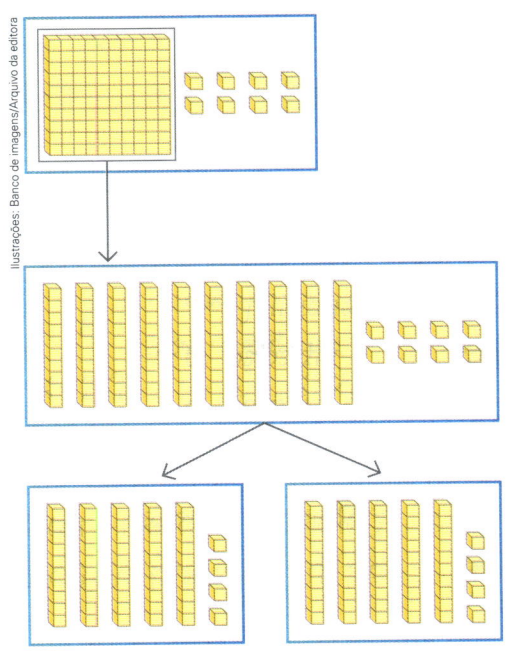

- Não podemos dividir 1 placa (centena) por 2 e ainda obter placas (centenas) como resultado. Por isso, trocamos 1 placa por 10 barrinhas (dezenas). No algoritmo usual, colocamos o 0 (zero) no resultado.
- Dividimos 10 barrinhas (dezenas) por 2 e obtemos 5 barrinhas (dezenas). Não sobram barrinhas.
- Dividimos 8 cubinhos (unidades) por 2 e obtemos 4 cubinhos (unidades). Não sobram cubinhos.
- O resultado é 54 e o resto é 0 (zero).

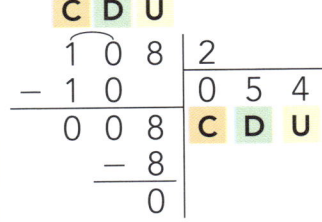

Verificar

Verifique se a divisão está correta efetuando a multiplicação 2 × 54. O resultado deve ser 108.

_____ ÷ _____ = _____

Responder

Escreva a resposta: _____

2 Mariana tem 125 carrinhos e quer distribuí-los igualmente em 5 caixas. Quantos carrinhos cada caixa terá?

Caixa com carrinhos.

Compreender

Para repartir igualmente 125 carrinhos em 5 caixas e saber quantos carrinhos terá cada uma delas, devemos efetuar a divisão 125 ÷ 5.

Planejar

Podemos efetuar 125 ÷ 5 pelo algoritmo usual, já visto no 3º ano.

Executar

```
  C D U
  1 2 5 | 5
- 1 0   |0 2 5
  0 2 5   C D U
  - 2 5
    0 0
```

- Não podemos dividir 1 centena por 5 e ainda obter centenas como resultado. Por isso, colocamos 0 no resultado.
- Dividimos 12 dezenas por 5 e obtemos 2 dezenas. Sobram 2 dezenas, que equivalem a 20 unidades.
- As 20 unidades com mais 5 unidades totalizam 25 unidades, que, divididas por 5, resultam em 5 unidades. O resto é 0.

dividendo → 125 | 5 ← divisor
            0 | 25 ← quociente
            ↑
          resto

Quando o resto é 0 (zero), dizemos que é uma **divisão exata**.

Verificar

Podemos verificar se a divisão está correta efetuando a multiplicação 5 × 25. O resultado deve ser 125.

Indique a divisão e faça a verificação.

_____ ÷ _____ = _____

Responder

Escreva a resposta.

3 Agora, pense, calcule e responda.

a) Se 126 sachês de chá forem repartidos igualmente em 3 latas, então cada lata ficará com quantos sachês de chá?

_____

b) Se 448 sachês de chá forem divididos igualmente em 4 caixas, então cada caixa ficará com quantos sachês de chá?

_____

4 Uma aula de Educação Física durou 1 h 45 min e teve 3 atividades de mesma duração.
Quanto tempo durou cada atividade?

_____

5 Se o preço de 7 bolas iguais é R$ 119,00, então qual é o preço de 5 dessas bolas?

_____

6 Rafael comprou 2 camisetas iguais. Ele pagou com 3 notas de R$ 50,00 e recebeu R$ 36,00 de troco.
Quanto custou cada camiseta?

_____

7 Uma costureira repartiu 3 m e 75 cm de tecido em 3 peças de mesmo comprimento. Com quantos centímetros cada peça ficou?

_____

8 A IDEIA DE MEDIDA: QUANTOS CABEM? QUANTOS GRUPOS PODEM SER FORMADOS?

Na escola de Marcos foram promovidos 2 campeonatos: um de basquete e um de voleibol.

a) Do campeonato de basquete da escola vão participar 155 alunos. Quantas equipes poderão ser formadas?

Aqui queremos saber quantos grupos de 5 alunos podem ser formados com 155 alunos, ou seja, quantos grupos de 5 cabem em 155.

Para responder precisamos efetuar a divisão 155 ÷ 5.

As imagens não estão representadas em proporção.

```
  C D U
  1 5 5 | 5
 -1 5   |-----
  ---   | 0 3 1
  0 0 5 | C D U
     -5
     ---
      0
```

Verificação ou prova

Em 31 grupos de 5 crianças, devemos ter 155 crianças. Fazemos 31 × 5 ou 5 × 31 e o resultado deve ser 155.

```
    31
  ×  5
  ----
   155
```

Agora, complete a resposta do problema.

Com 155 alunos podem ser formadas _____ equipes de basquete.

b) Do campeonato de voleibol vão participar 132 crianças. Quantos times podem ser formados? Resolva e registre a resposta.

Atenção: antes de resolver este problema, você precisa saber quantos são os jogadores em um time de voleibol.

9 Jonas tem R$ 65,00 e pretende comprar pacotes de balões como este ao lado.

R$ 7,00
Pacote de balões.

a) Calcule e responda: Quantos pacotes ele poderá comprar no máximo? Sobrará algum dinheiro?

_____

b) **ATIVIDADE ORAL**
- Nesta atividade temos uma **divisão não exata** (resto diferente de 0). Como podemos fazer a verificação dessa divisão?
- Qual pode ser o resto em uma divisão por 7?
- E em uma divisão por 11?

10 Pense, descubra e depois faça a divisão para conferir.
Qual é o número que dividido por 6 tem quociente 42 e resto 4? _____

11 Em uma fábrica de roupas, 338 blusas serão colocadas em pacotes com meia dúzia de blusas em cada um.
Quantos pacotes serão completados? _____

12 O JOGO DOS RESTOS IGUAIS

Nesse jogo, em cada rodada, o participante efetua 2 divisões que tenham o mesmo divisor e marca ponto quando as 2 divisões tiverem restos iguais.
Veja os exemplos:

- Com $17 \div 5$ e $42 \div 5$ ele marca ponto, pois

$$\begin{array}{r|l} 17 & 5 \\ -15 & 3 \\ \hline 2 & \end{array} \quad e \quad \begin{array}{r|l} 42 & 5 \\ -40 & 8 \\ \hline 2 & \end{array}$$

- Com $19 \div 3$ e $68 \div 3$ ele não marca ponto, pois

$$\begin{array}{r|l} 19 & 3 \\ -18 & 6 \\ \hline 1 & \end{array} \quad e \quad \begin{array}{r|l} 68 & 3 \\ -6 & 22 \\ \hline 08 & \\ -6 & \\ \hline 2 & \end{array}$$

a) Veja três rodadas de que Pedro participou nesse jogo e assinale com **X** aquelas em que ele marcou ponto.

1ª rodada		2ª rodada		3ª rodada	
39 ÷ 7 e 18 ÷ 7		50 ÷ 3 e 76 ÷ 3		255 ÷ 4 e 167 ÷ 4	

b) Em uma rodada com as divisões 96 ÷ 7 e **?** ÷ 7, que números naturais de 0 a 30 podem ocupar o lugar de **?** para que o participante marque ponto?

_____

c) Agora, escreva as sequências citadas abaixo.
Números naturais de 50 a 80 que, divididos por 6, têm resto 5.

_____

Números naturais de 100 a 125 que, divididos por 5, têm resto 1.

_____

13 DESAFIO

O dividendo é 50. O quociente e o divisor são números naturais iguais. Quais são o quociente, o divisor e o resto? _____

_____

Relacionando a multiplicação e a divisão: operações inversas

1) Veja as operações que podemos efetuar usando apenas os números 8, 9 e 72.

| $8 \times 9 = 72$ | $9 \times 8 = 72$ | $72 \div 9 = 8$ | $72 \div 8 = 9$ |

Efetue todas as divisões e multiplicações possíveis usando apenas os números de cada item.

a) 7, 63 e 9.

b) 6, 40 e 240.

c) 200, 400 e 2.

2) Complete com os números que faltam.

a) $36 \div \underline{} = 9$

b) $\underline{} \div 5 = 80$

c) $\underline{} \overline{)4 \atop 300}$

d) $6\,300 \overline{) \atop 900}$

e) $\underline{} \times 9 = 72$

f) $40 \times \underline{} = 800$

3) Calcule e responda.

a) Se Jair repartir igualmente entre seus 4 sobrinhos os gibis que tem, então cada um receberá 8 gibis. Quantos gibis ele tem? _____

b) Adicionei um número com 12, achei o quíntuplo da soma e obtive 70. Qual foi o número inicial? _____

c) Em uma turma da escola, 12 alunos usam óculos. Esse número corresponde à metade da quantidade de alunos que não usam óculos. Qual é o número total de alunos dessa turma? _____

Divisão por números com mais de 1 algarismo

1 DIVISÃO POR 10, 100 E 1000

ATIVIDADE EM GRUPO Observe as divisões exatas e suas justificativas usando a operação inversa.

$40 \div 10 = 4$, pois $4 \times 10 = 40$

$1500 \div 10 = 150$, pois $150 \times 10 = 1500$

$8000 \div 100 = 80$, pois $80 \times 100 = 8000$

$1200 \div 100 = 12$, pois $12 \times 100 = 1200$

$3000 \div 1000 = 3$, pois $3 \times 1000 = 3000$

$40000 \div 1000 = 40$, pois $40 \times 1000 = 40000$

Com os colegas, procure descobrir uma forma prática para efetuar as divisões exatas por 10, 100 e 1000. Depois, complete o quadro abaixo com as conclusões.

Para efetuar uma divisão exata de um número natural:

- por **10**, basta eliminar _____ no final do número;
- por **100**, basta eliminar _____;
- por **1000**, basta eliminar _____.

2 Efetue as divisões e registre o resultado.

a) $9000 \div 10 =$ _____

b) $500 \div 100 =$ _____

c) $14000 \div 1000 =$ _____

d) $75000 \div 100 =$ _____

e) $3490 \div 10 =$ _____

f) $170000 \div 1000 =$ _____

3 Responda rápido!

a) Se o preço de 10 cadernos iguais é R$ 80,00, então qual é o preço de 4 cadernos? _____

b) Você já viu que 1 metro corresponde a 100 centímetros. Então, um fio de 2000 cm tem quantos metros? _____

c) 1 quilograma equivale a 1000 gramas. Então, 6000 gramas correspondem a quantos quilogramas? _____

Caderno.

Divisão: cálculo mental, arredondamento e resultado aproximado

1 CÁLCULO MENTAL

Jaqueline quer distribuir igualmente 80 adesivos, dando 4 adesivos para cada criança. Quantas crianças ela pode presentear? Para responder, você precisa descobrir quantas vezes o 4 cabe em 80, ou seja, fazer 80 ÷ 4.

Veja que pensar em dezenas pode facilitar.

80 ÷ 4 ⟶ 8 dezenas ÷ 4 = 2 dezenas = 20 unidades

Complete a divisão e escreva a resposta.

80 ÷ 4 = _____   Resposta: _____

As imagens não estão representadas em proporção.

2 ATIVIDADE ORAL EM GRUPO Divisões como a da atividade anterior podem ser feitas mentalmente. Analise mais alguns exemplos de divisões e converse com os colegas sobre elas. Depois, calcule o resultado das demais.

8 ÷ 4 = 2   80 ÷ 4 = 20

800 ÷ 4 ⟶ _____ centenas ÷ 4 = _____ centenas =

= _____ unidades   800 ÷ 4 = _____

8 000 ÷ 4 ⟶ 8 unidades de milhar ÷ 4 = 2 unidades de milhar =

= _____ unidades   8 000 ÷ 4 = _____

a) 16 ÷ 2 = _____   b) 400 ÷ 2 = _____   Cuidado com estas!

   160 ÷ 2 = _____   c) 15 000 ÷ 3 = _____   f) 2 000 ÷ 5 = _____

   1 600 ÷ 2 = _____   d) 180 ÷ 9 = _____   g) 400 ÷ 8 = _____

   16 000 ÷ 2 = _____   e) 4 900 ÷ 7 = _____   h) 10 000 ÷ 2 = _____

3 As 3 caixas da figura são iguais e, juntas, pesam 120 kg. Quanto deve registrar cada balança?

A: _____   B: _____

4 Em uma escola há 210 alunos de 4º ano. Cada turma é formada por 30 alunos. Quantas turmas de 4º ano há nessa escola?

Para responder, você precisa fazer a divisão 210 ÷ 30.

```
 2 1 0 | 30
-2 1 0 | 7
 0 0 0
```

5 × 30 = 150
6 × 30 = 180
7 × 30 = 210

Então, 210 ÷ 30 = 7, porque 7 × 30 = 210.
Nessa escola há 7 turmas de 4º ano.

a) ATIVIDADE ORAL EM GRUPO Observe mais alguns exemplos, troque ideias com os colegas e procure descobrir uma maneira de calcular mentalmente.

21 ÷ 3 = 7, porque 7 × 3 = 21.
210 ÷ 30 = 7, porque 7 × 30 = 210.
2 100 ÷ 300 = 7, porque 7 × 300 = 2 100.

Muita atenção nesta: 2 100 ÷ 30 = 70, porque 70 × 30 = 2 100.
Mais exemplos.

2 000 ÷ 40 = 50   100 ÷ 20 = 5   12 000 ÷ 400 = 30

b) Agora, calcule mentalmente e registre.

- 50 ÷ 10 = _____
- 400 ÷ 100 = _____
- 8 ÷ 2 = _____

80 ÷ 10 = _____
7 000 ÷ 100 = _____
80 ÷ 20 = _____

400 ÷ 10 = _____
80 000 ÷ 100 = _____
800 ÷ 200 = _____

7 000 ÷ 10 = _____
1 200 ÷ 100 = _____
8 000 ÷ 2 000 = _____

800 ÷ 20 = _____

- 60 ÷ 30 = _____
- 500 ÷ 50 = _____

6 000 ÷ 300 = _____
- 6 000 ÷ 2 = _____

600 ÷ 300 = _____
- 24 000 ÷ 80 = _____

60 ÷ 10 = _____
- 1 200 ÷ 300 = _____

600 ÷ 20 = _____
- 400 ÷ 50 = _____

5 CÁLCULO MENTAL

Calcule mais algumas divisões mentalmente e registre os resultados.

a) 12 ÷ 6 = _____

120 ÷ 60 = _____

1 200 ÷ 600 = _____

12 000 ÷ 600 = _____

12 000 ÷ 60 = _____

b) 45 ÷ 9 = _____

450 ÷ 90 = _____

4 500 ÷ 900 = _____

45 000 ÷ 9 000 = _____

4 500 ÷ 90 = _____

c) 80 ÷ 40 = _____

d) 600 ÷ 20 = _____

e) 7 000 ÷ 700 = _____

f) 60 000 ÷ 30 = _____

g) 18 000 ÷ 90 = _____

h) 280 ÷ 40 = _____

i) 100 ÷ 20 = _____

j) 900 ÷ 30 = _____

k) 2 000 ÷ 40 = _____

l) 80 000 ÷ 2 000 = _____

6 Responda rápido!

Para obter a quantia de R$ 2 000,00, precisamos de quantas notas de R$ 50,00? _____

As imagens não estão representadas em proporção.

Reprodução/Casa da Moeda do Brasil/Ministério da Fazenda

7 PROBLEMAS

Pense e resolva efetuando as operações mentalmente.

a) Se o dono de uma livraria comprar 200 livros de mesmo valor, então gastará R$ 1 600,00. Qual é o preço de cada livro? _____

b) 3 000 clipes foram colocados em caixas com 100 clipes em cada uma. Quantas caixas foram usadas? _____

c) Se eu tiver 5 notas de R$ 100,00 e 2 notas de R$ 50,00, e puder trocá-las por notas de R$ 20,00, então quantas notas terei?

_____

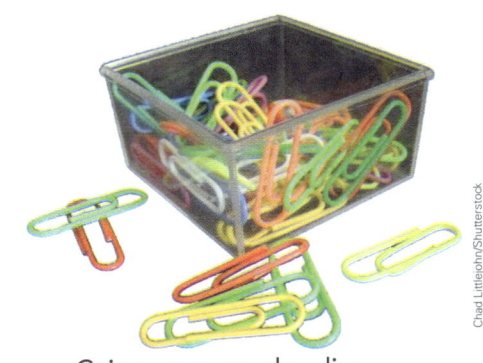

Caixa para guardar clipes.

8 ARREDONDAMENTO E RESULTADO APROXIMADO

Para decorar o salão para uma festa, Camila está fazendo arranjos com 5 flores em cada vaso. Ela quer saber: De quantos vasos vai precisar, aproximadamente, se tem 148 flores? Complete a operação e escreva a resposta.

Arredonde 148 para 150 e efetue 150 ÷ 5 = _____ .

As imagens não estão representadas em proporção.

Vaso com flores.

Resposta: _____

9
Faça arredondamentos, calcule mentalmente o valor aproximado e complete.

a) Repartindo igualmente R$ 1 182,00 entre 6 pessoas, cada uma receberá aproximadamente R$ _____ .

b) Leonor recebeu em sua loja uma encomenda de 147 m de tecido, divididos em cortes de 3 m. Ela recebeu aproximadamente _____ cortes de tecido.

Rolos de tecido.

10 CÁLCULO MENTAL

Calcule mentalmente as operações já estudadas.

a) 60 + 20 = _____   b) 800 + 20 = _____   c) 3 000 + 4 000 = _____

   60 − 20 = _____   800 − 20 = _____   d) 15 000 ÷ 50 = _____

   60 × 20 = _____   800 × 20 = _____   e) 80 × 1 000 = _____

   60 ÷ 20 = _____   800 ÷ 20 = _____   f) 4 000 − 500 = _____

11 DESAFIO

Considerando que em cada metro quadrado cabem 4 pessoas, quantas pessoas caberão, aproximadamente, em uma praça com medida de área de 1 980 metros quadrados?

_____

12 QUEM SÃO ELES?

Descubra os dois números de cada item fazendo os cálculos mentalmente e complete.

a) A soma dos dois números é 100.
   O quociente do primeiro pelo segundo é 4.

   Os números são _____ e _____.

b) O produto dos dois números é 40.
   O quociente do primeiro pelo segundo é 10.

   Os números são _____ e _____.

13 REGULARIDADE NA DIVISÃO

- Inicialmente, complete os itens **a** e **b**. Depois, descubra o segredo e complete os demais itens.

a) 24 →÷2→ ☐ →÷3→ ☐
   24 →÷6→ ☐

b) 30 →÷2→ ☐ →÷5→ ☐
   30 →÷10→ ☐

c) 45 →÷3→ ☐ →÷3→ ☐
   ☐ ————→ ☐

d) 32 →÷4→ ☐ →÷2→ ☐
   ☐ ————→ ☐

- **ATIVIDADE ORAL** A que conclusão podemos chegar? Justifique com um exemplo.

14 Complete: Se 60 ÷ 3 = 20 e 20 ÷ 5 = 4, então 60 ÷ _____ = 4.

Com a palavra...

RODRIGO SALES

Há quantos anos você trabalha na área da Educação? O que você faz diariamente?

Sou professor de Língua Portuguesa há quase 20 anos, e tenho um canal no YouTube, Português Sensacional, há pouco mais de 4 anos. Todos os dias acordo muito cedo, por volta das 5 horas, corro 8 quilômetros na praia e depois inicio as minhas aulas às 7 h e 30 min da manhã. Pela tarde, costumo preparar minhas aulas e fazer gravações para o meu canal no YouTube.

Rodrigo Sales recebendo a placa de 100 000 inscritos em seu canal.

Quantos alunos você tem de forma presencial todo ano? E pela internet?

Ministro aulas para turmas da 3ª série do Ensino Médio, além de turmas em cursos preparatórios para o Enem e para outros concursos públicos, assim tenho muitas classes, totalizando anualmente algo entre 1 000 e 1 200 alunos.

Pela internet a quantidade de alunos é multiplicada. Tenho hoje mais de 140 000 alunos inscritos no meu canal, para assistirem aula pela internet; mas esse número cresce, entre 2 000 e 5 000 alunos a cada semana.

Quais são seus vídeos mais assistidos?

Os vídeos sobre pontuação, acentuação e complemento nominal *versus* adjunto adnominal estão entre os mais assistidos. Esses três vídeos somados já foram assistidos por mais de 2 milhões de pessoas.

Onde estão os alunos que assistem aos seus vídeos?

Tenho alunos em todos os estados das 5 regiões do Brasil. O que mais me surpreende é que estudantes de outros países, como Estados Unidos, Argentina, Portugal, entre outros, também me acompanham.

Em que momentos você usa os números e a Matemática no seu dia a dia?

Todo o tempo! Uso para analisar o tempo dos meus vídeos, número de inscritos no canal, quantidade de curtidas, de visualizações e de comentários. Além de, claro, analisar a minha remuneração, que é diretamente ligada ao alcance do canal.

Estratégias para efetuar a divisão

1 Um quitandeiro vai colocar 276 cebolas em saquinhos com 1 dúzia de cebolas em cada um. Quantos saquinhos serão usados?
Para responder, é preciso efetuar a divisão 276 ÷ 12.

Cesta com cebolas.

a) Use a regularidade vista na página 213 e o fato de que 12 = 2 × 6 e resolva.

b) Agora, use novamente a regularidade vista na página 213 e o fato de que 12 = 3 × 4 e resolva.

c) Registre a resposta. _____

2 CALCULADORA

Use a regularidade vista na página 213 e efetue estas divisões. Depois, use uma calculadora para conferir.

a) 1 150 ÷ 25 = _____

b) 385 ÷ 35 = _____

3 DIVISÃO PELO ALGORITMO DAS ESTIMATIVAS

a) Analise com atenção como Lucas e sua turma efetuaram a divisão 276 ÷ 12, vista na página anterior. Eles usaram o algoritmo das estimativas.

Quantas vezes o 12 cabe em 276? Estimo que caiba 10 vezes.

```
 2 7 6 | 12
-1 2 0 | 10
 1 5 6
```

Como 10 vezes 12 é igual a 120 e de 120 para 276 faltam 156, dizemos que cabe 10 vezes, e sobram 156.

E nos 156 que sobraram, quantas vezes cabe o 12? Estimo que caiba 10 vezes.

```
 2 7 6 | 12
-1 2 0 | 10
 1 5 6 | 10
-1 2 0
 0 3 6
```

Fazemos 10 vezes 12 é igual a 120 e vemos que de 120 para 156 faltam 36.

É fácil ver que, nos 36 que sobraram, o 12 cabe 3 vezes, pois 3 × 12 = 36.

```
 2 7 6 | 12
-1 2 0 | 10
 1 5 6 | 10
-1 2 0 |  3 +
 0 3 6 | 23
-  3 6
 0 0
```

Então, no total, o 12 cabe 23 vezes em 276, pois 10 mais 10 mais 3 é igual a 23. Logo, o resultado da divisão de 276 por 12 é 23.

Complete: 276 ÷ 12 = _____

b) Camila observou Lucas e sua turma efetuarem essa divisão pelo algoritmo das estimativas e percebeu uma coisa. Veja o que ela disse.

Eu posso estimar de forma diferente e chegar ao mesmo resultado.

Comece estimando que 12 cabe 20 vezes em 276 e complete a divisão pelo algoritmo das estimativas.

```
 2 7 6 | 12
```

216 duzentos e dezesseis

4) Veja mais um exemplo de divisão pelo algoritmo das estimativas. Depois, efetue a mesma divisão fazendo outras estimativas e registre o resultado.

$$805 \div 23 = \underline{\qquad}$$

```
  805 | 23
- 460 | 20
  ---
  345 | 10
- 230 |  3
  ---
  115 |  2 +
-  69 | 35
  ---
  046
-  46
  ---
   00
```

```
805 | 23
```

5) PROBLEMAS

Resolva os problemas usando o algoritmo das estimativas para efetuar as divisões.

a) Na festa de aniversário de Poliana, 682 brigadeiros foram repartidos igualmente em 22 bandejas. Quantos brigadeiros foram colocados em cada bandeja?

Brigadeiros de festa.

_____

b) Paulo trocou 10 moedas de 10 centavos e 6 moedas de 50 centavos por moedas de 25 centavos. Quantas moedas ele obteve?

_____

6 DIVISÃO PELO ALGORITMO USUAL

Você já estudou no 3º ano e já usou nesta Unidade o algoritmo usual da divisão de números naturais até 999 por um número natural de 1 algarismo. Vamos retomar para depois ampliar o assunto.

ATIVIDADE ORAL EM GRUPO Analise com os colegas os exemplos abaixo e justifiquem as passagens oralmente.

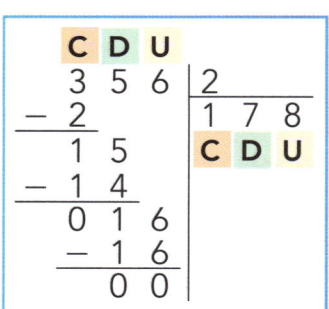
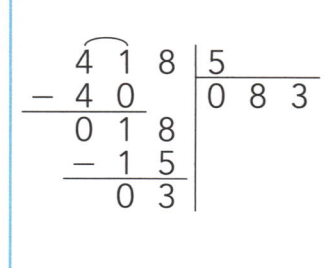

- Agora, efetue mais estas divisões pelo algoritmo usual.

a)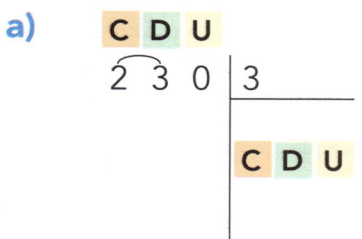

b)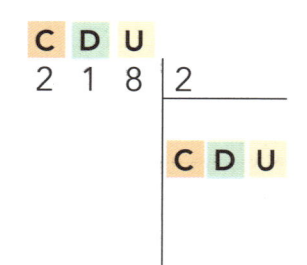

c)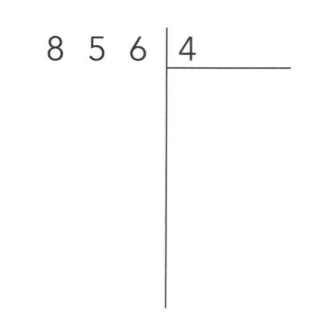

7 Leia, efetue a divisão pelo algoritmo usual e responda.

a) Uma torneira enche um tanque com capacidade de 520 litros em 4 horas. Quantos litros de água ela despeja em 3 horas? _____

b) Quantas semanas completas temos em um período de 297 dias?
_____

8 Agora vamos utilizar o algoritmo usual na divisão de um número natural maior do que 999 por um número natural de 1 algarismo.

O procedimento é o mesmo. Surgirão novas ordens, como a das unidades de milhar, das dezenas de milhar e outras.

 ATIVIDADE ORAL EM GRUPO Com os colegas, analise em detalhe os exemplos e justifiquem oralmente cada passagem.

1 134 ÷ 9

Procuro dividir a unidade de milhar por 9.	Considero 11 centenas e divido por 9. Dá 1 centena.	Completo a divisão como já vimos anteriormente.
 Não é possível dividir 1 unidade de milhar por 9 e obter unidade de milhar. Coloco 0.	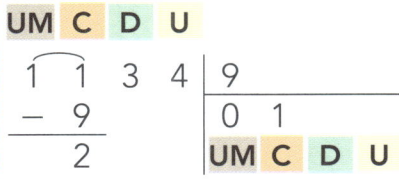 Multiplico: 1 × 9 = 9 Subtraio: 11 − 9 = 2 Sobram 2 centenas.	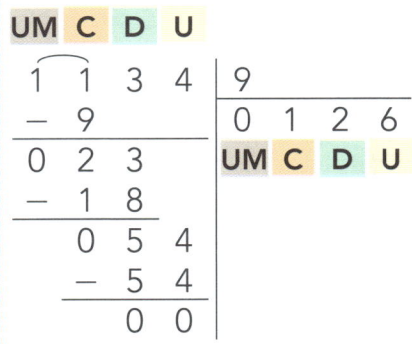

9 356 ÷ 4 = ?

```
   UM  C  D  U
    9  3  5  6 | 4
  − 8           -------
  ———           2  3  3  9
    1  3        UM C  D  U
  − 1  2
  ———
       0  1  5
     −    1  2
     ————
          0  3  6
        −    3  6
        ————
             0  0
```

- Agora, efetue estas divisões pelo algoritmo usual.

a)

b)

```
UM  C  D  U
 1  8  3  2 | 4
            -------
            UM C D U
```

9 PROBLEMAS

a) Alguns lavradores colheram 1 143 quilogramas de feijão. Eles vão armazená-los, repartindo-os igualmente em 9 sacos.
Quantos quilogramas terá cada saco?

_____

b) Quantas semanas completas há em 1 000 dias?

_____

c) Sabrina recebeu R$ 3 420,00 por 3 meses de trabalho.
Qual é o salário mensal de Sabrina?

_____

d) Raul tem o triplo das figurinhas de Laura e, juntos, eles têm 512 figurinhas. Quantas figurinhas tem cada um deles? _____

e) Maurício deu 6 voltas em uma praça e com isso percorreu 3 240 metros. Pedro vai dar 7 voltas nessa mesma praça. Quantos metros Pedro vai percorrer? _____

10 ALGORITMO USUAL NA DIVISÃO POR NÚMERO NATURAL DE 2 ALGARISMOS

Vamos retomar a divisão 276 ÷ 12, já efetuada na página 215.

Observe agora como Marina efetuou essa divisão pelo algoritmo usual. Em seguida, analise o algoritmo usual simplificado e indique a divisão efetuada.

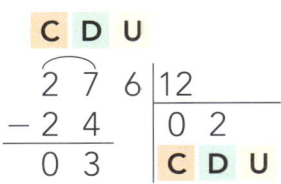

- Não posso dividir 2 centenas por 12 e obter centenas.
  Coloco 0 nas centenas do resultado.
- Divido 27 dezenas por 12 e obtenho 2 dezenas (1 dezena é pouco, e 3 passam).
- Restam 3 dezenas (27 − 24 = 3).

1 × 12 = 12
2 × 12 = 24
3 × 12 = 36
(passa de 27)

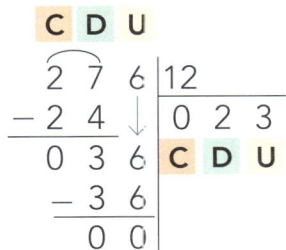

- Troco 3 **D** por 30 **U**.
  30 **U** + 6 **U** = 36 **U**

- Divido 36 **U** por 12.
  36 ÷ 12 = 3, pois 3 × 12 = 36.
  Resto: 0.

Algoritmo usual simplificado

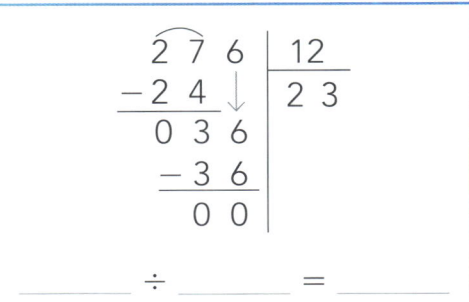

_____ ÷ _____ = _____

11 Efetue mais estas divisões pelo algoritmo usual.

C D U

a) 3 8 5 | 11

b) 1 3 5 | 15

c) 4 5 5 | 35

d) 8 6 7 | 41

12 Em uma chácara foram plantados 2 556 tomateiros, distribuídos igualmente em 12 canteiros. Quantos tomateiros ficaram em cada canteiro?

Para responder à pergunta, precisamos fazer a divisão 2 556 ÷ 12.

- Não posso dividir 2 unidades de milhar por 12 e obter unidades de milhar. Coloco 0 no resultado.
- Troco 2 unidades de milhar por 20 centenas.
  20 centenas + 5 centenas = 25 centenas
- Divido então 25 centenas por 12 e obtenho 2 centenas. Resta 1 centena (25 − 24 = 1).
- Troco 1 centena por 10 dezenas.
  10 dezenas + 5 dezenas = 15 dezenas
- Divido então 15 dezenas por 12 e obtenho 1 dezena. Restam 3 dezenas.
- Troco 3 dezenas por 30 unidades.
  30 unidades + 6 unidades = 36 unidades
- Divido 36 unidades por 12 e obtenho 3 unidades.

Resposta: Ficaram 213 tomateiros em cada canteiro.

Agora, pratique um pouco efetuando estas divisões.

a) 2 968 | 14

b) 2 873 | 13

c) 6 835 | 22

d) 1 982 | 18

e) 8 745 | 33

f) 8 729 | 75

13 Resolva e responda.

Em uma fábrica são colocadas 24 borrachas em cada caixa. Quantas caixas são necessárias para embalar 5 304 borrachas? _____

14 Veja outro exemplo de divisão por número natural de 2 algarismos.

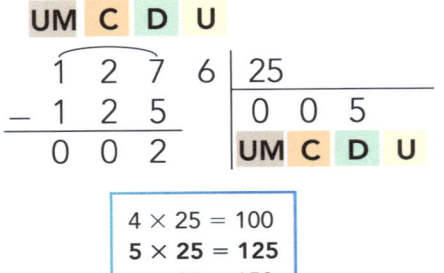

- Troco 2 **D** por 20 **U**.
  20 **U** + 6 **U** = 26 **U**

- Divido 26 **U** por 25.
  26 ÷ 25 = 1 e resto 1.

Algoritmo usual simplificado

$$\begin{array}{r}1276\\-125\\\hline 0026\\-25\\\hline 01\end{array}\bigg|\begin{array}{l}25\\51\end{array}$$

1 276 ÷ 25 = 51 e resto 1.

Agora é com você! Efetue estas divisões.

a) 1 234 ÷ 52 = _____

b) 2 549 ÷ 26 = _____

c) 4 463 ÷ 53 = _____

d) 2 609 ÷ 124 = _____

15 Resolva pela estratégia que julgar mais conveniente.

O estacionamento de um *shopping* tem capacidade para 1 050 veículos e está dividido em 25 setores com a mesma quantidade de vagas em cada um.

Quantos veículos cabem em cada setor? _____

16 A professora pediu aos alunos que elaborassem problemas cujas resoluções fossem uma das divisões a seguir.

a) Efetue estas divisões.

b) Agora, veja a divisão escolhida por 2 alunos e complete.

Rita escolheu a divisão 186 ÷ 6 = _____

Problema: Um feirante embalou _____ maçãs em pacotes contendo _____ maçãs cada um.

Pergunta: _____

Resposta: _____

Marcelo escolheu a divisão 224 ÷ 7 = _____

Problema: Os _____ alunos do 4º ano de uma escola foram distribuídos em _____ salas, todas com o mesmo número de alunos.

Pergunta: _____

Resposta: _____

c) Qual dos alunos formulou um problema com a divisão associada à ideia de "repartir igualmente"? _____

Qual deles formulou um problema com a ideia de "quantos cabem"? _____

Brincando também aprendo

Jogo com números e operações

JOGO PARA 2 PARTICIPANTES.

Material
- 10 papéis com as letras **A** a **J**

Um participante sorteia um papel e calcula mentalmente o valor do item correspondente (veja itens abaixo). Em seguida, o colega confere o resultado. Se o participante tiver acertado o resultado, então ele marca 2 pontos na tabela de pontuação.

Em seguida, o outro participante faz o mesmo.

Após a jogada dos 2 participantes, quem acertou com resultado maior marca mais 1 ponto na tabela.

Vence a partida quem conseguir mais pontos após 5 rodadas.

A	O sucessor de 1 009.	F	4 × 210
B	O triplo de 305.	G	O quociente de 4 000 por 4.
C	O antecessor de 900.	H	100 dúzias.
D	8 centenas + 9 unidades	I	9 800 ÷ 10
E	A metade de 2 100.	J	1 000 − 110

Tabela de pontuação

Nome do participante	Pontos

Tabela elaborada para fins didáticos.

Atividades e problemas com as 4 operações

1 Efetue a divisão 38 ÷ 5. Em seguida, dê o nome dos números envolvidos nessa divisão e faça a verificação.

2 CÁLCULO MENTAL
OPERAÇÕES DIFERENTES, RESULTADOS IGUAIS

Calcule mentalmente e complete.

a) A soma de 16 e 14 é igual ao produto de 5 e _____.

b) O quociente de 45 por 9 é igual à diferença entre _____ e 7.

c) 4 × 5 = 60 ÷ _____

d) 85 + 15 = _____ ÷ _____

e) _____ + _____ = _____ − _____

Saiba mais

O Congresso Nacional é formado pela Câmara dos Deputados e pelo Senado.

Todos os 26 estados e o Distrito Federal possuem o mesmo número de senadores, em um total de 81.

Prédio do Congresso Nacional em Brasília, Distrito Federal. Foto de 2019.

3 Use as informações do **Saiba mais**, calcule e responda: Quantos senadores o Distrito Federal e cada um dos estados do Brasil possuem? _____

4 Na Unidade anterior você viu como efetuar a adição, a subtração e a multiplicação com quantias em reais e centavos (páginas 189 e 190).
Use a mesma ideia e efetue estas divisões.

a) R$ 1,85 ÷ 5 = _____

b) R$ 54,60 ÷ 7 = _____

5 Vítor vai comprar canetas. O preço de 3 canetas iguais é R$ 4,20. Calcule e complete.

a) O preço de 1 caneta é R$ _____.

b) O preço de 2 canetas é R$ _____.

Canetas.

6 ESTIMATIVAS E USO DA CALCULADORA

Em cada item, assinale apenas a alternativa que você julga ser a correta. Depois, efetue a operação com uma calculadora e confira se acertou na estimativa.

a) 47 + 54
— dá mais do que 100.
— dá 100.
— dá menos do que 100.

d) 483 ÷ 2
— é uma divisão exata.
— é uma divisão não exata.

b) O resultado de 23 × 5 é um número de
— 2 algarismos.
— 3 algarismos.

e) 35 × 17 e 17 × 35 têm
— resultados iguais.
— resultados diferentes.

c) 48 735 − 2 642 é um
— número par.
— número ímpar.

f) A metade de um número par
— é par.
— é ímpar.
— às vezes é par e às vezes é ímpar.

Explorar e descobrir

🖩 CALCULADORA

👥 ATIVIDADE EM DUPLA

- Apertem as teclas de uma calculadora na ordem indicada e registrem o número final que vai aparecer no visor.
  Durante o processo, procurem descobrir a **regularidade** em cada item.

▶ Crianças efetuando cálculos na calculadora e fazendo registros nos cadernos.

a) 10 + 2 = = =

b) 9 − 2 = = = =

c) 2 × 10 = = = =

d) 80 ÷ 2 = = = =

- Agora façam as **estimativas** e registrem.
  Depois, façam as operações usando a calculadora, registrem o resultado e confiram as estimativas.

		Estimativa	Resultado na calculadora
a) 3 + 5 = = =			
b) 35 − 5 = = =			
c) 5 × 2 = = =			
d) 500 ÷ 5 = = =			
e) 7 × 1 = = =			

228 duzentos e vinte e oito

7 Descubra o número indicado pela seta e anote-o.
As graduações são sempre em partes iguais.

a)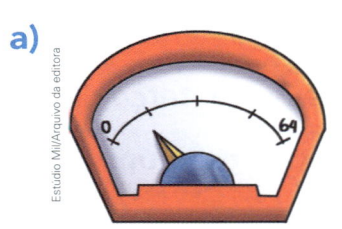

_____

b)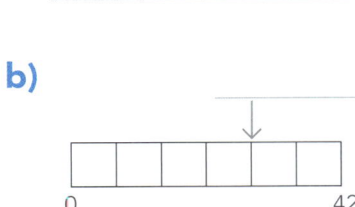

c)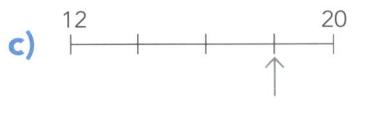

d)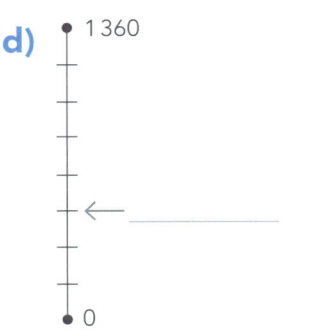

8 **DESAFIO**

Caique observa todos os números ao seu redor. Ele percebeu que a disposição da numeração dos assentos em um ônibus de viagem era como a mostrada na figura abaixo.

As imagens não estão representadas em proporção.

Durante a viagem em um dos percursos, o sol batia do lado do motorista. Então, em um dia de calor, como Caique queria viajar na sombra e na janela, ele comprou a passagem para o assento número 19.

a) Como ele chegou a esse número?

_____

b) Que outros números de assentos ele poderia pedir?

_____

duzentos e vinte e nove 229

9 Você já viu alguns nomes quando temos uma divisão exata (resto 0) de um número.

- Quando dividimos por 2, descobrimos a **metade** do número.
- Quando dividimos por 3, descobrimos a **terça parte** ou **um terço** do número.
- Quando dividimos por 4, descobrimos a **quarta parte** ou **um quarto** do número. E assim por diante.

Descubra e registre quantos reais cada criança tem.

Marcos R$ 128,00	**Paula** R$ 4,00 a menos do que Marcos.	**Laura** Metade de Paula.
Aldo O triplo de Laura.	**Rafael** R$ 17,00 a mais do que Marcos.	**Cláudia** A quinta parte de Rafael.
Rui R$ 14,00 a mais do que Aldo.	**Marina** A décima parte de Rui.	

10 DESAFIO

Uma corrida foi disputada em 2 etapas com 162 atletas.
Na 1ª etapa houve desistência da terça parte dos atletas.
Na 2ª etapa houve desistência da quarta parte dos que ficaram após a 1ª etapa. Quantos atletas terminaram a corrida? _____

11 CALCULADORA

As calculadoras são úteis nos cálculos que envolvem "números grandes". Faça arredondamentos, estime o resultado aproximado e registre. Depois, descubra o resultado exato usando uma calculadora. Veja o exemplo.

> 199 856 + 60 284 ⟶ 200 000 + 60 000 = 260 000
> Com a calculadora: 199 856 + 60 284 = 260 140

a) 1 502 107 − 29 945 ⟶ _____

Com a calculadora: 1 502 107 − 29 945 = _____

b) 3 998 × 502 ⟶ _____

Com a calculadora: 3 998 × 502 = _____

c) 70 358 + 69 426 ⟶ _____

Com a calculadora: 70 358 + 69 426 = _____

d) 3 847 167 ÷ 9 941 ⟶ _____

Com a calculadora: 3 847 167 ÷ 9 941 = _____

12 CALCULADORA E NÚMEROS CRUZADOS

Efetue as operações indicadas nas horizontais (**A**, **B**, **C** e **D**) e preencha o quadro com os resultados (1 algarismo em cada quadrinho). Para conferir, você deve efetuar as operações das verticais (**E**, **F**, **G** e **H**) com uma calculadora.

A: 366 + 1 827 = _____

B: 7 865 − 2 615 = _____

C: 15 × 292 = _____

D: 14 118 ÷ 3 = _____

E: 27 984 ÷ 11 = _____

F: 583 + 654 = _____

G: 10 × 958 = _____

H: 5 943 − 2 937 = _____

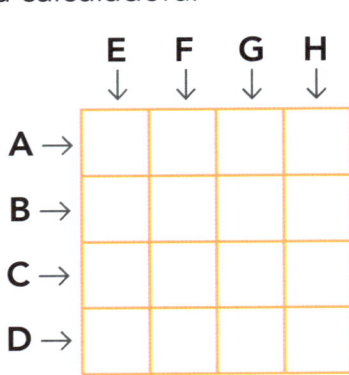

Vamos ver de novo?

1 Identifique os números que aparecem em cada situação e como cada um está sendo usado. Escreva: **contagem**, **medida**, **ordem** ou **código**.

a) O Brasil ocupa a 37ª posição no *ranking* mundial de investimento em saúde.

(Fonte: OCDE, 2018.) _____

b) Em 2018, o Brasil já tinha cerca de 127 milhões de pessoas com acesso à internet. (Fonte: pesquisa TIC Domicílios.) _____

c)

As imagens não estão representadas em proporção.

d) O Brasil tem um dos conjuntos de fauna e flora mais ricos do mundo: são estimadas cerca de 50 mil espécies vegetais e 140 mil espécies animais.

(Fonte: Ministério do Meio Ambiente.) _____

e) O lago Paranoá é um lago artificial de Brasília (DF). Ele tem 40 quilômetros quadrados de superfície e 48 metros de profundidade. _____

Lago Paranoá, em Brasília, Distrito Federal. Foto de 2016.

2 Escreva o nome do sólido geométrico que obtemos ao montar cada planificação.

a)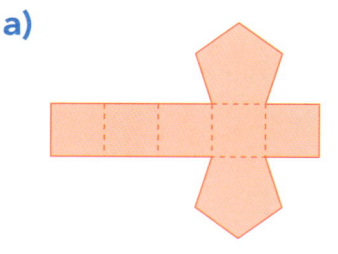

b)

c)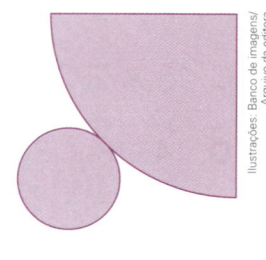

3 Caio entra em aula às 7 h 10 min. Ele chegou à escola 15 minutos antes do início da aula. A que horas ele chegou? _____

O que estudamos

Exploramos as ideias da divisão.

- **Repartir igualmente.**
Separando igualmente 10 alunos em 2 grupos, cada grupo terá 5 alunos.

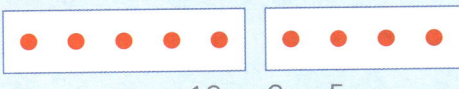

$10 \div 2 = 5$

- **Quantos cabem?**
Separando 12 alunos em grupos de 3 alunos, serão formados 4 grupos.

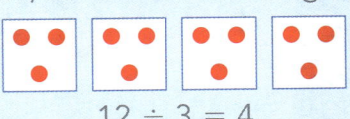

$12 \div 3 = 4$

Usamos diferentes processos para efetuar a divisão.

$360 \div 15$ pelo algoritmo das estimativas.

```
 3 6 0 |15
-1 5 0 |10
 2 1 0 |10
-1 5 0 | 4 +
 0 6 0 |24
-  6 0
 0  0
```

$360 \div 15$ pelo algoritmo usual.

```
 3 6 0 |15
-  3 0 |24
 0 6 0
-  6 0
 0  0
```

$360 \div 15$ pela decomposição do 15 em 3×5.

```
 3 6 0 |3        1 2 0 |5
-  3   |120     -1 0   |24
 0 6            0 2 0
-  6            - 2 0
 0 0            0  0
```

Logo: $360 \div 15 = 24$.

Resolvemos problemas envolvendo a divisão.
Em uma escola foi gasto um total de R$ 3 420,00 na compra de 2 computadores iguais.
Qual foi o preço de cada computador?
R$ 1 710,00

$3420 \div 2 = 1710$

Computador.

- Você conseguiu resolver todas as atividades desta Unidade?
- Revise seu livro e seu caderno e veja se há alguma atividade que gerou dúvida ou que precisa ser corrigida. Convide um colega para fazer essa revisão com você!
- Você tem ajudado nas atividades em grupo? Como você acha que devem ser divididas as tarefas nessas atividades?

Para iniciar

Para responder às questões propostas pelas crianças, precisamos usar medidas de comprimento e medidas de área.

O estudo dessas medidas será o assunto desta Unidade.

- Analise a cena das páginas de abertura desta Unidade. Converse com os colegas e respondam às questões a seguir.

Quando comparamos as medidas da distância entre cidades estamos usando medidas de comprimento ou de área?

Qual distância tem medida maior: entre Belo Horizonte e a cidade de São Paulo ou entre Vitória e a cidade do Rio de Janeiro?

E quando comparamos o tamanho dos estados?

Qual estado da região Sudeste tem maior medida de área?

- Agora, converse com os colegas sobre mais estas questões.

   a) Quantos palmos seus mede a largura de sua carteira escolar?

   b) A medida de sua altura é maior ou menor do que a medida da altura da porta da sala de aula?

   c) As 2 questões anteriores se referem a medidas de qual grandeza?

   d) Para cobrir totalmente a superfície da sua carteira é preciso mais ou menos do que 3 folhas de papel sulfite?

   e) Comparando o chão e o teto da sala de aula, qual tem maior medida de área?

Medida de comprimento e medida de perímetro

1 Mariana quer enfeitar um cartaz colocando fita colorida ao redor dele. Para isso, ela o contornou com o palmo dela e descobriu que a volta toda tem 18 palmos.

Mariana obteve uma **medida de comprimento** igual a 18 palmos. Ela usou uma unidade não padronizada de medida.

a) Qual foi essa unidade de medida?

_____

b) Ela poderia ter usado uma unidade padronizada de medida. Qual unidade seria mais adequada? _____

As imagens não estão representadas em proporção.

2 Maria está representando figuras geométricas com palitos. Veja o que ela fez e complete.

Um **segmento de reta**.

A medida do comprimento dele

é _____ palitos.

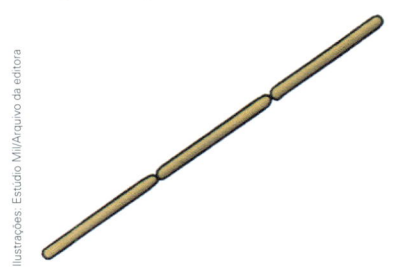
comprimento

largura

Um **retângulo**.

Medida do comprimento:

_____ palitos.

Medida da largura: _____ palito.

Medida do comprimento do contorno todo: _____ palitos.

Quando medimos o comprimento de um contorno estamos medindo o **perímetro** dele.

3 Veja agora o triângulo construído por José e complete.

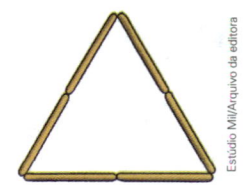

a) Há _____ palitos em cada lado.

b) O perímetro mede _____ palitos.

4 Escreva a medida do perímetro de cada contorno construído com palitos.

a)    b) 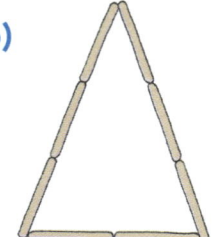   c)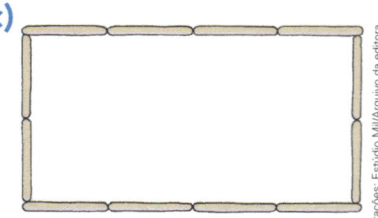

_____   _____   _____

Explorar e descobrir

Construa, sem quebrar palitos, todos os retângulos possíveis com medida de perímetro de 14 palitos.

Em seguida, esboce o desenho dos retângulos na malha quadriculada. Considere o lado do quadrinho como 1 palito.

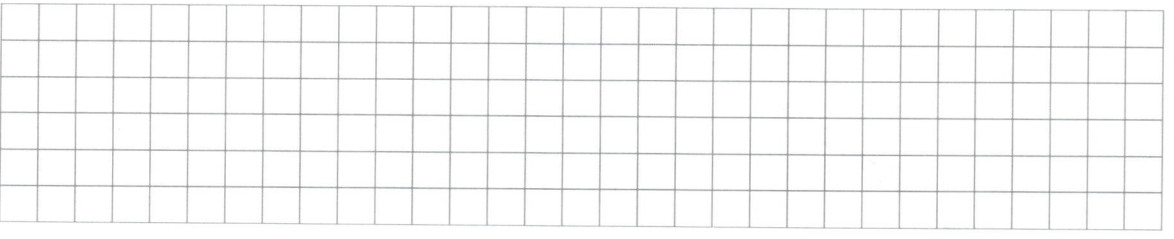

5 Descubra quais dos contornos das regiões planas abaixo têm medida de perímetro igual e assinale.

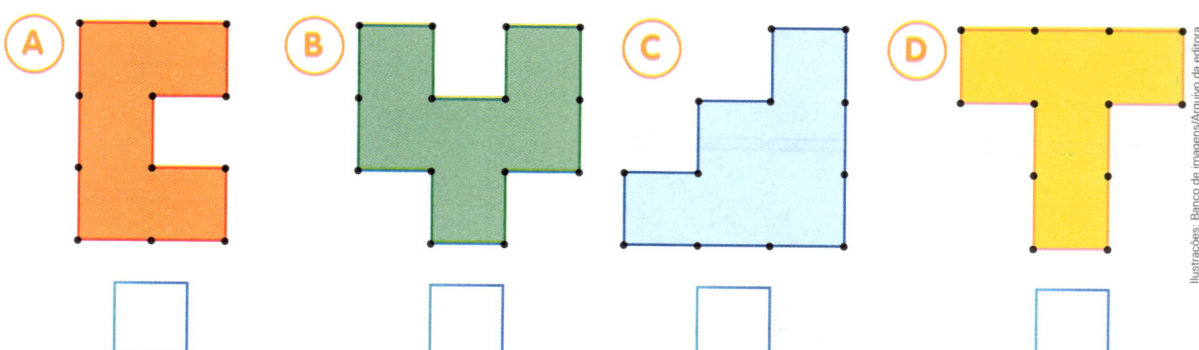

238 duzentos e trinta e oito

6 DESLOCAMENTO

As imagens não estão representadas em proporção.

Observe os comandos dados à tartaruga e veja o caminho que ela percorreu.

- Avance 3 lados de quadradinho.
- Vire à direita e avance 3.
- Vire à direita e avance 5.
- Vire à esquerda e avance 4.
- Vire à esquerda e avance 2.

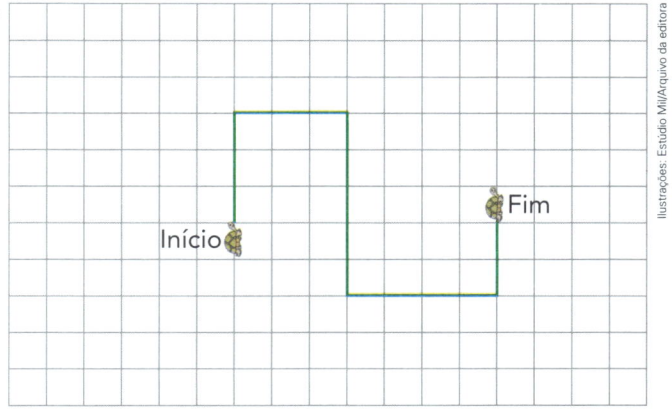

a) Leia novos comandos dados à tartaruga e trace na malha quadriculada este outro caminho que ela percorreu.

- Avance 2 lados de quadradinho.
- Vire à direita e avance 3.
- Vire à esquerda e avance 2.
- Vire à direita e avance 4.
- Vire à direita e avance 5.
- Vire à esquerda e avance 3.
- Vire à esquerda e avance 4.

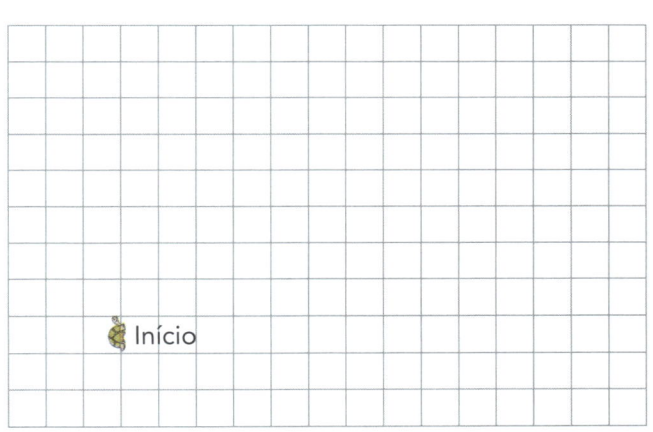

b) Agora, faça o contrário: examine o caminho que a tartaruga fez e escreva os comandos dados a ela.

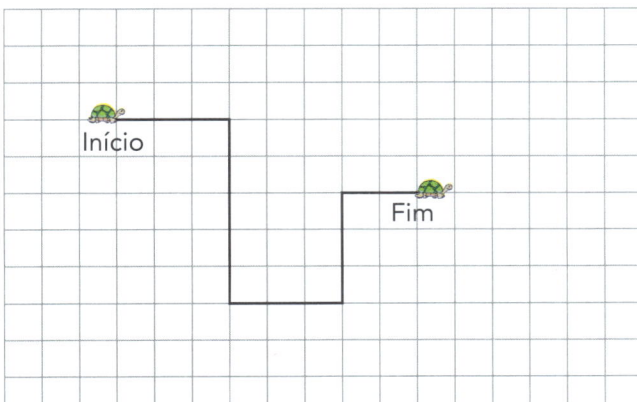

Reprodução, ampliação e redução de figuras

1 Usando uma régua, reproduza a figura na malha quadriculada da direita.

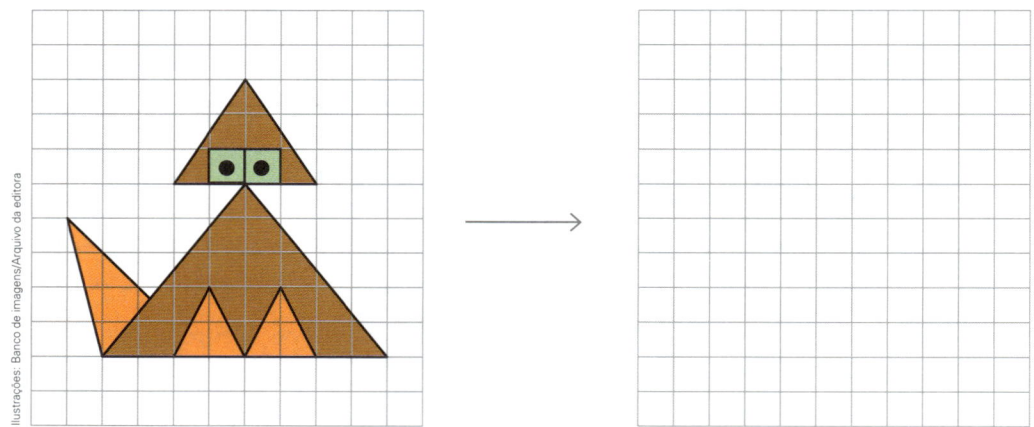

2 Amplie a figura na malha quadriculada da direita, de modo que a medida do comprimento de cada segmento de reta na figura ampliada tenha o dobro da medida do segmento de reta da figura original.

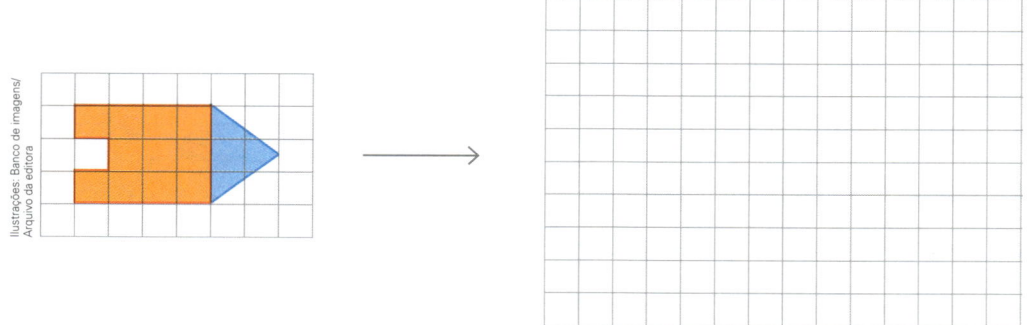

3 Na malha quadriculada da direita, escreva a palavra ECO reduzindo as letras, de modo que a medida do comprimento de cada segmento de reta seja dividida por 2 (metade da medida original).

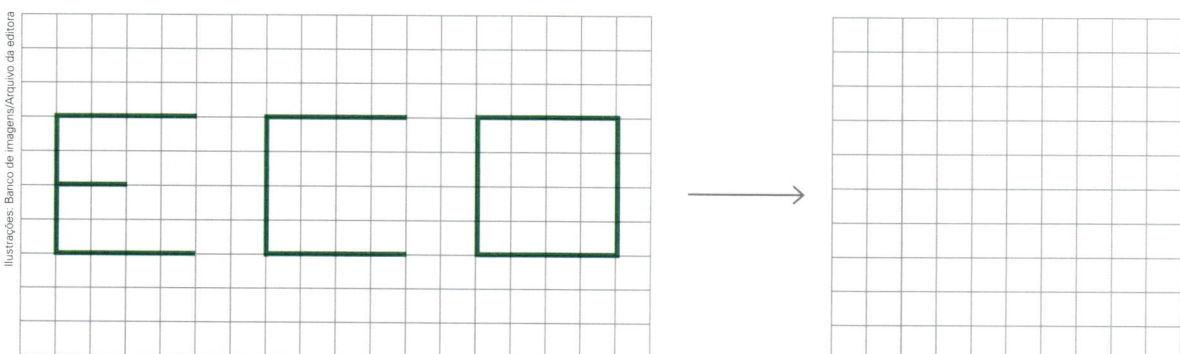

Medida de comprimento com unidades padronizadas de medida

O centímetro (cm)

1 O **centímetro (cm)** é uma unidade padronizada de medida de comprimento. Os segmentos de reta desenhados abaixo, em diversas posições, têm todos medida de comprimento igual a 1 centímetro (1 cm).

Agora, use uma régua e desenhe mais 3 segmentos de reta de 1 cm cada um.

2 A régua é um instrumento de medida de comprimento. Observe e complete.

A foto do lápis tem 7 cm.

A foto do parafuso tem _____ cm.

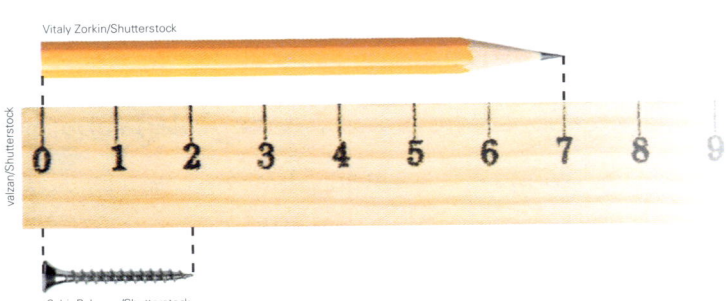

3 **ESTIMATIVAS**

Estime e registre a medida do comprimento de cada foto, em centímetros. Depois, meça com uma régua e escreva a medida real.

As imagens não estão representadas em proporção.

a) Estimativa: _____ cm

Medida: _____

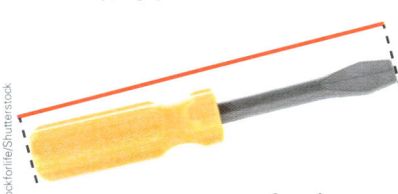

Chave de fenda.

b) Estimativa: _____

Medida: _____

Clipe.

c) Estimativa: _____

Medida: _____

Cadeado.

Charles Schulz. **Snoopy** – Posso fazer uma pergunta, professora? Porto Alegre: L&PM, 2009. p. 94.

4 **MEDIDA DE PERÍMETRO, EM CENTÍMETROS**

Meça o comprimento dos lados e calcule a medida do perímetro de cada polígono, em centímetros. Indique essas medidas e registre como você calculou.

a)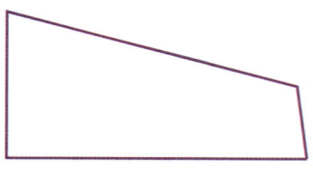

b)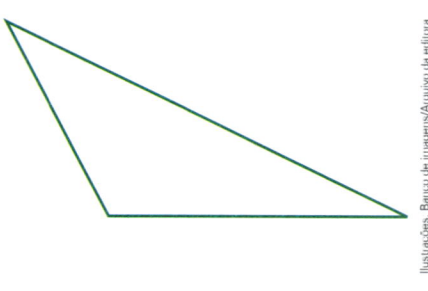

_____   _____

_____   _____

 **Explorar e descobrir**

Considere a malha quadriculada abaixo e use uma régua para fazer o que se pede.

- Meça e responda: Qual é a medida do comprimento do lado de cada quadradinho dessa malha quadriculada? _____

- Quanto medirá o comprimento de cada lado de um quadrado com medida de perímetro de 8 cm? Responda e, depois, desenhe-o na malha quadriculada. _____

- Quanto medirá a altura de um retângulo que tem medida de comprimento de 4 cm e medida de perímetro de 10 cm? Responda e, depois, desenhe-o na malha quadriculada. _____

 **5** **ATIVIDADE ORAL EM GRUPO** Lúcia tem uma mesa circular e comprou uma toalha para ela, também circular. Ela quer colocar uma fita de renda em volta da toalha. Converse com os colegas e responda: Como podemos fazer para descobrir a medida do perímetro da toalha e de outros objetos circulares, como um CD ou uma tampa de panela?

242 duzentos e quarenta e dois

O milímetro (mm)

1 O **milímetro (mm)** é outra unidade padronizada de medida de comprimento. Ele é usado para medir pequenos comprimentos ou fazer medições com maior precisão.

a) Observe esta régua e complete.

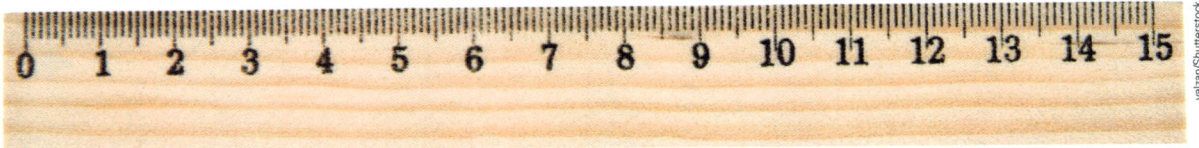

Há _____ partes entre cada número e o número seguinte.

1 cm = _____ mm

b) Esta fita azul tem medida de comprimento exata em centímetros inteiros?

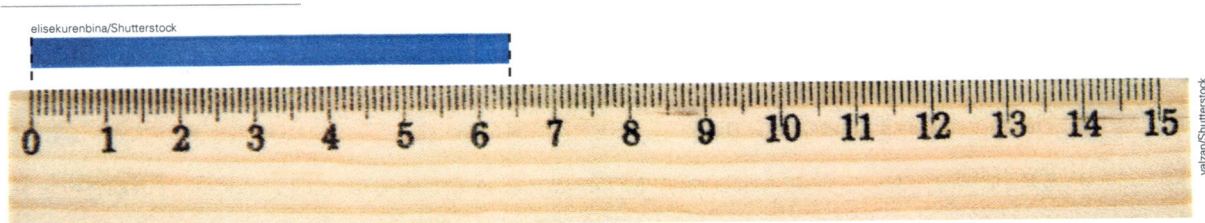

c) Considere a medida do comprimento da fita azul, em milímetros, e complete.

A fita azul mede _____ mm ou _____ cm e _____ mm.

d) Agora, escreva a medida de comprimento de cada uma destas fitas.

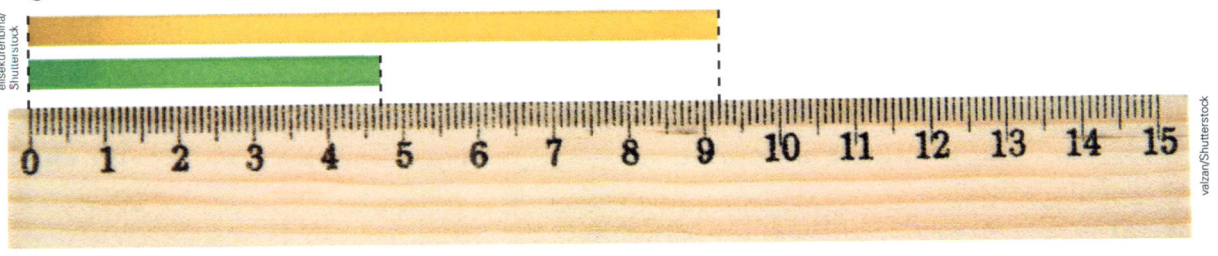

Fita amarela: _____ mm ou _____ cm e _____ mm

Fita verde: _____ ou _____

As imagens não estão representadas em proporção.

2 Observe a foto da nota de R$ 100,00.
Meça com uma régua e registre, em milímetros.

a) A medida da largura desta foto. _____

b) A medida do comprimento desta foto. _____

duzentos e quarenta e três 243

3 Com uma régua, trace os segmentos de reta $\overline{AB}$ de 15 mm, $\overline{CD}$ de 25 mm e $\overline{EF}$ de 4 cm e 3 mm. Em seguida, complete as medidas de comprimento.

15 mm ou _____ cm e _____ mm

25 mm ou _____ cm e _____ mm

4 cm e 3 mm ou _____ mm

4 Lembre-se: 1 cm = 10 mm. Complete.

a) 6 cm = _____ mm

b) 40 mm = _____ cm

c) 3 cm e meio = _____ mm

d) 85 mm = _____

e) 2 cm e 7 mm = _____ mm

f) 83 mm = _____ cm e _____ mm

5 Para ir até o doce a formiga tem 2 caminhos, cada um deles com 2 trechos. Veja na imagem.

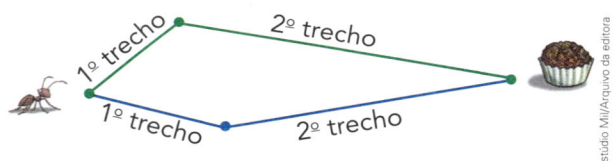

As imagens não estão representadas em proporção.

a) Use uma régua para descobrir as medidas de comprimento e complete.

- O caminho que tem 15 mm no 1º trecho tem _____ mm no 2º trecho.
- O outro caminho tem _____ mm no 1º trecho e _____ mm no 2º trecho.
- O caminho mais longo é o de cor _____.

b) Complete a tabela escrevendo os valores encontrados em centímetros e milímetros.

Medida de comprimento dos caminhos

Caminho	1º trecho	2º trecho	Total
Verde	_____ cm e _____ mm		
Azul			

Tabela elaborada para fins didáticos.

O metro (m)

Explorar e descobrir

As imagens não estão representadas em proporção.

ATIVIDADE EM DUPLA Leila e Mateus mediram a largura da porta e viram que era de aproximadamente **1 metro (m)**.

O **metro (m)** é a unidade fundamental para medir o comprimento.

Agora, como no 3º ano, vocês vão construir uma tira de papel com 1 metro de medida de comprimento e utilizá-la para fazer algumas medições em metros.

- Peguem uma folha de papel sulfite e recortem 4 faixas com a mesma largura da régua. Colem as faixas uma na outra, conforme a imagem.

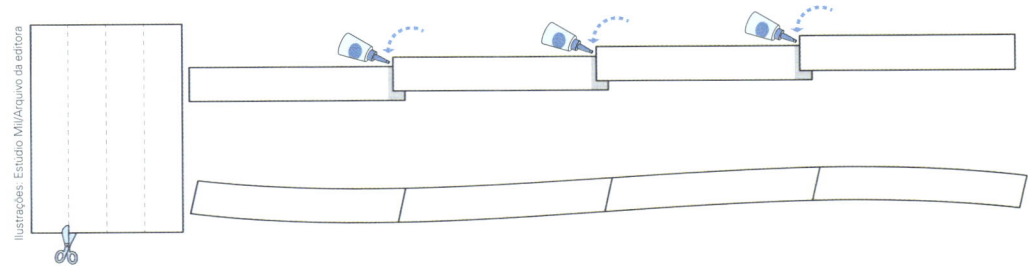

Usando a régua, numerem a tira até 100 centímetros. Cortem o que sobrou. Pronto! Vocês construíram uma fita cujo comprimento mede 1 metro, graduada em centímetros.

- Agora, completem.

1 m = _____ cm

1 ESTIMATIVAS DE MEDIDAS DE COMPRIMENTO

ATIVIDADE EM DUPLA Façam a estimativa da medida, registrem e depois meçam para conferir.

Registrem também a medida real.

a) Medida do comprimento da lousa da sala de aula. _____

b) Medida da altura da porta da sala de aula. _____

c) Medida do perímetro do tampo da mesa do professor. _____

2 Uma armação de arame tem a forma de um paralelepípedo com dimensões medindo 30 cm, 15 cm e 10 cm.

a) Quantos centímetros de arame foram usados para construir essa armação? _____

b) Foram usados mais ou menos do que 2 metros? _____

3 Faça as medições necessárias e calcule a medida do perímetro do tampo de sua carteira.

Registre a medida de 3 maneiras diferentes.

| _____ m, _____ cm e _____ mm | _____ cm e _____ mm | _____ mm |

4 Complete.

| 1 m = _____ cm | 1 cm = _____ mm | 1 m = _____ mm |

5 Continue completando.

a) 3 cm = _____ mm

b) 400 cm = _____ m

c) 1 m e 8 cm = _____ cm

d) 375 cm = _____ m e _____ cm

e) 8 cm e meio = _____ mm

f) 9 m = _____ mm

6 Em uma fazenda, para cercar um curral foram usadas estacas fincadas de 2 em 2 metros, uma porteira entre 2 das estacas e 3 fios de arame, conforme você vê nesta imagem.

a) Quantas estacas foram usadas? _____

b) Quantos metros de arame foram usados? _____

7 DESAFIO

2 caracóis caíram no fundo de um poço sem água, de 10 m de medida de profundidade.

Durante o dia, eles subiam 2 m pela parede, mas à noite, dormindo, escorregavam 1 m. Quantos dias eles levaram para sair do poço? _____

O quilômetro (km)

1 **ATIVIDADE EM DUPLA** Lucas mora a 1 quilômetro da escola em que estuda.

O **quilômetro (km)** é uma unidade padronizada de medida de comprimento usada para medir grandes distâncias.

1 quilômetro é a medida do comprimento de 10 quarteirões de 100 metros cada um.

a) Completem, cada um em seu livro.

1 quilômetro = _____ metros   ou   1 km = _____ m

b) **ATIVIDADE ORAL** Agora, procurem se lembrar de 2 locais conhecidos de uma mesma rua da cidade onde vocês moram e que, na opinião de vocês, ficam cerca de 1 quilômetro um do outro. Depois, contem para a turma quais foram os locais escolhidos. Todos concordam?

Em caso positivo, cada um registra em seu livro. _____

c) Finalmente, cada um escreve em seu livro se a medida da distância entre a casa onde mora e a escola é **igual**, **maior** ou **menor** do que 1 quilômetro.

_____

Saiba mais

O litoral brasileiro tem uma extensão com medida de comprimento de 7 367 km e é banhado pelo oceano Atlântico.

Adaptado de: IBGE. **Atlas geográfico escolar**. 6. ed. Rio de Janeiro: IBGE 2012.

2 Tem **mais** ou **menos** do que 1 quilômetro?

a) Medida da distância entre uma esquina e outra de um quarteirão. _____

b) Medida de comprimento de um percurso de 20 quarteirões. _____

c) Medida da distância entre a Terra e a Lua. _____

d) Medida do perímetro da sala de aula. _____

3 Use os símbolos do quilômetro (km), do metro (m), do centímetro (cm) e do milímetro (mm) para completar as igualdades.

a) 1 _____ = 10 _____

b) 1 _____ = 100 _____

c) 1 _____ = 1 000 _____

d) 1 _____ = 1 000 _____

4 **ATIVIDADE ORAL EM GRUPO** O pai de Ivo percorreu 5 quilômetros com o carro e perguntou ao filho: "Ivo, quantos metros há em 5 quilômetros?".

Converse com os colegas e registre.

a) Qual deveria ser a resposta de Ivo? _____

b) Como se chega a essa resposta? _____

As imagens não estão representadas em proporção.

5 Cláudia andou durante 2 horas. Na primeira hora andou 3 quilômetros; na segunda, 2 500 metros.

a) Quantos metros ela andou ao todo? _____

b) Isso representa quantos quilômetros? _____

6 Complete com outras medidas de comprimento correspondentes.

a) 18 km = _____ m

b) 100 000 m = _____ km

c) meio quilômetro = _____ m

d) 3 km e 18 m = _____ m

e) 7 400 m = _____ km e _____ m

f) 5 km e 5 m = _____ m

Brincando também aprendo

Jogo dos perímetros

JOGO PARA 2 PARTICIPANTES.

Material
- 2 lápis de cores diferentes

Cada participante deve usar um lápis de uma cor.

Em uma rodada, cada participante escolhe um polígono, circula a letra correspondente e, com o auxílio de uma régua, mede os lados dele e calcula a medida do perímetro. Feito isso, os jogadores elaboram uma tabela com o nome e os pontos de cada um deles de acordo com estes critérios.

- Quando errar o cálculo, marca **0 (zero) ponto**.
- Quando acertar o cálculo e a medida do perímetro for menor do que 10 cm ou maior do que 14 cm, marca **1 ponto**.
- Quando acertar o cálculo e a medida do perímetro ficar entre 10 cm e 14 cm, marca **2 pontos**.
- Quando acertar o cálculo e a medida do perímetro for 10 cm ou 14 cm, marca **3 pontos**.

Calculadas todas as medidas dos perímetros, os pontos devem ser somados. O vencedor será aquele que fizer mais pontos.

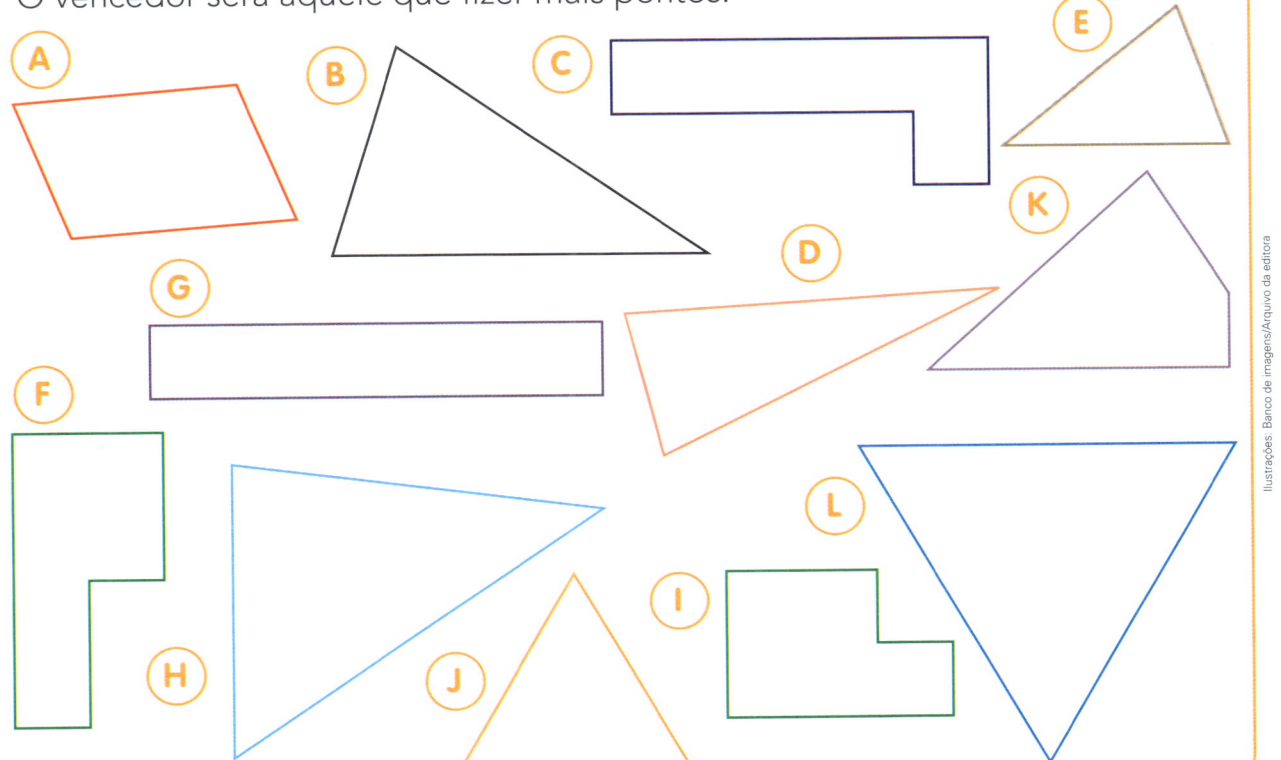

Tecendo saberes

PET, para que te quero?
Conheça as vantagens e as desvantagens desse material comum em garrafas de bebidas

Não precisa procurar muito, pois é bem fácil encontrá-lo: o PET – sigla para polietileno tereftalato – é usado na fabricação de uma porção de coisas, como garrafas de refrigerantes, águas, sucos, óleos comestíveis, medicamentos, produtos de higiene e limpeza e de cosméticos, além de ser usado para a fabricação de fibras têxteis.

Revista **Ciência Hoje das Crianças**. Disponível em: <http://chc.org.br/coluna/pet-para-que-te-quero/>. Acesso em: 17 dez. 2019.

Casa feita com garrafas PET
Depoimento de Antônio Duarte, 34 anos, eletricista, Espírito Santo, Rio Grande do Norte (25/3/2010)

"Não sou engenheiro nem arquiteto, mas criei uma casa de garrafa PET que custa apenas R$ 8 mil. Como? Troquei os tijolos de cerâmica pelas garrafas descartáveis e assim reduzi o custo da construção. Se tivesse feito tudo da maneira tradicional, teria gasto o dobro!

Trabalho como eletricista em uma empresa e não tive condições de fazer faculdade. Mas isso nunca me impediu de ser uma pessoa criativa e preocupada com o meio ambiente. Um dia, quando estava voltando para casa, notei um bocado de garrafas de refrigerante na beira do rio que corta minha cidade, Espírito Santo, no interior do Rio Grande do Norte. Fiquei 'encucado': que fim dar a esse lixo todo?

[...] Mas não desisti e pedi o apoio de pesquisadores da Universidade Federal do Rio Grande do Norte. Depois dos testes, fiz as contas e descobri quantas garrafas seriam necessárias para uma casa de 46 metros quadrados com dois dormitórios, sala, cozinha, banheiro e varanda. Comprei 2 700 garrafas PET dos catadores e comecei a construção.

Foi 1 mês de trabalho duro até que a primeira casa ficasse pronta, em dezembro de 2009. Algum tempo depois, passei a conseguir construir a mesma casa em apenas 5 dias, já levando as paredes de garrafas prontas."

PORTAL DO MEIO AMBIENTE DA UFRN. **Personalidades**. Disponível em: <www.meioambiente.ufrn.br/?p=3647>. Acesso em: 17 dez. 2019.

1. Após a leitura dos textos, responda aos itens a seguir. Se necessário, pesquise e troque ideias com os colegas.

   a) Quais são os produtos vendidos em embalagem PET que você e sua família consomem? _____

   b) O que significa reciclar?
   _____

   c) Você e sua família têm o hábito de separar materiais que podem ser reciclados? Quais? E para onde eles são encaminhados?
   _____

2. **CALCULADORA**

   Use as informações do texto, calcule e responda.

   a) Quanto Antônio teria gastado para construir uma casa de maneira tradicional? _____

   b) Qual é a diferença entre a quantidade de dias que Antônio levou para construir a primeira casa e a quantidade de dias que ele passou a demorar para fazer a mesma construção? _____

   c) Com o mesmo projeto, quantas casas podem ser construídas com R$ 64 000,00? Nesse caso, quantas garrafas serão necessárias?
   _____

   As imagens não estão representadas em proporção.

3. Vânia trabalha com artesanato, fazendo banquinhos com garrafas PET. Ela usa 32 garrafas de 2 litros para fazer cada banquinho.
   Vânia pretende fazer 1 dezena e meia de banquinhos para vender e já tem a metade das garrafas necessárias para realizar o trabalho. Quantas garrafas faltam para a confecção dos bancos?

   _____

Banquinho feito de garrafas PET.

Luminária com flores feitas de garrafas PET.

Medida de área

Unidades não padronizadas de medida de área

1 Jairo está cobrindo o tampo da mesa com folhas de papel sulfite. Observe e responda.

a) Quantas folhas ele vai usar no total? _____

> A medida que Jairo está obtendo é chamada **medida de área**.

b) Jairo está usando uma unidade não padronizada de medida. Qual é ela?

_____

> Dizemos que a medida da área do tampo da mesa é de 16 folhas de papel sulfite.

2 Observe e complete.

a) O pai de Lucas azulejou uma parede da pia. Ele usou _____ azulejos, ou seja, a medida da área dessa parede é de _____ azulejos.

b) Já o tio de Lucas cobriu o tampo da mesa usando o mesmo tipo de azulejo. A medida da área do tampo da mesa é de _____ azulejos.

 Explorar e descobrir

ATIVIDADE EM DUPLA Determinem e registrem, cada um em seu livro.

- A medida da área da lousa usando uma folha dupla de jornal. _____

- A medida da área do tampo de sua carteira usando uma folha de papel sulfite. _____

- A medida da área do tampo de sua carteira usando uma folha de papel quadrada, com lados de 10 cm de medida de comprimento. _____

252 duzentos e cinquenta e dois

3 **É HORA DE PINTAR REGIÕES PLANAS!**

Considere o ☐ como unidade de medida de área.

a) Pinte de 🔵 as regiões planas que têm medida de área igual a 8 unidades, de 🟢 as que têm medida de área igual a 9 unidades e de 🟠 as demais regiões planas.

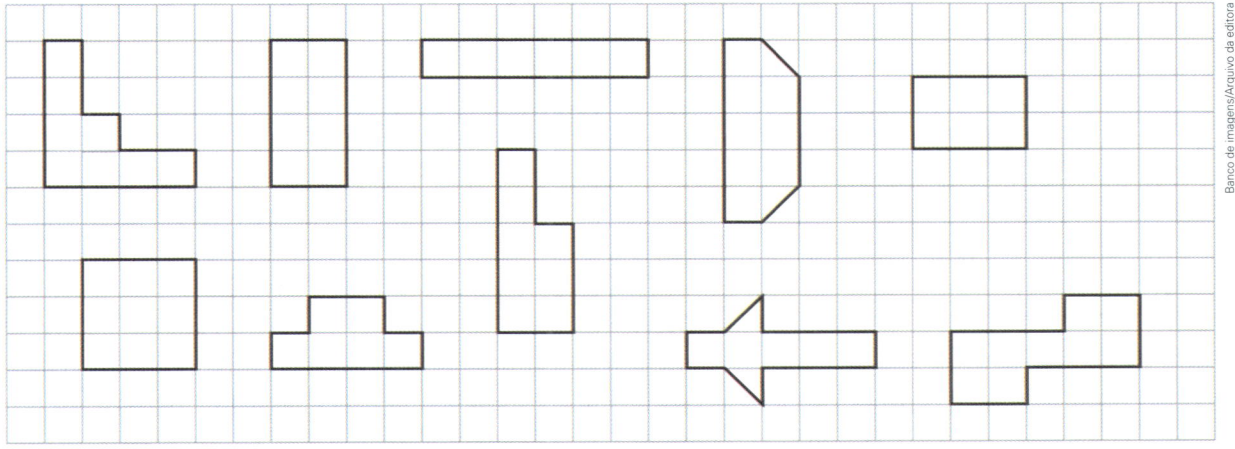

b) Agora, complete: A área de cada região 🟠 mede _____ unidades.

4 Fernando quer decorar esta parede do quarto dele. Ele tem 2 tipos de placa.

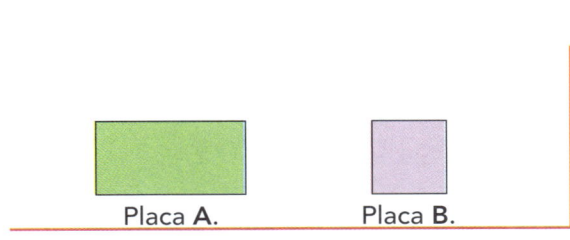

a) Usando só a placa **A**, de quantas placas ele precisará? _____

b) Usando só a placa **B**, quantas ele colocará? _____

c) Por que a quantidade de placas necessárias em cada caso foi diferente?

_____

d) Complete: A medida da área da parede é de _____ placas **A** ou _____ placas **B**.

5 **ATIVIDADE ORAL EM DUPLA** Troque ideias com um colega sobre os resultados que vocês obtiveram na atividade anterior.

duzentos e cinquenta e três · 253

Unidades padronizadas de medida de área

1 Dizemos que uma região quadrada com lados de 1 cm de medida de comprimento tem medida de área igual a **1 centímetro quadrado (1 cm²)**.

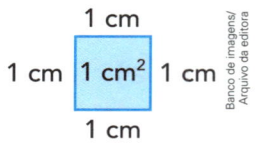

Indique qual é a medida da área das figuras abaixo, em centímetros quadrados (cm²).

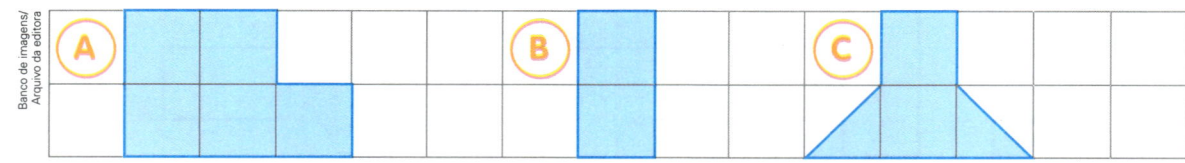

2 Esta malha quadriculada tem quadradinhos com 1 cm de medida de comprimento dos lados.

Desenhe nela 3 regiões planas diferentes, cada uma com medida de área de 4 cm².

3 SIMETRIA E MEDIDA DE ÁREA

a) Construa a simétrica de cada figura em relação ao eixo dado.

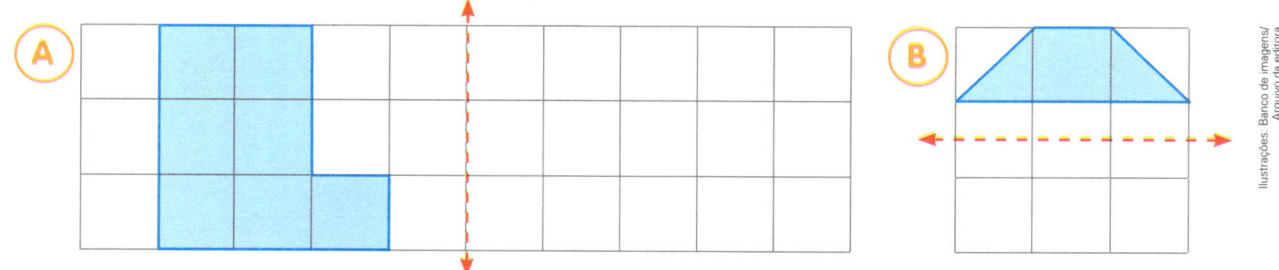

b) Agora, responda: Cada figura e a simétrica dela têm a mesma medida de área? E têm a mesma forma? _____

c) Registre a medida da área de cada figura e confira sua resposta.

Figura **A**: _____   Figura **B**: _____

Simétrica de **A**: _____   Simétrica de **B**: _____

Explorar e descobrir

ATIVIDADE EM DUPLA Dizemos que uma região quadrada com lados de 1 metro de medida de comprimento tem medida de área igual a **1 metro quadrado (1 m²)**. Sabendo disso, colem 4 folhas duplas de jornal. Em seguida, façam as medições e os recortes necessários para obter uma região plana com medida de área igual a 1 metro quadrado.

Depois, usem o material construído para determinar a medida da área de um local da escola a ser escolhido pelo professor.

4 FAÇA DO SEU JEITO!

O piso do quarto de Ana tem forma retangular, com 5 m de medida de comprimento e 3 m de medida de largura.

Calcule e responda. Depois, veja como os colegas calcularam.

Qual é a medida da área desse piso, em metros quadrados? _____

Saiba mais

1 quilômetro quadrado (1 km²) é a medida de área de uma região quadrada com 1 km de medida de lado.

A área total do Brasil mede aproximadamente 8 510 820 km².

O maior estado brasileiro é o Amazonas, com medida de área de aproximadamente 1 559 168 km².

O menor estado brasileiro é Sergipe, com medida de área de aproximadamente 21 926 km².

O Distrito Federal tem medida de área aproximada de 5 760 km².

Fonte de consulta: IBGE. **Área territorial oficial**. Disponível em: <www.ibge.gov.br/home/geociencias/areaterritorial/principal.shtm>. Acesso em: 17 dez. 2019.

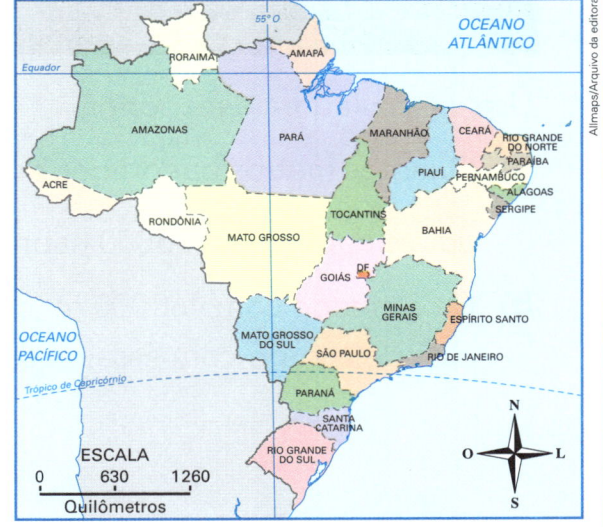

Adaptado de: IBGE. **Atlas geográfico escolar**. 6. ed. Rio de Janeiro: IBGE, 2012.

5 Arredonde os números que apareceram no **Saiba mais**, da página anterior, e registre as medidas de área, em km²:

a) do Brasil (para a centena de milhar mais próxima). _____

b) do Amazonas (para a dezena de milhar mais próxima). _____

c) de Sergipe (para a unidade de milhar mais próxima). _____

d) do Distrito Federal (para a centena mais próxima). _____

6 É IMPORTANTE PRESERVAR O VERDE!

A Organização Mundial da Saúde (OMS) recomenda que cada cidade tenha, no mínimo, 12 m² de medida de área verde por habitante.

Parque Olhos d'Água em Brasília, Distrito Federal. Foto de 2019.

Use a calculadora e responda.

a) Quantos metros quadrados de medida de área verde deve ter, no mínimo, uma cidade com 180 000 habitantes? _____

b) Uma cidade com 468 000 m² de medida de área verde e 52 000 habitantes está de acordo com essa recomendação? Por quê?

_____

_____

c) **ATIVIDADE ORAL EM GRUPO** Qual é a importância das áreas verdes nas cidades? Converse com os colegas sobre isso.

7 Os estados brasileiros estão distribuídos em 5 regiões, como estão mostradas neste mapa.

Observe-o e responda.

Brasil: divisão regional

a) Qual região tem a maior medida de área? _____

b) Qual região tem a menor medida de área? _____

c) Agora, consulte também o mapa da página 255. Quantos estados a região Sul tem? _____

d) Quais são eles?
_____

8 **DESAFIO COM A CALCULADORA**

Com base nestas informações, use uma calculadora para descobrir a medida de área do Rio Grande do Sul e registre aqui. _____

- Medida de área do Paraná: 199 308 km²
- Medida de área de Santa Catarina: 95 736 km²
- Medida de área da região Sul: 576 774 km²

9 Observe as medidas de área indicadas em quilômetros quadrados.

27 779 km²

340 112 km²

1 247 955 km²

564 733 km²

Elas são as medidas de área aproximadas dos 4 estados citados abaixo.
Consulte o mapa da página 255 e registre a medida de área de cada um.

Goiás: _____ Pará: _____

Bahia: _____ Alagoas: _____

duzentos e cinquenta e sete 257

Medida de perímetro e medida de área

1 PERÍMETRO E ÁREA

a) Faça as medições, os quadriculados e os cálculos necessários e, depois, complete a tabela com as medidas do perímetro e da área.

A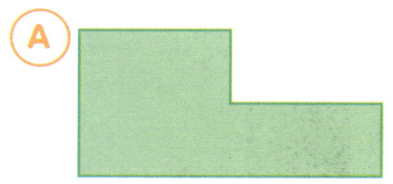
B
C

Medidas das regiões planas

	Medida do perímetro	Medida da área
A		
B		
C		

Tabela elaborada para fins didáticos.

b) Finalmente, responda: Quais são as 2 regiões planas de perímetro com medida igual? As áreas delas também têm medida igual?

_____

_____

_____

2
Descubra e complete: As figuras _____ e _____ têm perímetro com medida igual (_____ cm) e área com medida igual (_____ cm²).

3 DESAFIO
Complete e pinte as regiões planas de acordo com as medidas indicadas.

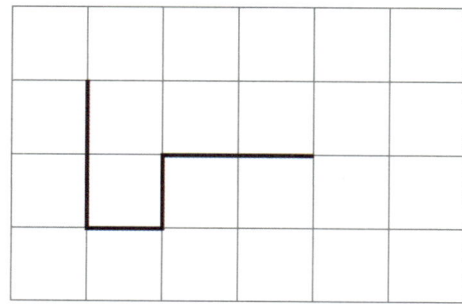
Medida do perímetro: 12 cm

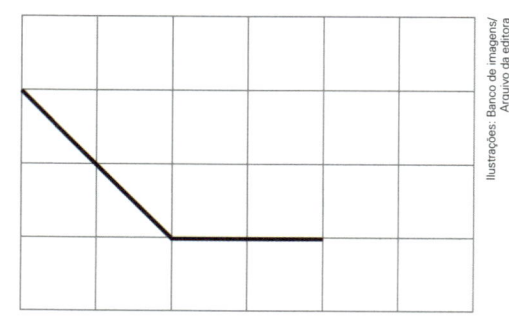
Medida da área: 12 cm²

4 CALCULADORA E MEDIDAS AGRÁRIAS

Além do metro quadrado (m²) e do quilômetro quadrado (km²), é comum o uso do **hectare (ha)** como unidade de medida de área de terrenos e propriedades rurais.

Plantação de café em Santa Mariana, Paraná. Foto de 2017.

1 hectare corresponde à medida da área de uma região quadrada com lados de 100 metros de medida de comprimento. Por isso:

$$1\ ha = 10\,000\ m^2$$

No Brasil, também são usadas unidades regionais de medida de área, ou seja, unidades de medida específicas para certas regiões do país. Conheça algumas delas.

Alqueire paulista: 24 200 m²

Alqueire baiano: 96 800 m²

Alqueire mineiro: 48 400 m²

Alqueire do Norte: 27 225 m²

Use essas informações e, com a ajuda de uma calculadora, descubra e complete.

a) Uma propriedade rural de 8 hectares tem _____ metros quadrados.

b) 5 000 m² = _____ ha; 1 hectare e meio = _____ m².

c) 3 alqueires paulistas têm _____ metros quadrados.

d) Uma propriedade rural com medida de área de 96 800 m² tem _____ alqueires mineiros.

e) 1 alqueire baiano tem _____ m² a mais do que 1 alqueire do Norte.

f) 1 alqueire baiano corresponde ao _____ de 1 alqueire mineiro e ao _____ de 1 alqueire paulista.

Mais atividades e problemas

1 Observe a região poligonal e responda.

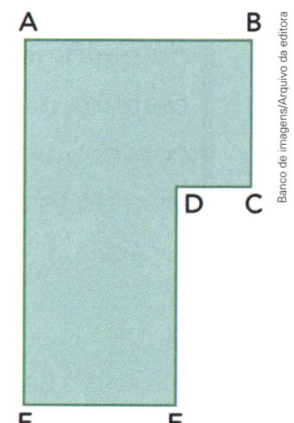

a) Quantos lados ela tem? _____

b) Que nome é dado ao contorno dela? _____

c) Qual é o lado maior? Quantos centímetros ele tem?

_____

d) Qual é o lado menor? Quantos milímetros ele tem?

_____

e) Qual é a medida do perímetro dessa região poligonal, em centímetros?

_____

f) Qual é a medida de área dela, em centímetros quadrados? _____

2 Observe os quadros pintados e as medidas de comprimento indicadas.

| meio quilômetro | um metro e meio | dois metros |

| a quarta parte do metro | um quilômetro | meio centímetro |

Vamos pintar os quadros abaixo!

Mas atenção: a cor utilizada em cada um deve ser a mesma do quadro que tem a medida equivalente.

| 150 cm | 200 cm | 100 000 centímetros |

| 5 mm | 25 cm | 500 metros |

duzentos e sessenta

3 ESTIMATIVA

a) Responda ao que Marta está perguntando.

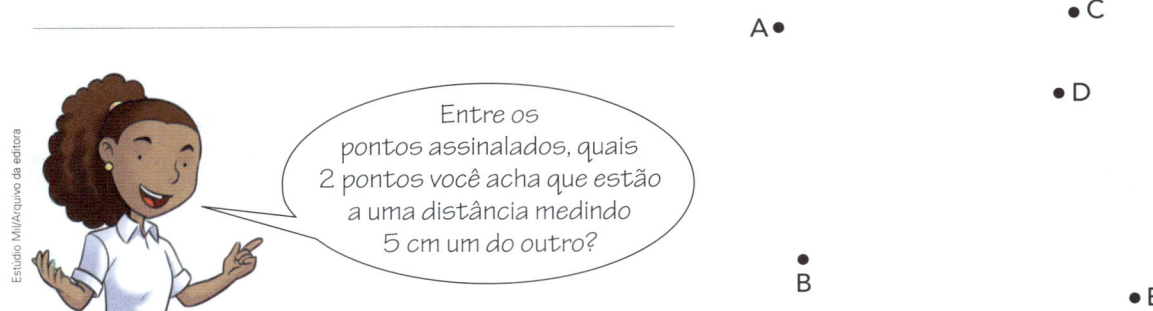

_____

b) Agora, faça as medições, registre e confira sua estimativa.

_____

4 DESLOCAMENTOS

Nesta imagem há 3 caminhos ligando a casa de algumas crianças que moram no mesmo bairro de Lara.

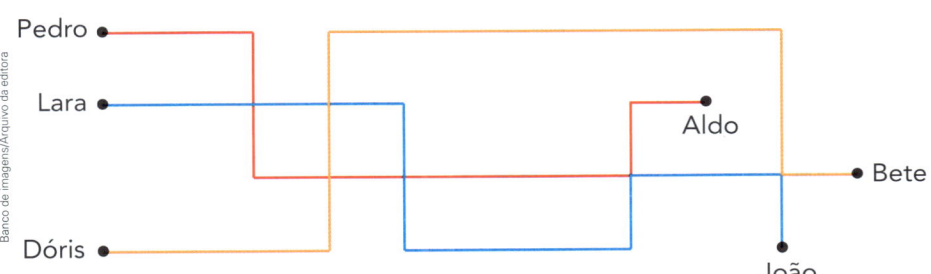

a) Complete considerando as medidas de comprimento no desenho.

- No desenho, o caminho da casa de Pedro à casa de Aldo tem _____ cm de medida de comprimento.

- No desenho, o caminho que tem 15 cm de medida de comprimento vai da casa de _____ à casa de _____.

- O caminho que vai da casa de _____ à casa de João tem _____ cm de medida de comprimento.

b) Agora, responda: Se cada centímetro no desenho corresponde a 50 m na realidade, então qual é a medida da distância real entre a casa de Dóris e a casa de Bete? _____

5 Observe o mapa com as cidades de Cuiabá, Goiânia, Campo Grande e Coxim e as distâncias em linha reta cujas medidas foram dadas em valores aproximados.

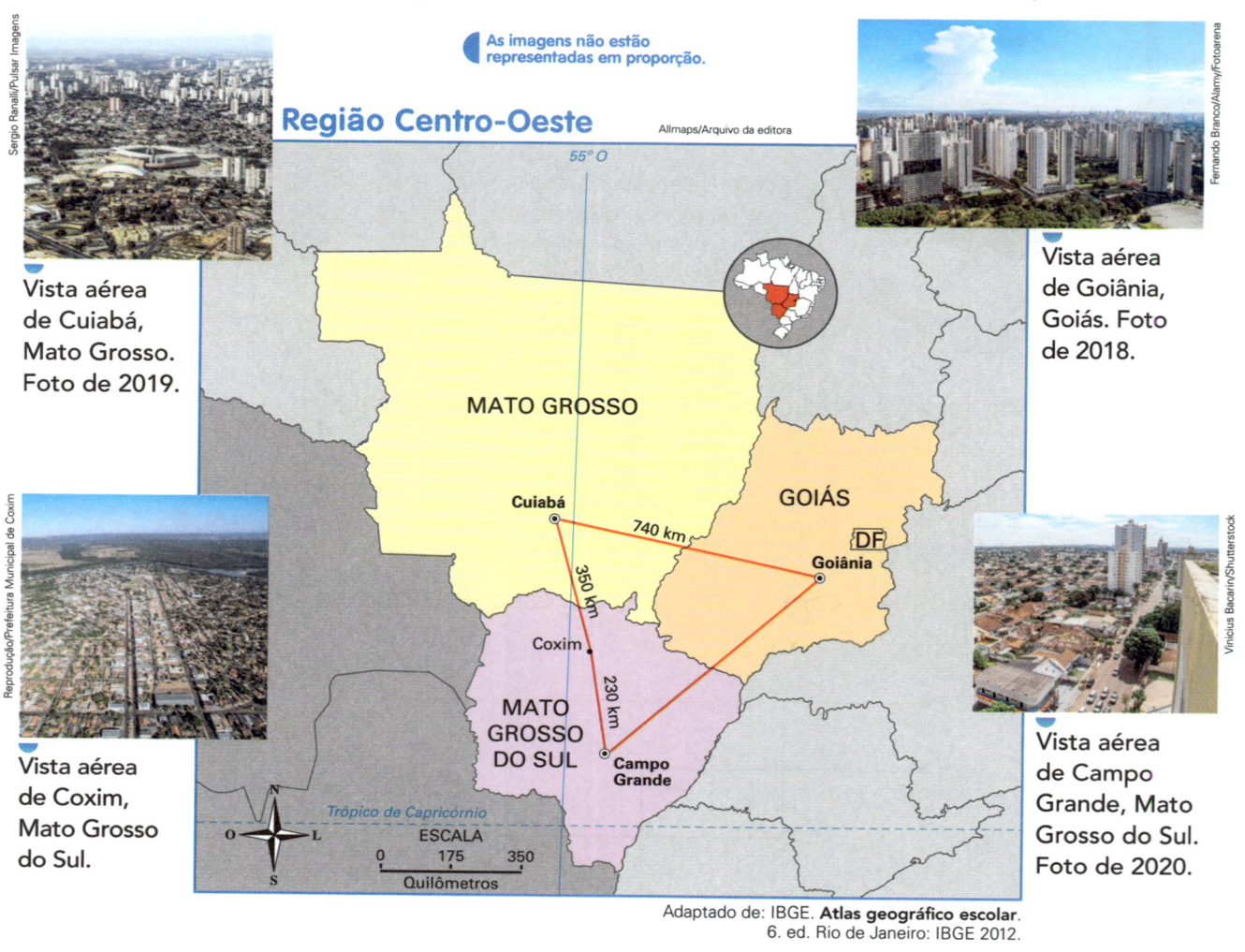

a) Qual foi a escala usada no mapa? Explique. _____

b) Use uma régua e meça a distância entre Campo Grande e Goiânia no mapa.

Registre: _____

c) Agora, calcule e registre as medidas das distâncias, em quilômetros.
   • Medida da distância entre Campo Grande e Goiânia (use a escala):

   _____ cm ⟶ _____ km; então, _____ cm ⟶ _____ km

   • Medida da distância entre Cuiabá e Campo Grande, passando por Coxim: _____

   • Medida da distância do trajeto Cuiabá-Goiânia-Campo Grande--Coxim-Cuiabá: _____

6 DESAFIO

a) Qual é a medida de área desta região triangular? Dica: com essa região triangular, forme outra região plana cuja medida de área você saiba determinar.

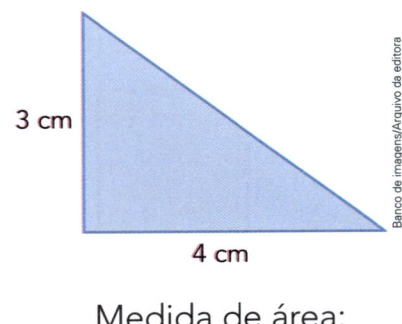

Medida de área: _____

b) E qual é a medida do perímetro dessa região triangular? _____

7 Um campo de futebol tem 110 metros de medida de comprimento por 80 metros de medida de largura.

a) Qual é a medida do perímetro desse campo?

_____

b) Dando 3 voltas no campo, um jogador percorre mais ou menos do que 1 quilômetro?

_____

c) No campo de futebol há uma linha que o divide em 2 partes iguais. Indique na figura onde ela fica.

d) A medida do perímetro de cada uma dessas partes é a metade da medida do perímetro do campo todo? _____

e) E a medida da área de cada uma dessas partes é a metade da medida da área do campo todo? _____

8 Use o centímetro quadrado (cm²) como unidade.

a) Calcule a medida da área de cada região plana.

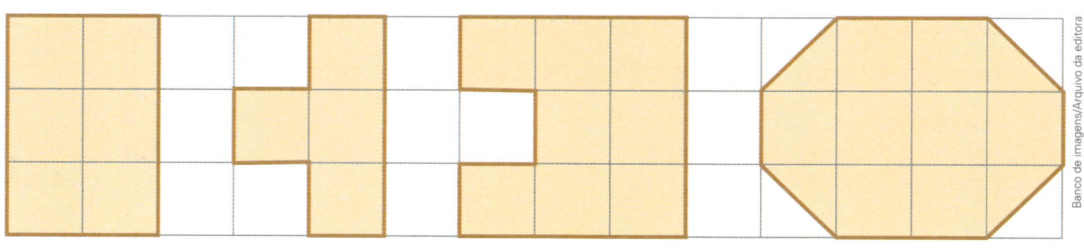

_____   _____   _____   _____

b) Represente em uma malha quadriculada 2 regiões planas diferentes, cada uma com medida de área de 5 cm².

9 O piso do cômodo de uma casa, representado no desenho ao lado, foi revestido com peças como esta .

a) Quantas peças foram usadas? _____.
Dizemos nesse caso que, considerando cada peça como unidade de medida, a medida da área do piso é de _____ unidades.

Piso.

b) Considere agora o mesmo piso e faça estimativas da medida da área com as diferentes unidades apresentadas abaixo.

Unidade: 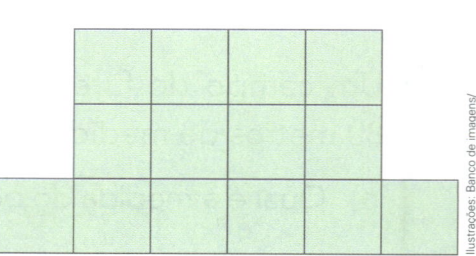   Medida da área: _____ unidades.

Unidade: Medida da área: _____ unidades.

c) Agora, faça as divisões necessárias na figura, indique a medida da área em cada caso e confira suas estimativas.

Medida da área: _____ unidades.   Medida da área: _____ unidades.

Vamos ver de novo?

1 Assinale os quadrinhos dos itens que apresentam simetria em todas as letras da palavra, em relação ao eixo dado.

a)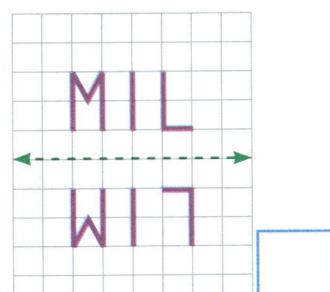

b)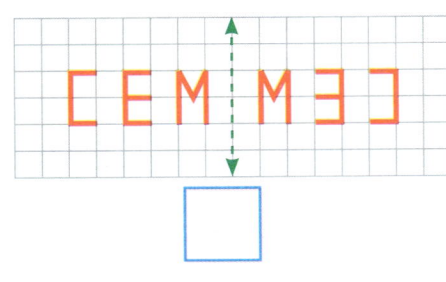

c)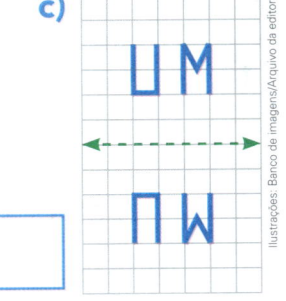

2 SEQUÊNCIAS DOS MÚLTIPLOS DE NÚMEROS NATURAIS

Os alunos da turma de Mário escreveram sequências de números naturais a partir de informações dadas.

Leia as informações, complete as sequências e veja o nome que é dado a cada uma delas.

a) Mário formou a sequência dos múltiplos de 4.

0, 4, 8, ____, ____, ____, ____, ____, ...
↑   ↑   ↑   ↑   ↑   ↑   ↑   ↑
4×0 4×1 4×2 4×3 4×4 4×5 ____ ____

b) Paula começou pelo 0 e, a partir do 2º termo, somou sempre 7 ao termo anterior. Com isso ela formou a sequência dos múltiplos de 7.

____, ____, ____, ____, ____, ____, ____, ...

c) Agora, forme as sequências de múltiplos citadas abaixo:

- usando o mesmo processo de Mário.

  Múltiplos de 8 → ____, ____, ____, ____, ____, ...

- usando o mesmo processo de Paula.

  Múltiplos de 20 → ____, ____, ____, ____, ____, ...

3 PROPORCIONALIDADE

Calcule e complete.

a) Quando dá 2 voltas em uma praça, Marcelo percorre 100 metros. Então, quando dá 8 voltas ele percorre _____ metros.

b) 4 lápis custam R$ 10,00. Então, com R$ 30,00 é possível comprar _____ lápis.

c) Em 3 minutos uma torneira bem aberta despeja 50 litros de água. Então, em 9 minutos ela despeja _____ litros de água.

d) Em 6 caixas há 300 clipes. Marcelo comprou 3 caixas de clipes e já usou 30 clipes. Então, ele ainda tem _____ clipes.

As imagens não estão representadas em proporção.

4 Em uma granja foram distribuídas 504 caixas de ovos para 3 supermercados.

O supermercado **A** recebeu um terço dessa quantidade. O supermercado **B** recebeu a quarta parte. As caixas restantes foram para o supermercado **C**.

Quantas caixas recebeu o supermercado **C**?

_____

Granja.

5 Leia a tirinha.

Charles Schulz. **Peanuts completo – diárias e dominicais**: 1950 a 1952. Porto Alegre: L&PM, 2009. p. 66.

Considerando que a porta citada na tirinha tem a forma retangular, calcule a medida do perímetro dessa porta, em centímetros. _____

O que estudamos

As imagens não estão representadas em proporção.

Retomamos a ideia de medida de comprimento utilizando as unidades não padronizadas de medida e, depois, as unidades padronizadas de medida.

O desenho ao lado indica que a medida da distância entre uma árvore e a outra é de 15 passos do menino.

Exploramos a ideia de perímetro como comprimento de um contorno.

A medida do perímetro deste triângulo é de 13 cm.

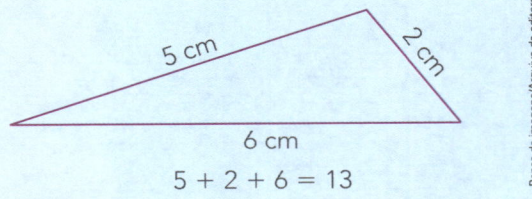

5 + 2 + 6 = 13

Introduzimos a ideia de área e conhecemos algumas unidades padronizadas de medida de área.
- Centímetro quadrado (cm²).
- Metro quadrado (m²).
- Quilômetro quadrado (km²).

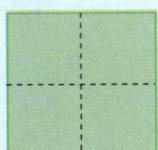

Essa região quadrada tem medida de área igual a 4 cm².

Resolvemos atividades envolvendo medida de comprimento, medida de perímetro e medida de área.

Quanto medem o perímetro e a área de um canteiro retangular de 5 m por 2 m?

Medida do perímetro: 14 m   5 + 2 + 5 + 2 = 14
Medida da área: 10 m²   5 × 2 = 10

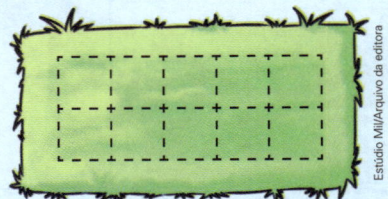

- Você tem cuidado bem de seu material escolar, como a mochila, os lápis, a borracha, os cadernos, a régua?
- E dos livros, você tem cuidado bem?

duzentos e sessenta e sete   267

Para iniciar

Nas falas da cena da abertura, aparecem os números $\frac{1}{8}$, $\frac{2}{8}$ e $\frac{5}{8}$, que são exemplos de **frações**.

Nesta Unidade teremos o primeiro contato com as frações: seus significados, onde são usadas e como são representadas e lidas.

- Analise a cena das páginas de abertura desta Unidade. Converse com os colegas e respondam às questões a seguir.

- Converse com os colegas sobre mais estas questões.

    a) Como você faz para obter metade de uma maçã?

    b) Quanto vale a terça parte do número 150?

    c) E quanto vale 2 vezes a terça parte de 150?

    d) Dizemos que a parte pintada de verde da figura ao lado corresponde a $\frac{4}{9}$ (quatro nonos) da região quadrada. Você sabe justificar essa afirmação?

    e) E a parte pintada de roxo corresponde a $\frac{2}{9}$ (dois nonos), $\frac{5}{9}$ (cinco nonos) ou $\frac{7}{9}$ (sete nonos)?

As imagens não estão representadas em proporção.

Maçã verde.

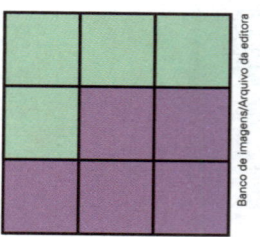

Situações que envolvem frações

Explorar e descobrir

- Destaque e monte as figuras da página 37 do **Ápis divertido**.
- O círculo azul não está dividido. Ele representa **um inteiro** ou **uma unidade**. Observe os 2 exemplos em que temos a fração de uma figura.

  Depois, complete as demais.

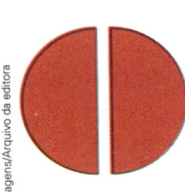 O círculo foi dividido em 2 partes iguais.

 Cada uma dessas partes é metade ou **um meio** do círculo. Representação: $\frac{1}{2}$

 O círculo foi dividido em 3 partes iguais.

 Cada uma dessas partes é a terça parte ou **um terço** do círculo. Representação: $\frac{1}{3}$

 O círculo foi dividido em _____ partes iguais.

 Cada uma dessas partes é a quarta parte ou **um quarto** do círculo. Representação: _____

 O círculo foi dividido em _____ partes iguais.

 Cada uma dessas partes é a quinta parte ou **um quinto** do círculo. Representação: _____

1 Observe esta foto e responda.

  a) Em quantas partes iguais a *pizza* foi dividida?
  _____

  b) Que fração representa 1 fatia desta *pizza*? _____

  c) Como se lê essa fração? _____

Pizza dividida em partes iguais.

2 Maria dividiu um sanduíche em 2 partes iguais e deu 1 metade para cada filho, Marcos e Leila.
O sanduíche todo é a **unidade** ou o **inteiro**.
O sanduíche, a unidade, foi dividido em 2 partes iguais.
Cada filho ficou com 1 parte: **metade** ou **um meio** do sanduíche.

A fração que indica essa parte é $\frac{1}{2}$.

numerador → 1 ← número de partes para cada um
denominador → 2 ← número de partes iguais em que o sanduíche foi dividido

Agora, leia e complete com o que falta.

a) Este círculo foi dividido em 3 partes iguais.
Foram pintadas 2 partes de marrom.

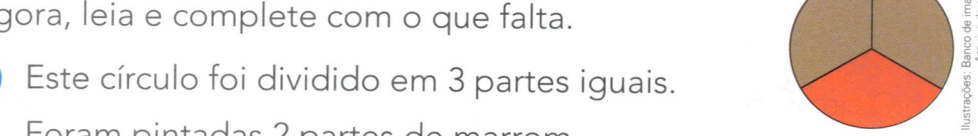

A fração que indica o que foi pintado de marrom do círculo é $\frac{2}{3}$. ← numerador / ← denominador

A leitura dela é: Dois terços.

A fração que indica o que não foi pintado de marrom é _____.

b) Esta região retangular foi dividida em 5 partes iguais e foram pintadas 3 partes de amarelo.

A fração $\frac{3}{5}$ indica o que foi pintado de amarelo.

A leitura dela é: Três quintos.

A fração que indica o que não foi pintado de amarelo é _____.

A leitura dela é _____.

c) A região quadrada está dividida em _____ partes iguais.

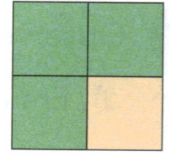

Estão pintadas _____ partes de verde.

Fração: _____   Leitura: _____

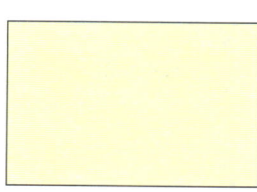

d) Divida a figura ao lado e risque $\frac{2}{6}$ (dois sextos) da região retangular.

Explorar e descobrir

- Desenhe, pinte e recorte em uma folha de papel sulfite uma faixa igual a esta, que será a unidade.

- Faça dobraduras com ela para dividi-la em 4 partes iguais.
- Em seguida, recorte-a em 2 pedaços, de modo que um deles corresponda a $\frac{3}{4}$ da faixa.
- Cole os 2 pedaços aqui e escreva a fração correspondente a cada um.

3 Indique a fração correspondente ao que foi pintado de verde e ao que foi pintado de vermelho em cada região plana.

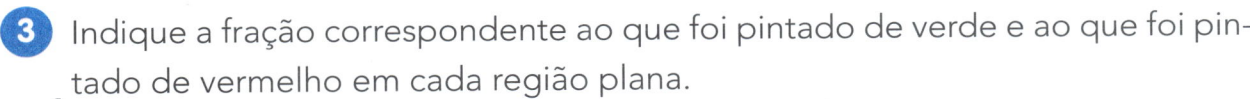

a) Verde: _____ Vermelho: _____

c) Verde: _____ Vermelho: _____

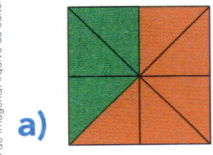

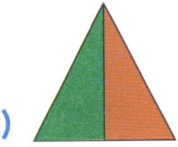

b) Verde: _____ Vermelho: _____

d) Verde: _____ Vermelho: _____

4 Escreva a fração correspondente e a sua leitura.

a) Numerador 3 e denominador 7: _____ → _____

b) Denominador 5 e numerador 4: _____ → _____

c) Denominador 4 e numerador 3: _____ → _____

d) Numerador 1 e denominador 9: _____ → _____

5 FRAÇÕES E MEDIDAS

Complete.

> As imagens não estão representadas em proporção.

a) A medida do comprimento do barbante vermelho é _____ vezes a medida do comprimento do amarelo. Logo, a medida do comprimento do barbante amarelo é _____ da medida do vermelho.

b) O tamanho da folha dupla é _____ vezes o tamanho da folha simples.
Então, o tamanho da folha simples corresponde a _____ do tamanho da folha dupla.

c) A pilha tem _____ tijolos. Então, cada tijolo corresponde a _____ da pilha.

Tijolos.

d) Cada semana tem _____ dias.
Logo, cada dia corresponde a _____ da semana.

e) 1 cm = _____ mm   1 mm = _____ do cm

f) 1 dia = _____ horas   1 hora = _____ do dia

g)

    1 real = _____ centavos   1 centavo = _____ do real

h) 1 t = _____ kg   1 kg = _____ da t

6

Com base no que você viu na atividade anterior, complete com a fração correspondente.

a) 3 dias = _____ da semana   c) 25 centavos = _____ do real

b) 7 mm = _____ do cm   d) 7 horas = _____ do dia

7 **ATIVIDADE ORAL EM GRUPO (TODA A TURMA)** Frações com denominador 10 são lidas como **décimos**, com denominador 100, como **centésimos**, e com denominador 1 000, como **milésimos**. Frações como essas são chamadas **frações decimais**.

Escreva as frações decimais que aparecem nas atividades 5 e 6 e faça a leitura delas com os colegas. ______

8 **FRAÇÃO DE UM GRUPO DE ELEMENTOS**

Neste aquário há 9 peixinhos.

Dos 9 peixinhos, 4 são vermelhos (4 em 9).

Então, quatro nonos $\left(\frac{4}{9}\right)$ dos peixinhos são vermelhos.

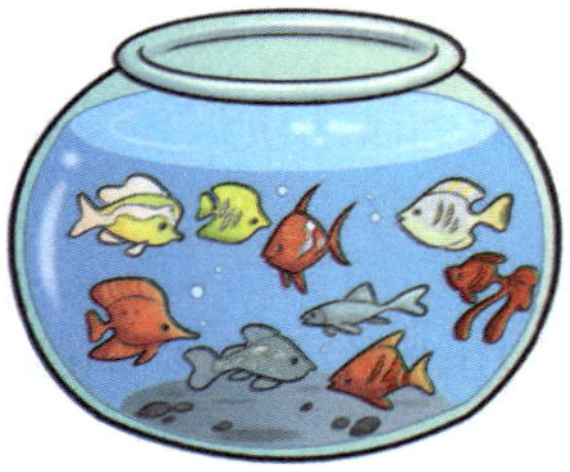
Estúdio Mil/Arquivo da editora

$\frac{4}{9}$ 4 ← número de peixinhos vermelhos; 9 ← número total de peixinhos

a) Quantos peixinhos cinza há neste aquário? ______

b) Que fração do total eles representam? ______

As imagens não estão representadas em proporção.

c) E que fração do total os peixinhos amarelos representam? ______

9 Escreva a fração que indica a quantidade citada em relação ao total.

a) Lápis apontados. ______

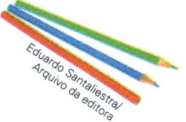

Eduardo Santaliestra/Arquivo da editora

b) Triângulos. ______

Banco de Imagens/Arquivo da editora

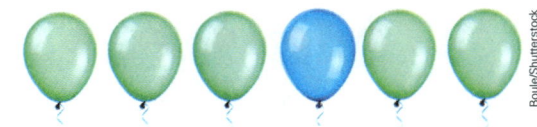

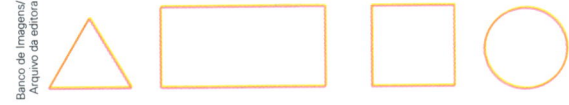

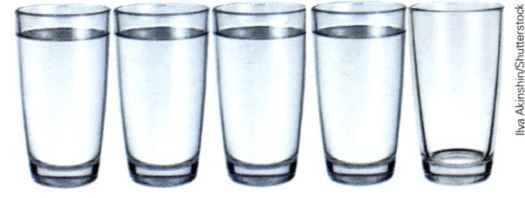

c) Meses que começam com a letra **J**, em relação ao total de meses do ano. ______

d) Balões verdes. ______

Boule/Shutterstock

e) Copos vazios. ______

Ilya Akinshin/Shutterstock

10 Leia, pense e resolva.

Na equipe de Renata há 3 meninos e 4 meninas.

Que fração da equipe representa os meninos? E as meninas? ______

11 **FRAÇÃO DE UM NÚMERO**

Claudete tinha 6 balas. Ela deu $\frac{1}{3}$ das balas a sua irmã Neusa. Quantas balas Neusa ganhou?

É preciso descobrir quanto é $\frac{1}{3}$ de 6.

$\frac{1}{3}$ de 6 = ?

Complete.

O denominador indica que você precisa separar as 6 balas em _____ grupos com quantidades iguais.

Isto é, fazer _____ ÷ _____ = _____.

O numerador indica que Neusa ganhou _____ desses grupos, ou seja, _____ balas.

Logo: $\frac{1}{3}$ de 6 = _____, pois 6 ÷ 3 = _____.

Resposta: Neusa ganhou _____ balas.

As imagens não estão representadas em proporção.

12 Faça os agrupamentos de modo conveniente, calcule e complete as afirmações.

a)

$\frac{1}{2}$ de 10 = _____

c)

$\frac{1}{3}$ de 9 = _____

b)

$\frac{1}{4}$ de 12 = _____

d)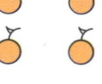

$\frac{1}{2}$ de 8 = _____

13 Calcule.

a) $\frac{1}{3}$ de 12 = _____

c) $\frac{1}{5}$ de 5 = _____

b) $\frac{1}{6}$ de 18 = _____

d) $\frac{1}{4}$ de 20 = _____

14 Caio tem 15 figurinhas. Rui tem $\frac{1}{3}$ da quantidade de figurinhas que Caio tem. Quantas figurinhas os dois têm juntos? _____

15 Gilda usou $\frac{2}{3}$ de 1 dúzia de ovos para fazer um bolo. Quantos ovos ela usou?

Já sabemos: 1 dúzia = 12 ovos

Complete.

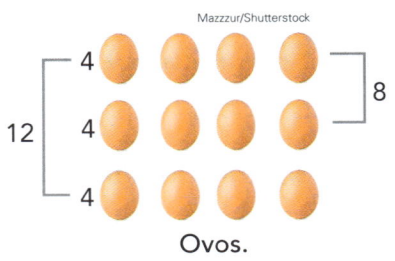
Ovos.

$\frac{2}{3}$ de 12 = ? $\frac{1}{3}$ de 12 = _____, pois _____ ÷ _____ = _____.

$\frac{2}{3}$ de 12 = _____, pois 2 × _____ = _____.

Logo: $\frac{2}{3}$ de 12 = _____, pois _____ ÷ _____ = _____ e 2 × _____ = _____.

Resposta: Gilda usou _____ ovos.

As imagens não estão representadas em proporção.

16 Agora, observe as imagens e registre o que está indicado.

a) $\frac{1}{5}$ de 15 maçãs = _____

b) $\frac{3}{5}$ de 15 maçãs = _____

c) $\frac{1}{3}$ de 9 árvores = _____

d) $\frac{2}{3}$ de 9 árvores = _____

e) $\frac{1}{4}$ de 20 estrelas = _____

f) $\frac{3}{4}$ de 20 estrelas = _____

17 PROBLEMAS

a) Silas comprou 52 balões. Um quarto deles era vermelho. Quantos balões vermelhos Silas comprou?

_____

b) Na turma de Gina há 20 meninas e 16 meninos. Dois terços dos alunos participaram de uma excursão. Quantos alunos foram à excursão?

_____

18 FRAÇÕES NA RETA NUMERADA

Em cada imagem temos a parte de uma reta numerada que vai do 0 até o 1.

a) Indique a imagem correspondente a cada ponto indicado com ●, como na primeira imagem.

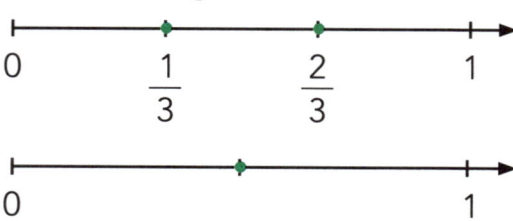
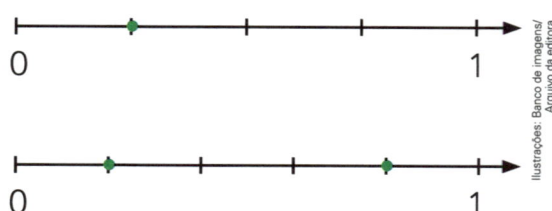
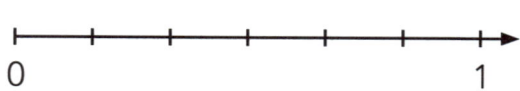

b) Agora, localize a fração $\frac{5}{6}$ nesta parte da reta numerada.

19 REPRODUÇÃO, AMPLIAÇÃO E REDUÇÃO DE FIGURAS

a) Na primeira malha quadriculada abaixo, construa uma figura **A** com a mesma forma e as mesmas medidas de comprimento da figura ao lado.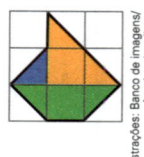

b) Na malha quadriculada do meio, construa uma figura **B** com a mesma forma de **A**, mas triplicando as medidas de comprimento dela.

c) Na última malha quadriculada, construa uma figura **C** com a mesma forma de **B**, mas considerando $\frac{2}{3}$ das medidas de comprimento dela.

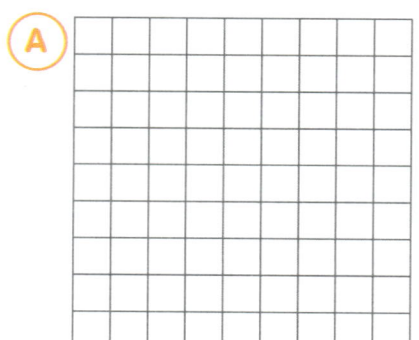
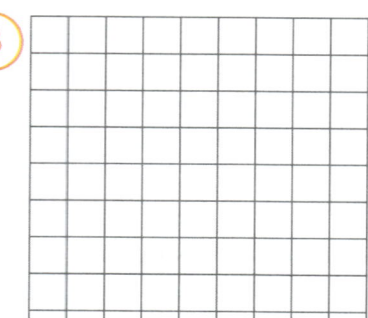
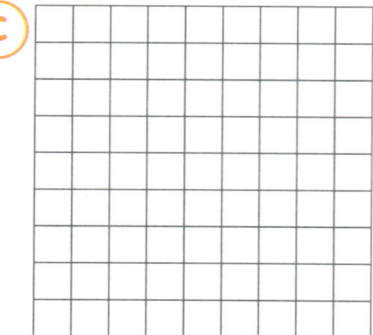

d) Agora, complete com uma fração.

As medidas de comprimento da figura **A** correspondem a $\frac{\Box}{\Box}$ das medidas de comprimento da figura **C**.

Comparação de frações

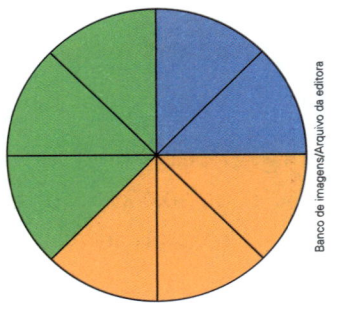

1 Use este círculo como unidade.

a) Indique a fração correspondente às partes pintadas de cada cor.

Verde: _____   Azul: _____   Laranja: _____

b) Agora, faça a comparação 2 a 2 colocando >, < ou = entre as frações correspondentes.

_____ _____ _____
↑ fração correspondente à parte verde   ↑ sinal   ↑ fração correspondente à parte azul

Azul e laranja: _____

Verde e laranja: _____

2 Agora, compare as frações em relação à mesma unidade, usando >, < ou =.

a) $\dfrac{3}{5}$ ___ $\dfrac{1}{5}$ b) $\dfrac{2}{7}$ ___ $\dfrac{3}{7}$ c) $\dfrac{4}{9}$ ___ $\dfrac{5}{9}$ d) $\dfrac{2}{3}$ ___ $\dfrac{1}{3}$

3 **ATIVIDADE ORAL** Observe novamente as comparações de frações da atividade anterior. Quando comparamos 2 frações de denominadores iguais, qual delas é a maior?

4 Observe que, no exemplo e em cada item, o todo a que as frações se referem é sempre o mesmo.

Veja o exemplo e complete os demais.

> $\dfrac{3}{5}$ de 10 = 6 e $\dfrac{2}{5}$ de 10 = 4.
>
> Logo, $\dfrac{3}{5} > \dfrac{2}{5}$.

a) $\dfrac{4}{7}$ de 21 = _____ e $\dfrac{6}{7}$ de 21 = _____.

Logo, $\dfrac{4}{7}$ ___ $\dfrac{6}{7}$.

b) $\dfrac{1}{10}$ de 50 = _____ e $\dfrac{4}{10}$ de 50 = _____.

Logo, _____.

Explorar e descobrir

Vamos usar novamente os círculos do **Ápis divertido**.

- Pegue um pedaço de cada cor e contorne-os em uma folha de papel sulfite, um abaixo do outro, do menor para o maior pedaço. Depois, pinte com as cores correspondentes.
- Ao lado de cada pedaço, registre a fração que o representa.
- Agora, observando o tamanho de cada pedaço, complete.

_____ < _____ < _____ < _____ < _____

- **ATIVIDADE ORAL** Quando comparamos frações com o mesmo numerador, qual delas é a maior?

5 Considerando que a unidade é sempre a mesma região circular, escreva a fração correspondente ao que não foi pintado de cinza em cada uma.

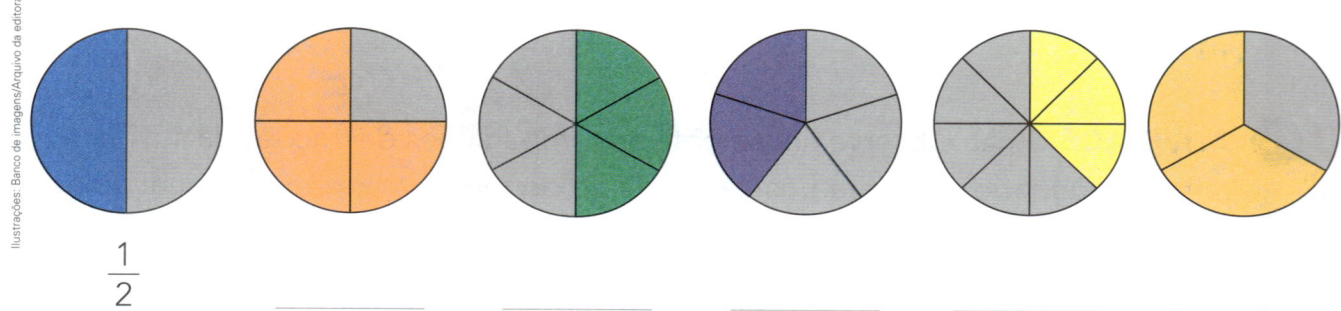

$\frac{1}{2}$

6 Considere as frações da atividade anterior e escreva o que se pede.

a) As que representam a metade da região circular. _____

b) As que representam menos do que a metade. _____

c) As que representam mais do que a metade. _____

d) A maior fração entre $\frac{3}{4}$ e $\frac{2}{5}$. _____

e) A menor fração entre $\frac{1}{2}$ e $\frac{2}{3}$. _____

7 Em cada item, assinale qual das 3 alternativas corresponde à fração dada.

a) $\dfrac{3}{10}$
- ☐ metade (da unidade)
- ☐ mais do que a metade
- ☐ menos do que a metade

c) $\dfrac{4}{8}$
- ☐ metade (da unidade)
- ☐ mais do que a metade
- ☐ menos do que a metade

b) $\dfrac{5}{6}$
- ☐ metade (da unidade)
- ☐ mais do que a metade
- ☐ menos do que a metade

d) $\dfrac{5}{12}$
- ☐ metade (da unidade)
- ☐ mais do que a metade
- ☐ menos do que a metade

8 **ATIVIDADE ORAL EM GRUPO** Tomando metade da unidade como referência, podemos fazer algumas comparações de frações com denominadores diferentes. Observe o exemplo e complete os itens com >, < ou =. Troque ideias com os colegas.

$$\boxed{\dfrac{1}{2}} > \boxed{\dfrac{2}{6}}$$
metade   menos do que a metade

a) $\dfrac{4}{10}$ ___ $\dfrac{5}{9}$ b) $\dfrac{4}{8}$ ___ $\dfrac{3}{6}$ c) $\dfrac{1}{5}$ ___ $\dfrac{1}{2}$ d) $\dfrac{6}{7}$ ___ $\dfrac{5}{10}$

9 Leia a tirinha com atenção.

SCHULZ, Charles M. **Que saudade, Snoopy!** São Paulo: Conrad, 2004. p. 20.

Agora, escreva as frações citadas na tirinha e compare-as, em relação à mesma unidade. _____

10 **FAÇA DO SEU JEITO!**

Em relação à mesma unidade, qual das frações é maior: $\dfrac{2}{3}$ ou $\dfrac{3}{5}$? Responda e depois veja como os colegas fizeram. _____

Adição e subtração de frações

Explorar e descobrir

Vamos usar novamente os círculos do **Ápis divertido** e uma folha de papel sulfite.

- Pegue o círculo laranja.

   a) Em quantas partes iguais ele está dividido? _____

   b) Que fração corresponde a cada parte? _____

   c) Pegue 2 partes e desenhe-as juntas na folha de papel sulfite. Que fração representa essas partes? _____

   d) Pegue mais 1 parte e desenhe-a junto às partes que você já desenhou. Quantas partes você tem agora? _____

   e) Que fração essas partes representam? _____

   f) Vamos registrar: $\dfrac{}{5} + \dfrac{}{5} = \dfrac{}{5}$

- Agora, pegue o círculo verde.

   a) Em quantas partes iguais ele está dividido? _____

   b) Junte $\dfrac{1}{4}$ com $\dfrac{2}{4}$ e desenhe. Depois, registre: $\dfrac{}{4} + \dfrac{}{4} = \dfrac{}{4}$

1 Alfredo plantou tomate e alface em um terreno de seu sítio.

a) Indique as frações correspondentes considerando o terreno todo como unidade.

- Parte na qual foram plantados tomates: _____

- Parte na qual foram plantadas alfaces: _____

b) No total, que parte do terreno Alfredo usou? Indique com uma adição.

_____

c) Quanto do terreno a parte com alface tem a mais do que a parte com tomate? Indique com uma subtração. _____

2 Faça o que se pede.

- Considerando esta região retangular, indique com frações as partes indicadas de cada cor.

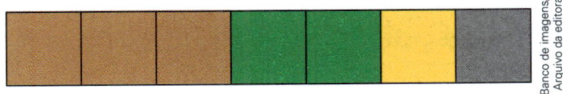

Marrom: _____   Verde: _____   Amarela: _____

- Agora, indique a fração correspondente a cada item e também a operação que você efetuou.

a) As partes marrom e verde juntas. _____

b) Quanto a parte amarela é menor do que a verde. _____

c) As partes marrom, verde e amarela juntas. _____

d) Quanto falta para a parte amarela ter o mesmo tamanho da marrom.

_____

e) A parte pintada de cinza. _____

3 **ATIVIDADE ORAL** Nas adições e subtrações do **Explorar e descobrir** e das atividades 1 e 2, as frações têm **denominadores** iguais. O que aconteceu com o resultado dessas operações?

4 Efetue as adições e subtrações de frações em relação à mesma unidade.

a) $\dfrac{2}{5} + \dfrac{1}{5} =$ _____

b) $\dfrac{5}{7} - \dfrac{2}{7} =$ _____

c) $\dfrac{3}{4} - \dfrac{2}{4} =$ _____

d) $\dfrac{1}{6} + \dfrac{1}{6} =$ _____

e) $\dfrac{7}{10} + \dfrac{2}{10} =$ _____

f) $\dfrac{5}{9} - \dfrac{4}{9} =$ _____

5 Complete com o que falta para que as operações fiquem corretas.

a) $\dfrac{2}{6} + \dfrac{}{6} = \dfrac{5}{6}$

b) $\dfrac{}{9} + \dfrac{3}{9} = \dfrac{8}{9}$

c) $\dfrac{7}{8} - \dfrac{}{8} = \dfrac{5}{8}$

Explorar e descobrir

Vamos continuar usando os círculos do **Ápis divertido**.

- Pegue o círculo verde.

    a) Em quantas partes iguais ele está dividido? _____

    b) Quantos quartos formam 1 inteiro ou 1 unidade? _____

    c) Junte $\frac{1}{4}$ com $\frac{3}{4}$ e complete. _____ + _____ = _____ = 1

- Agora, pegue o círculo amarelo.

    a) Em quantas partes iguais ele está dividido? _____

    b) Quantos terços formam 1 inteiro ou 1 unidade? _____

    c) Junte $\frac{2}{3}$ com $\frac{1}{3}$ e complete: _____ + _____ = _____ = 1

6 SOMA 1

Observe as figuras e complete.

a)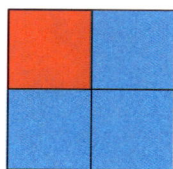

Figura toda: $\frac{4}{4}$ ou 1

Vermelho: $\frac{1}{4}$

Azul: $\frac{3}{4}$

$\frac{1}{4} + \frac{3}{4} =$ _____ = _____

b)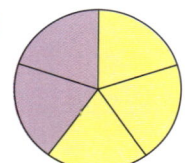

Figura toda: _____

Amarelo: _____

Lilás: _____

___ + ___ = ___ = ___

c)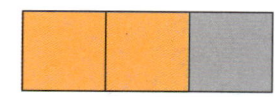

Figura toda: _____

Laranja: _____

Cinza: _____

___ + ___ = ___ = ___

7 Responda depressinha!

Lúcia leu $\frac{3}{7}$ das páginas de um livro de manhã e $\frac{4}{7}$ à tarde.

Com isso ela leu o livro todo? _____

Probabilidade

Explorar e descobrir

- Pegue uma caixa de sapatos e coloque nela 1 bola vermelha e 3 azuis. Retire 1 bola sem olhar e registre a cor. Em seguida, devolva a bola para a caixa. _____

- Repetindo isso 20 vezes, qual cor teria maior chance de ser a mais tirada? _____

- Faça isso concretamente e verifique se a previsão se confirmou ou não. _____

1 **ATIVIDADE ORAL** Girando o ponteiro desta roleta, em qual cor há maior chance de o ponteiro parar? Por quê?

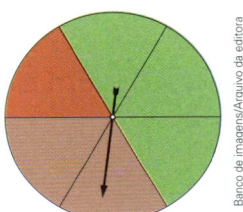

2 Em casos como o da atividade 1, é possível registrar a medida da chance, que é chamada **probabilidade**.
A probabilidade de o ponteiro parar no marrom é $\frac{2}{6}$ (2 em 6).

a) Qual é a probabilidade de o ponteiro parar no verde? _____

b) Qual é a probabilidade de parar no vermelho? _____

c) E qual é a probabilidade de não parar no vermelho? _____

3 As letras da palavra MATEMÁTICA foram escritas separadamente em 10 cartões. Um desses cartões será sorteado.

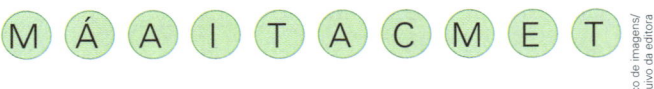

a) Qual é a probabilidade de sair a letra **E**? _____

b) Para quais letras a probabilidade de sair é $\frac{2}{10}$? _____

c) Qual é a probabilidade de sair uma vogal? _____

d) A probabilidade de sair a letra **M** é maior ou menor do que a de sair a letra **I**? _____

e) Qual probabilidade é maior: a de sair uma consoante ou a de sair uma vogal? _____

Porcentagem

1 **ATIVIDADE ORAL** Quando dizemos "cem por cento", estamos usando uma **porcentagem** que representa o total, a unidade, o inteiro, o todo, tudo. Ela é indicada assim: 100%.

E a porcentagem 50% (cinquenta por cento), o que ela representa?

2 **ATIVIDADE ORAL EM GRUPO (TODA A TURMA)** Um aluno lê, e o outro responde. Os demais alunos da turma conferem.

a) O que significa dizer que 100% dos alunos compareceram às aulas?

b) O que significa dizer que João gastou 50% da quantia que tinha?

c) A porcentagem 25% corresponde a $\frac{1}{2}$, $\frac{1}{4}$ ou $\frac{1}{10}$?

d) Em qual destas figuras Ana pintou 50% do círculo de azul?

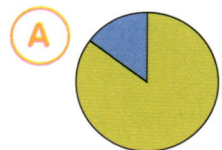 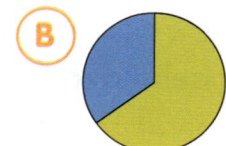 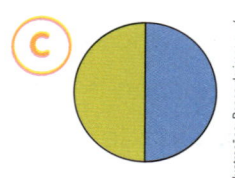

Explorar e descobrir

- Desenhe 1 quadrado com lados de 2 cm de medida de comprimento.
- Pinte 50% da região quadrada de vermelho, 25% da região quadrada de azul e o restante de cinza.
- Complete com porcentagem.
  A parte pintada de vermelho e de azul é _____ da região quadrada.

3 João tinha R$ 60,00 e gastou 50% dessa quantia.

a) Quanto ele gastou? _____ b) Com quanto ainda ficou? _____

4 **PROBABILIDADE E PORCENTAGEM**

Complete com porcentagens. Quando lançamos uma moeda, a probabilidade de sair cara é _____ e a probabilidade de sair coroa é _____.

Mais atividades e problemas

1 Na ilustração abaixo um rato está andando em linha reta, indo da pedra até o pedaço de queijo. Ele já percorreu $\frac{4}{5}$ do trajeto.

As imagens não estão representadas em proporção.

Meça o comprimento da linha e localize nela a posição do rato. Atenção para a medida do trajeto.

2 Pinte $\frac{1}{8}$ do círculo e $\frac{3}{8}$ da região quadrada de verde. O restante de cada figura você escolhe a cor para pintar.

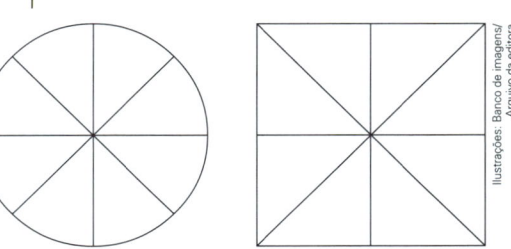

3 Em uma partida de basquete, Marcos acertou 7 lances livres e errou 3. Que fração indica os acertos de Marcos em relação ao número total de lances livres? _____

4 Calcule e complete.

a) $\frac{3}{4}$ de 1 hora são _____ minutos.

b) $\frac{1}{5}$ de 1 metro são _____ centímetros.

c) $\frac{1}{2}$ de 1 quilograma são _____ gramas.

d) $\frac{4}{5}$ de 1 centímetro são _____ milímetros.

e) $\frac{5}{6}$ de 1 ano são _____ meses.

f) _____ de 1 minuto são 15 segundos.

5 Na malha quadriculada ao lado, desenhe o sólido geométrico que se obtém mantendo a forma do sólido geométrico dado, mas reduzindo à metade $\left(\frac{1}{2}\right)$ a medida do comprimento de todas as arestas.

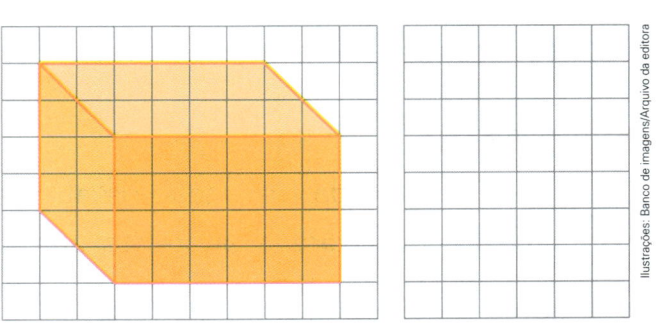

6) Escreva o que se pede.

   a) Uma fração de denominador 12 que é menor do que a metade. _____

   b) Uma fração com denominador 8 que é maior do que a metade. _____

7) Meça o comprimento do segmento de reta $\overline{MN}$. Em seguida, construa os segmentos de reta descritos.

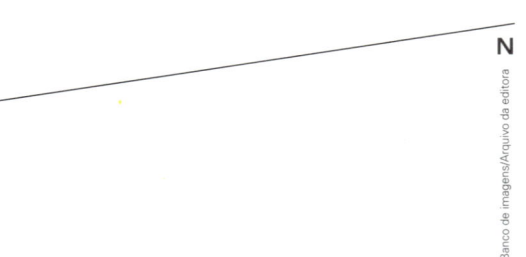

   a) $\overline{AB}$ cujo comprimento é $\frac{3}{4}$ de $\overline{MN}$.

   b) $\overline{CD}$ cujo comprimento é $\frac{2}{3}$ de $\overline{AB}$.

8) Um feirante vendeu todo seu estoque de laranjas em 3 dias. Ele vendeu $\frac{3}{10}$ do estoque na terça-feira, $\frac{2}{10}$ na quarta-feira e $\frac{1}{2}$ na quinta-feira.
Use o que você aprendeu sobre comparação e operações com frações e responda.

   a) Ele vendeu mais laranjas na terça ou na quarta-feira? _____

   b) Ele vendeu mais na terça ou na quinta-feira? _____

   c) Que parte do estoque ele vendeu na terça e na quarta-feira juntas? _____

   d) Que parte ele vendeu a mais na terça do que na quarta-feira? _____

9) **DESAFIO**

   Considere ainda a situação da atividade anterior.
   Que fração indica a diferença entre o que o feirante vendeu na quinta e na terça-feira? _____

Saiba mais

Cerca de três quartos da superfície da Terra são cobertos por água.

Imagem de satélite da Terra vista do espaço.

As imagens não estão representadas em proporção.

10 Registre considerando a informação do **Saiba mais**.

a) Usando fração: _____ da superfície da Terra são cobertos por água; portanto, _____ da superfície da Terra não é coberta por água.

b) Usando porcentagem: _____ da superfície da Terra é coberta por água e _____ da superfície da Terra não é coberta por água.

11 Em uma caixa há 3 lápis vermelhos, 5 azuis e 2 verdes. Imagine a retirada de 1 desses lápis ao acaso.

a) Qual é a cor com maior probabilidade de sair? _____

b) Qual é a probabilidade de o lápis ser vermelho? _____

c) Qual é a cor cuja probabilidade de sair é $\frac{2}{10}$? _____

d) Qual é a probabilidade de sair um lápis que não seja vermelho? _____

e) Qual é a probabilidade de o lápis ser amarelo? _____

f) Qual é a probabilidade de o lápis não ser preto? _____

12 ATIVIDADE ORAL EM GRUPO O que houve de diferente nas respostas dos itens **e** e **f** da atividade anterior?

13 Na turma de Lucas há 36 alunos e $\frac{5}{9}$ são meninos.

a) Calcule e complete.

Número de meninos: _____   Número de meninas: _____

Fração que representa a quantidade de meninas: _____

b) Uma pesquisa foi feita nessa turma com a seguinte pergunta. "Qual esporte você prefere: natação, futebol ou voleibol?" Analise as informações, faça os cálculos necessários e preencha a tabela com os números correspondentes.

- $\frac{1}{4}$ dos meninos da turma prefere natação.
- $\frac{3}{5}$ dos meninos preferem futebol.
- $\frac{1}{2}$ das meninas prefere natação.
- $\frac{3}{8}$ das meninas preferem voleibol.

Preferências da turma

Aluno \ Esporte	Natação	Futebol	Voleibol
Meninos			
Meninas			

Tabela elaborada para fins didáticos.

c) Agora, use os dados da tabela e responda. Qual foi o esporte mais votado entre os meninos? _____

d) O número total de votos dados a voleibol corresponde a $\frac{1}{3}$, $\frac{1}{4}$ ou $\frac{1}{6}$ do número total de votos da turma? _____

e) O número de votos dados a futebol corresponde a 50%, mais do que 50% ou menos do que 50% do total de votos da turma? _____

f) Sorteando um dos alunos que preferem natação, qual é a probabilidade de ser uma menina? _____

14 Em cada item, complete ou responda.

a) A parte verde indica _____ desta figura e a parte amarela indica _____ dela.

b) Em uma cesta de frutas há 5 maçãs e 4 laranjas. As laranjas representam _____ da cesta.

c) José tinha R$ 40,00 e gastou $\frac{2}{5}$ do que tinha. Então, ele ainda ficou com R$ _____, pois gastou R$ _____.

d) Qual fração indica metade de $\frac{1}{3}$ de um todo? _____

e) $\frac{3}{4}$ de 12 = _____ $\frac{1}{2}$ de _____ = 10   _____ de 20 = 4

f) Sorteando 1 letra da palavra BRASIL, a probabilidade de sair uma vogal é dada pela fração _____.

g) A parte pintada de verde desta figura corresponde a _____ % dela.

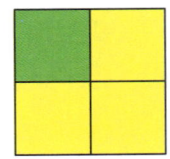

h) A probabilidade de sair um número menor do que 3 no lançamento de um dado comum é igual à probabilidade de sair um número maior do que 3? _____

i) Nesta parte da reta numerada, o ponto **A** indica a fração _____, e o ponto **B**, a fração _____.

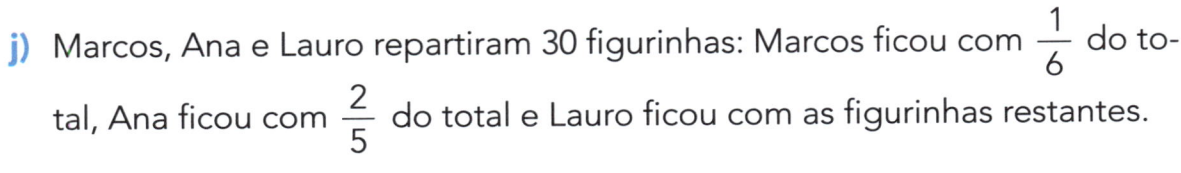

j) Marcos, Ana e Lauro repartiram 30 figurinhas: Marcos ficou com $\frac{1}{6}$ do total, Ana ficou com $\frac{2}{5}$ do total e Lauro ficou com as figurinhas restantes. Com quantas figurinhas Lauro ficou? _____

Matemática e tecnologia

Planilha eletrônica e gráfico de barras duplas

Você já elaborou tabelas e gráficos em planilhas eletrônicas nos anos anteriores. Vamos usar novamente esse recurso e construir um gráfico de barras duplas?

1º passo

Usando uma planilha eletrônica, reproduza os dados da tabela da atividade 13 da página 290 como mostrado na imagem ao lado.

Esporte / Alunos	Meninos	Meninas
Natação	5	8
Futebol	12	2
Voleibol	3	6

Sua tabela ficou como a tabela da imagem? Justifique sua resposta.

2º passo

Agora que sua tabela está pronta construa um gráfico de barras duplas.

Para isso selecione a tabela.

Esporte / Alunos	Meninos	Meninas
Natação	5	8
Futebol	12	2
Voleibol	3	6

Posicione o cursor em e clique com o botão esquerdo. Selecione a opção na janela que abrirá.

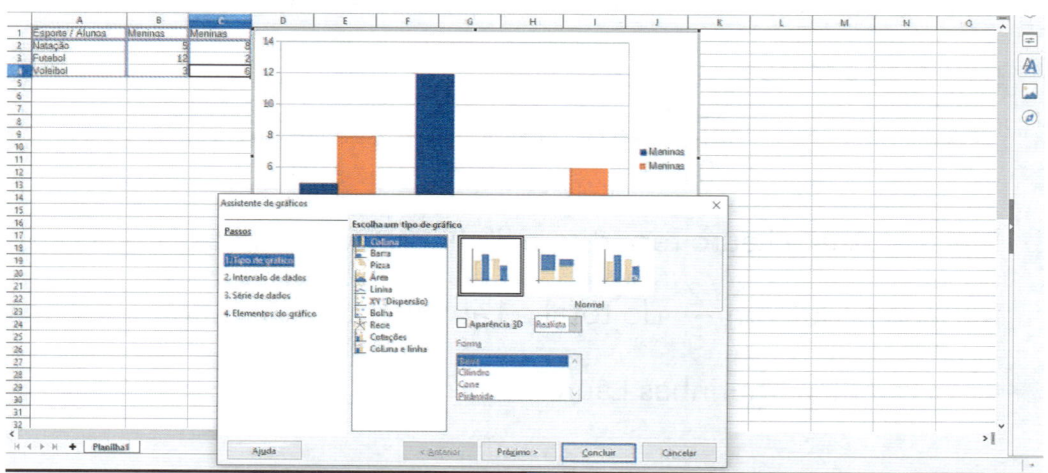

3º passo

Clique em concluir e pronto. O gráfico foi construído!

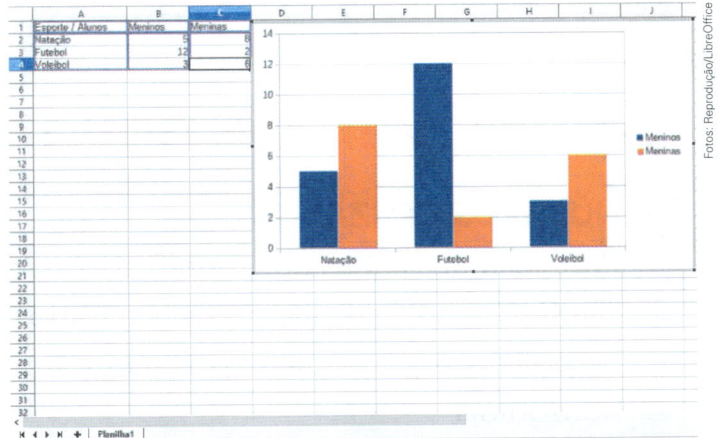

Agora, abra um novo documento e elabore uma nova tabela na sua planilha. Dessa vez, com o total de votos dos alunos por esporte, sem diferenciar os gêneros.

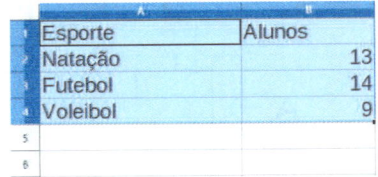

Siga os mesmos passos da construção anterior e faça um novo gráfico.

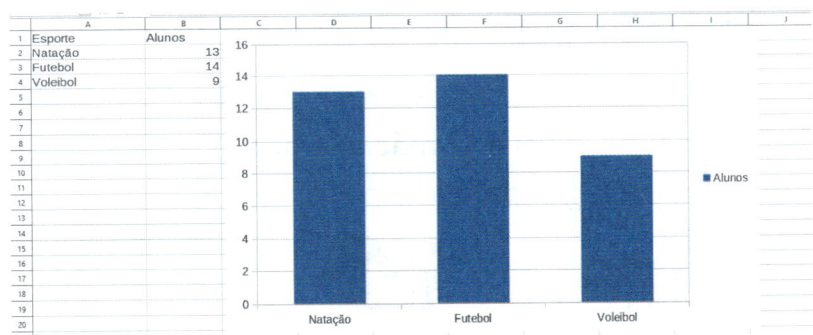

1. Qual é a diferença entre os dois gráficos que você construiu?
2. Junte-se com mais quatro colegas e escolham um tema para realizar uma pesquisa com todos os colegas da turma.

Escolham um tema.

Elaborem fichas com a pergunta e as respostas possíveis e entreguem para seus colegas responderem. Vocês também devem responder às fichas do seu próprio grupo e dos outros grupos.

Organizem as fichas com as respostas e elaborem, juntos, uma tabela e um gráfico de barras duplas usando uma planilha eletrônica e escrevam uma conclusão sobre a sua pesquisa.

Vamos ver de novo?

1 **NÚMEROS CRUZADOS**

Preencha nas linhas horizontais do quadro os resultados das operações de **A**, **B** e **C**. Confira, calculando os resultados das verticais (**D**, **E** e **F**).

Se preferir, você pode fazer ao contrário: preencher nas verticais e conferir nas horizontais.

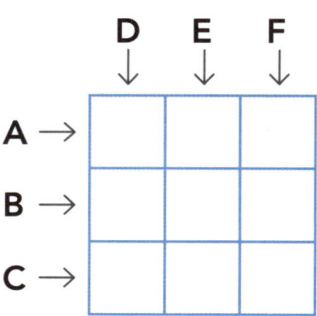

A: 348 + 516   **D**: 15 × 57
B: 700 − 132   **E**: 7 260 ÷ 11
C: 10 000 ÷ 20   **F**: 726 − 246

2 **DESLOCAMENTO, LOCALIZAÇÃO E MEDIDA DE COMPRIMENTO**

Juliana vai à padaria, e Ivo vai à farmácia, ambos de bicicleta.
Observe a imagem e a legenda e responda.

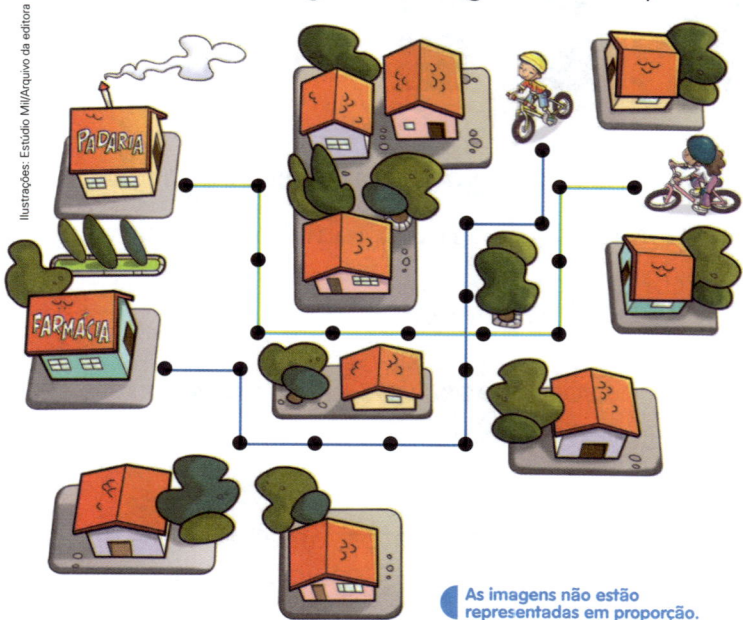

As imagens não estão representadas em proporção.

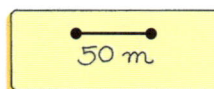

a) Quantos metros Juliana vai percorrer? _____

b) Quantos metros Ivo vai percorrer? _____

c) Se Juliana fizer esse trajeto (ida e volta) em 3 dias consecutivos, então quantos quilômetros ela vai percorrer? _____

d) O trajeto da padaria à farmácia mede aproximadamente quantos metros?
_____

O que estudamos

Exploramos a ideia de fração de uma figura.

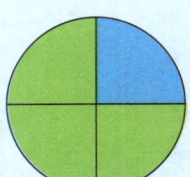

Parte azul do círculo: $\frac{1}{4}$

Parte verde do círculo: $\frac{3}{4}$

Exploramos também a ideia de fração de uma quantidade.

$\frac{3}{5}$ de 10 = ?

$\frac{3}{5}$ de 10 = 6 $10 \div 5 = 2$ $3 \times 2 = 6$

Fizemos comparação de frações, identificando, entre duas delas, qual é a maior, qual é a menor ou se são iguais, em relação à mesma unidade.

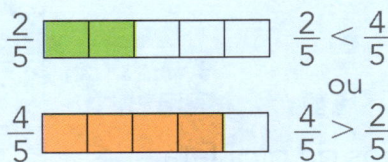

$\frac{2}{5} < \frac{4}{5}$

ou

$\frac{4}{5} > \frac{2}{5}$

Vimos adição e subtração de frações com denominadores iguais.

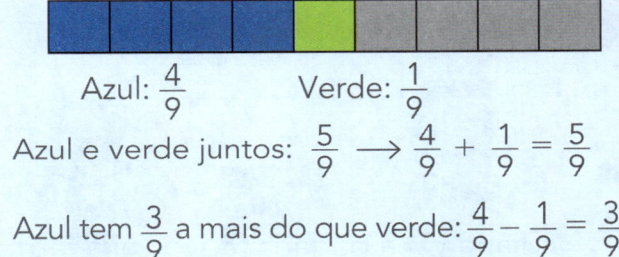

Azul: $\frac{4}{9}$ Verde: $\frac{1}{9}$

Azul e verde juntos: $\frac{5}{9} \rightarrow \frac{4}{9} + \frac{1}{9} = \frac{5}{9}$

Azul tem $\frac{3}{9}$ a mais do que verde: $\frac{4}{9} - \frac{1}{9} = \frac{3}{9}$

Introduzimos a ideia de probabilidade como a medida da chance de algo ocorrer.

Retirando 1 bola do vidro, sem olhar, a probabilidade de ela ser azul é $\frac{3}{7}$ (3 em 7).

Trabalhamos com as porcentagens 100%, 50% e 25% usando frações.

O círculo todo corresponde a 100% (unidade).

A parte verde, a 50% $\left(\frac{1}{2}\right)$.

A parte azul, a 25% $\left(\frac{1}{4}\right)$.

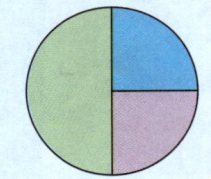

Resolvemos problemas que envolvem fração e probabilidade.

Jairo tinha R$ 30,00 e gastou $\frac{2}{5}$. Com quanto Jairo ainda ficou? R$ 18,00

$\frac{2}{5}$ de 30 = 12, pois $30 \div 5 = 6$ e $2 \times 6 = 12$

$30 - 12 = 18$

- Você revisou os assuntos desta Unidade em sua casa?
- Você está satisfeito com seu desempenho escolar? Acha que precisa melhorar algo? Converse com o professor a respeito.

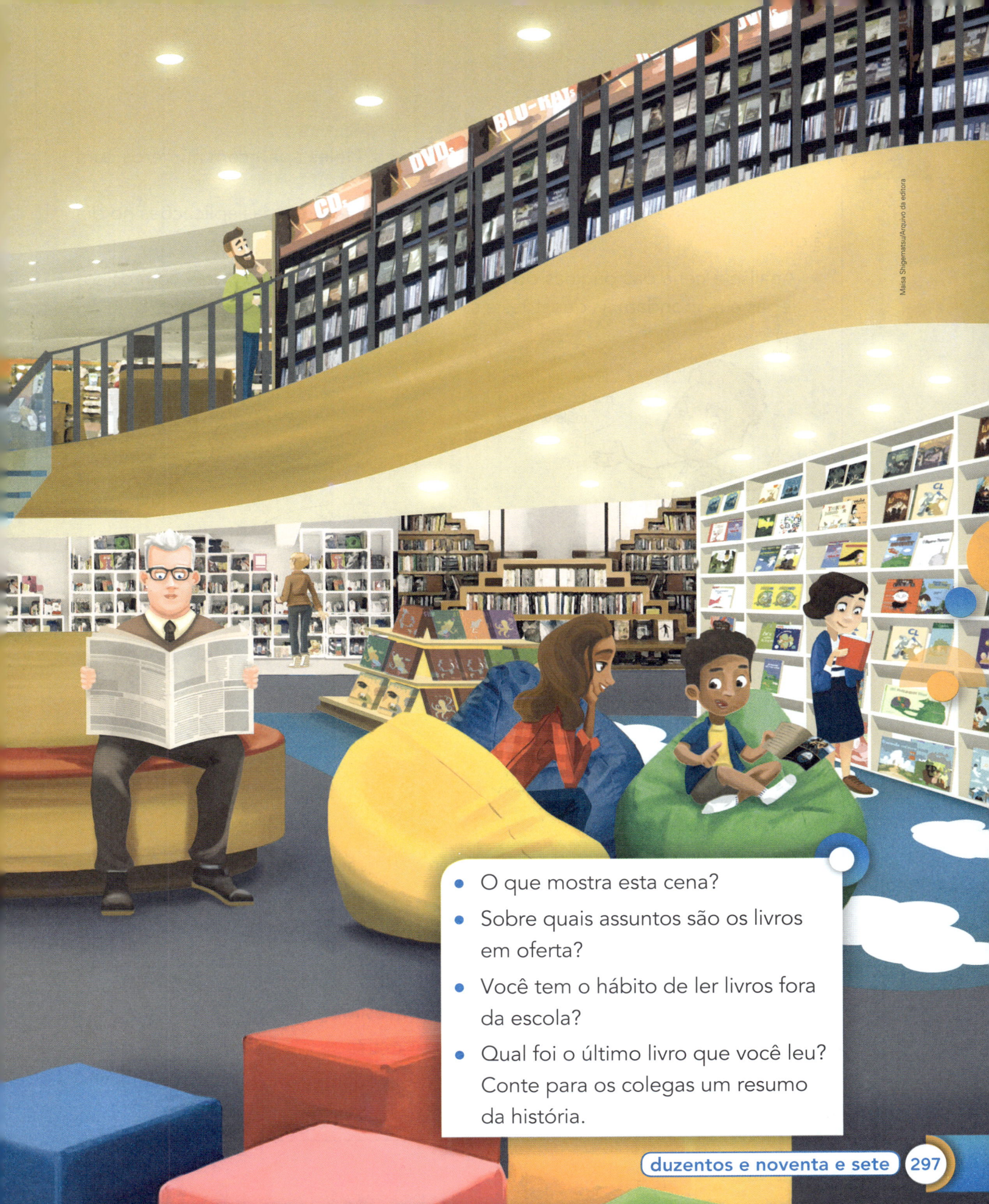

- O que mostra esta cena?
- Sobre quais assuntos são os livros em oferta?
- Você tem o hábito de ler livros fora da escola?
- Qual foi o último livro que você leu? Conte para os colegas um resumo da história.

Para iniciar

Veja os preços dos livros em oferta na livraria. Neles aparecem números com vírgula, chamados **decimais**.

Nesta Unidade vamos conhecer esses números e várias das aplicações no dia a dia.

- Analise a cena das páginas de abertura desta Unidade. Converse com os colegas e respondam às questões a seguir.

- Agora, converse com os colegas sobre mais estas questões.

    a) Em que situações você já viu números representados com vírgula?

    b) Quando dividimos um todo em 10 partes iguais, como é chamada cada uma das partes? E qual fração representa essa parte?

    c) A metade desta região circular tem quantos décimos?

    d) Responda com **1 décimo** ou com **1 centésimo**.

    - centavo corresponde a quanto de 1 real?
    - milímetro corresponde a quanto de 1 centímetro?
    - 1 ano corresponde a quanto de 1 século?

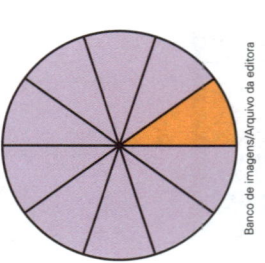

Decimais

Você viu, na abertura da Unidade, que os números representados com vírgula são chamados **decimais**.

Os decimais são usados, muitas vezes, no lugar das frações decimais, ou seja, frações de denominador 10 (décimos), 100 (centésimos), 1 000 (milésimos) e assim por diante.

Vamos começar pelos décimos.

Décimos

Analise o exemplo com atenção.

O círculo todo representa 1 unidade ou 1 inteiro.

Observe abaixo essa unidade dividida em 10 partes iguais com 1 das partes destacada em laranja.

1 unidade ou 1 inteiro.

A parte pintada de laranja indica **um décimo** do círculo. Essa parte pode ser representada por uma fração ou um decimal.

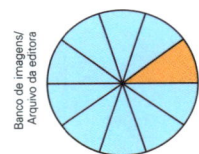

Parte pintada de laranja: $\frac{1}{10}$ ou 0,1 do círculo.

Um décimo

Representação fracionária ⟶ $\frac{1}{10}$

Representação decimal ⟶ **0,1**

Unidade	Décimo
U,	d
0,	1

A parte pintada de azul nessa figura corresponde a $\frac{9}{10}$ ou 0,9.

Veja outros exemplos em que está representada a parte pintada de verde em relação à região plana inteira.

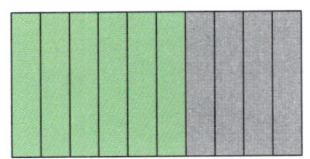 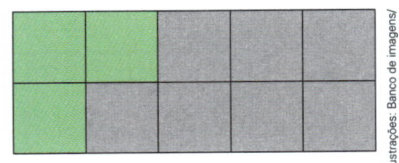

$\frac{6}{10}$ ou 0,6 $\frac{2}{10}$ ou 0,2 $\frac{3}{10}$ ou 0,3

Lê-se: Seis décimos.   Lê-se: Dois décimos.   Lê-se: Três décimos.

A fração $\frac{10}{10}$ e o decimal 1,0 representam **1 unidade** ou **1 inteiro**. Ou seja, 10 décimos correspondem a 1 unidade.

1 Complete o quadro com o que falta.

Fração decimal	Decimal	Representação gráfica	Leitura
$\frac{4}{10}$			
			Oito décimos.
	0,7		

2 Pinte em cada figura a parte correspondente ao decimal.

a)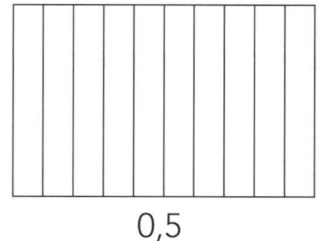
0,5

b)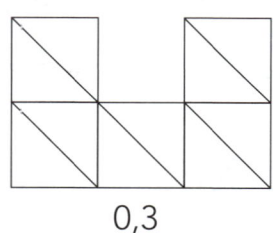
0,3

c)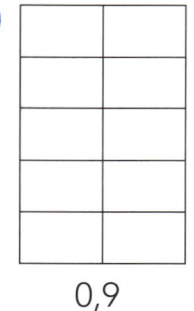
0,9

d)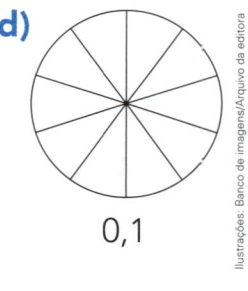
0,1

3 Responda considerando os decimais das atividades 1 e 2.

a) Qual dos números indica metade da figura? _____

b) Quais indicam mais do que a metade da figura? _____

c) E quais indicam menos do que a metade? _____

4) Observe a figura.

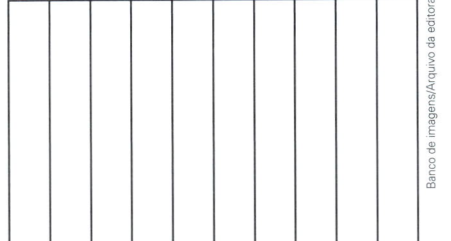

a) Em quantas partes iguais ela está dividida?

_____

b) Se quisermos pintar a metade da figura, então quantas partes devemos pintar? Pinte-as.

_____

c) Represente a parte pintada com uma fração e um decimal. _____

Então, podemos dizer que 0,5 indica **metade** ou **meio**.

5) Marina está caminhando da casa dela até a escola pelo caminho representado em verde na imagem. Ela já percorreu 0,7 do percurso.
Marque o ponto onde ela está e indique-o com a letra **M**.

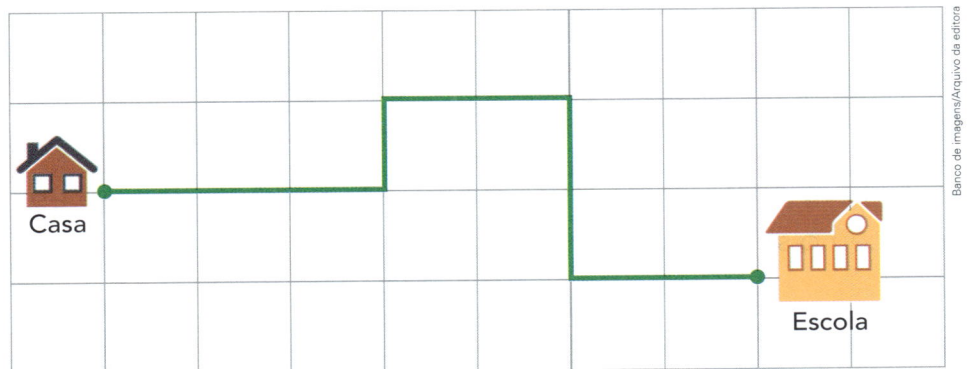

6) Pense em uma unidade qualquer, observe os valores nos cartões e pinte de acordo com a legenda.

● Cartões com números que indicam a metade da unidade.

● Cartões com números que indicam mais do que a metade da unidade.

● Cartões com números que indicam menos do que a metade da unidade.

$\frac{1}{2}$	A quarta parte.	0,5	Sete décimos.	$\frac{1}{10}$	Meio.
0,6	5%	0,8	50%	$\frac{2}{6}$	$\frac{4}{8}$

trezentos e um 301

Decimais maiores do que 1

1 (um)

0,2 (dois décimos)

Considere a região retangular como unidade e observe o que foi pintado de laranja.

1 unidade e 2 décimos
ou
1 inteiro e 2 décimos

Escrevemos assim: 1,2

1 unidade ← → 2 décimos

Leitura: Um inteiro e dois décimos.

Unidade	Décimo
U,	d
1,	2

A vírgula separa a **parte inteira** (1 unidade) da **parte fracionária** (2 décimos).

Veja mais um exemplo considerando um círculo como unidade. Estão pintados de amarelo 2 inteiros e 5 décimos.

2 inteiros ← → 5 décimos

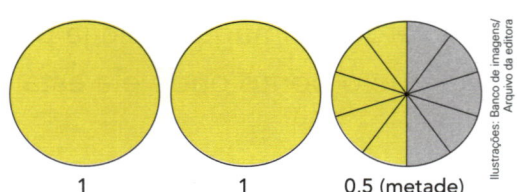

1   1   0,5 (metade)

2,5: dois círculos e meio

Leitura: Dois inteiros e cinco décimos.

Agora, indique com um decimal o que está pintado de azul em cada item e escreva como se lê esse número.

a)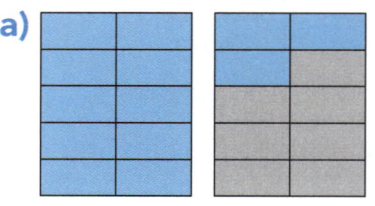

b)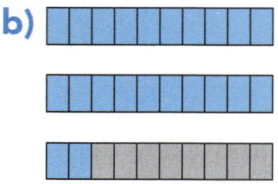

c)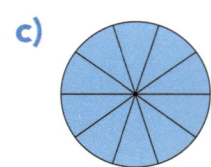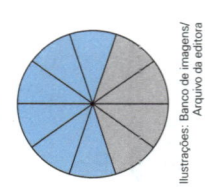

_____   _____   _____

_____   _____   _____

2 Considere a região retangular de 5 cm por 1 cm como unidade.
Pinte de verde o correspondente a 3,3. O restante, pinte como quiser.

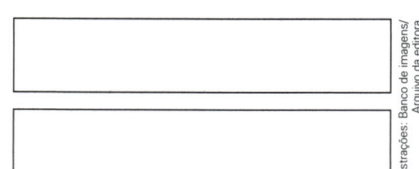

3 Observe os decimais e localize cada um deles nesta reta numerada.

1,5   0,4   1,2   0,7   0,8   2,1   1,7

0 0,1 0,2   1   2

4 Complete com decimais.

a) Oito décimos. _____

b) Meio. _____

c) Nove inteiros e três décimos. _____

d) Dezoito unidades e quatro décimos. _____

e) Quatro e meio. _____

f) 80 + 6 + 0,2 = _____

g) 0,5 + 0,1 = _____

h) 0,7 + 0,3 = _____

5 Veja o que João está falando e mais um exemplo abaixo. Depois, responda.

3,5 km significa 3 quilômetros e meio.

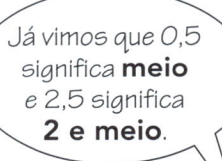

Já vimos que 0,5 significa **meio** e 2,5 significa **2 e meio**.

a) O que significa 2,5 kg? _____

b) O que significa 1,5 cm? _____

c) O que significa 4,5 dias? _____

d) O que significa 3,5 L? _____

As imagens não estão representadas em proporção.

Saiba mais

Você já viu que, no Brasil, a temperatura é medida em graus Celsius (°C).

Em alguns termômetros a escala é dividida em graus e décimos de grau.

Termômetro para medir a temperatura corporal.

6 Tobias estava sentindo muito calor e quis saber a medida da temperatura que o termômetro estava registrando. Veja ao lado e escreva a medida da temperatura com algarismos e por extenso.

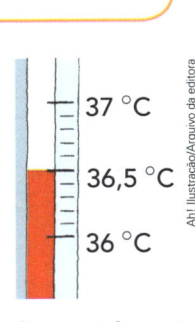

37 °C
36,5 °C
36 °C

_____

Decimais e medida de comprimento: 1 décimo do centímetro

1 **MEDIDA DE COMPRIMENTO, EM CENTÍMETROS E MILÍMETROS**

Nas réguas é possível ver que cada centímetro está dividido em 10 milímetros.

a) Complete.

Cada parte corresponde a _____.

Então: 1 _____ = 10 _____ e 1 _____ = 0,1 _____

b) Observe o segmento de reta $\overline{AB}$ ao lado e veja como podemos representar a medida de comprimento dele de diferentes maneiras.

- 3,9 centímetros (3,9 cm)
- 3 centímetros e 9 décimos do centímetro
- 3 centímetros e 9 milímetros
- 39 milímetros (39 mm)

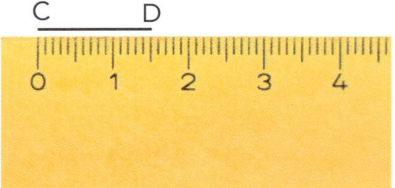

Agora, observe o segmento de reta $\overline{CD}$ e registre a medida de comprimento dele de 5 maneiras diferentes.

_____

_____

2 Complete os quadros como no exemplo. Use uma régua para medir o comprimento ou para construir os segmentos de reta.

$\overline{AB}$	A———————B	4,2 cm	42 mm
	C———D		
$\overline{EF}$		3,1 cm	
$\overline{GH}$			19 mm

Centésimos

Observe as figuras e veja o que indica a parte pintada de amarelo.

1 unidade
ou 1 inteiro.

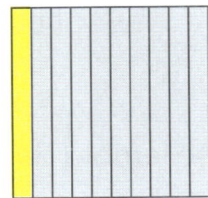

1 décimo da unidade.
$\frac{1}{10}$ ou 0,1
(A unidade está dividida em 10 partes iguais.)

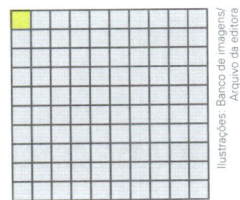

1 centésimo da unidade.
$\frac{1}{100}$ ou 0,01
(A unidade está dividida em 100 partes iguais.)

Um centésimo

Representação fracionária ⟶ $\frac{1}{100}$

Representação decimal ⟶ **0,01**

Unidade	Décimo	Centésimo
U,	d	c
0,	0	1

1 Veja os 2 exemplos e indique a fração e o decimal correspondentes à parte pintada de laranja nas outras 2 figuras.

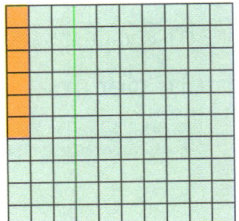 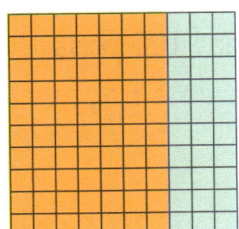 a) 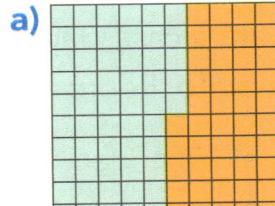 b)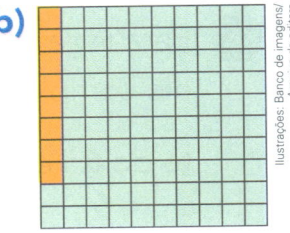

$\frac{6}{100}$ ou 0,06 $\frac{70}{100}$ ou 0,70

2 Pinte em cada figura a parte indicada pelo decimal.

a) 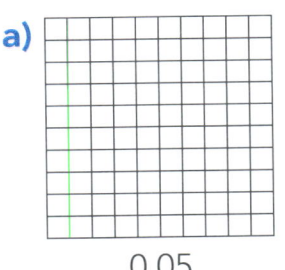   b) 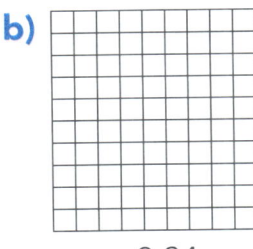   c) 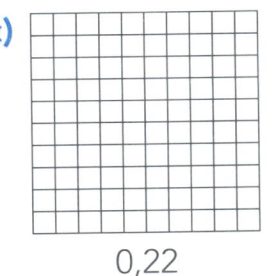   d)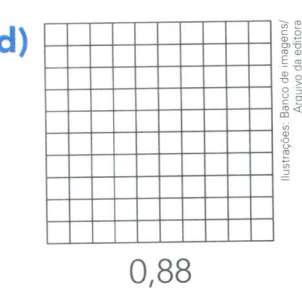

0,05   0,34   0,22   0,88

3 Na figura da esquerda, pinte 0,05. Na outra figura, pinte 0,34. Depois, indique o número representado em cada figura.

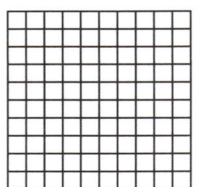 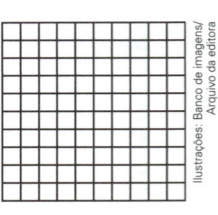

_____   _____

4 **ATIVIDADE ORAL EM GRUPO** Você se lembra das frações decimais? Converse com os colegas e escreva cada fração abaixo na forma decimal.

a) $\dfrac{7}{10}$ = _____   c) $\dfrac{9}{10}$ = _____   e) $\dfrac{30}{100}$ = _____

b) $\dfrac{25}{100}$ = _____   d) $\dfrac{9}{100}$ = _____   f) $\dfrac{1}{10}$ = _____

5 Escreva a fração decimal correspondente a cada número na forma decimal.

a) 0,6 = _____   c) 0,4 = _____   e) 0,77 = _____

b) 0,21 = _____   d) 0,04 = _____   f) 0,8 = _____

6 Dos 100 alunos do 4º ano de uma escola, apenas 30 optaram por jogar basquete em um campeonato esportivo. Escreva a fração e o decimal que indicam a parte dos alunos que optaram por esse esporte. _____

7 Para ir da árvore até a casa, Jairo deve dar 100 passos. Faltam 39 passos para ele completar o trajeto. Represente com uma fração e com um decimal a parte do trajeto que ele já andou. _____

As imagens não estão representadas em proporção.

8 Escreva na forma decimal.

a) Quarenta e seis centésimos. _____

b) Doze centésimos. _____

c) Quatro décimos. _____

d) Sete unidades e oito centésimos. _____

e) Um inteiro e vinte e cinco centésimos. _____

f) Quatro centésimos. _____

g) Seis centésimos. _____

h) Sete e meio. _____

Decimais e medida de comprimento: 1 centésimo do metro

1 Você já viu que 1 metro corresponde a 100 centímetros. Então, cada centímetro corresponde a 1 centésimo do metro.

1 m = 100 cm   1 cm = 0,01 m

Metro articulado.

Veja os exemplos.

3,27 m
- 3 metros e 27 centésimos do metro
- 3 metros e 27 centímetros (3 m e 27 cm)
- 327 centímetros (327 cm)

2,50 m
- 2 metros e 50 centésimos do metro
- 2 metros e 50 centímetros (2 m e 50 cm)
- 2 metros e meio
- 250 centímetros (250 cm)

a) Agora, escreva o que representa 1,35 m.

_____

_____

b) Escreva as medidas a seguir, em metros, usando decimais.

- 1 m e 40 cm = _____
- 1 m e 4 cm = _____
- 149 cm = _____
- 400 cm = _____
- 2 metros e 17 centímetros = _____
- 3 metros e meio = _____
- 6 metros e 8 centímetros = _____
- 2 374 cm = _____

2 Qual é a medida de sua altura? Escreva essa medida em centímetros e na forma decimal (em metros e centímetros). _____

Decimais e dinheiro: 1 centésimo do real

1 Esta boneca custa R$ 8,20.

Oito reais e vinte centésimos do real.
ou
Oito reais e vinte centavos.

As imagens não estão representadas em proporção.

R$ 8,20

Boneca.

Outro conhecido:
1 centésimo do real é o mesmo que 1 centavo (R$ 0,01).

Isso mesmo!
1 centavo é 1 centésimo do real, porque 1 real = 100 centavos.

Veja outro exemplo.

R$ 8,75 ⟶ Oito reais e setenta e cinco centavos.

Escreva cada quantia na forma decimal e escreva também como se lê.

a)

b)

_____   _____

_____   _____

2 Escreva a fração decimal e o número na forma decimal para mostrar que parte do real cada quantia representa.

a) 36 centavos. _____

b) 4 centavos. _____

c) Oitenta centavos. _____

d) 25 centavos. _____

🔍 Explorar e descobrir

Lucila foi ao mercado com a avó dela e quis comprar um pacote de biscoitos. Observe o preço, use as moedas do **Ápis divertido** e descubra como elas podem obter essa quantia para comprar o pacote usando só moedas e o menor número possível delas. Depois, registre.

Pacote de biscoitos.

_____

308 trezentos e oito

Os décimos e os centésimos no sistema de numeração decimal

1 Considerando cada figura como unidade, observe toda a parte pintada.

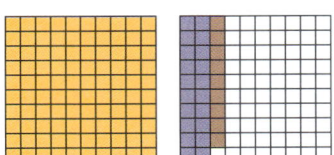

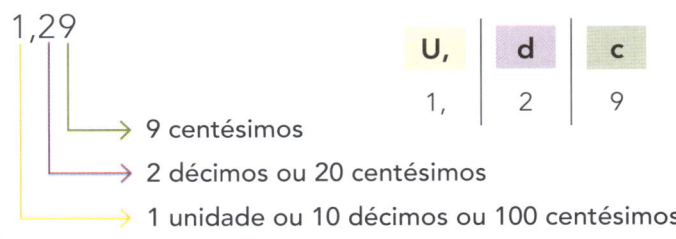

1 inteiro e 29 centésimos ou
1 inteiro, 2 décimos e 9 centésimos.

Agora, escreva o decimal correspondente à parte pintada neste caso.

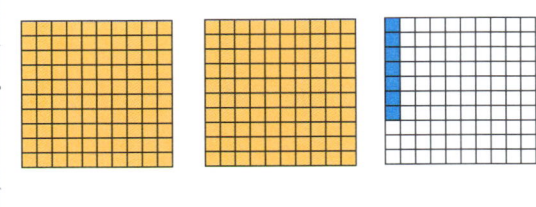

→ _____

2 Responda depressinha!
O que vale mais: 1,29 ou 2,07? _____

3 Lembre-se:

| 1 centena = 10 dezenas |
| 1 dezena = 10 unidades |
| 1 unidade = 10 décimos |
| 1 décimo = 10 centésimos |

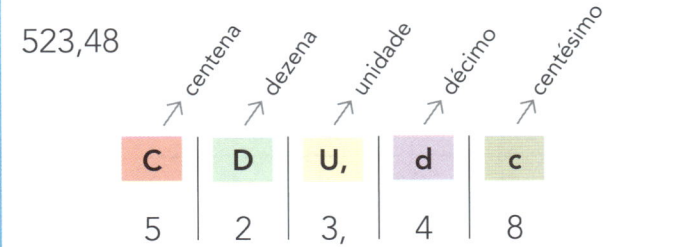

A **vírgula** separa a parte inteira da parte decimal.

523,48
parte inteira ↑   ↑ parte decimal

Quinhentos e vinte e três inteiros, quatro décimos e oito centésimos ou quinhentos e vinte e três inteiros e quarenta e oito centésimos.

Observe o exemplo ao lado.
Escreva cada número no quadro de ordens. Depois, escreva como cada número é lido.

a) 0,06

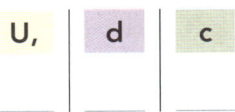

b) 1,35

c) 175,26

4 Observe o exemplo e indique o valor que cada algarismo está representando no número 14,83.

3,46
→ 6 centésimos
→ 4 décimos ou 40 centésimos
→ 3 unidades ou 30 décimos ou 300 centésimos

14,83
→ _____
→ _____
→ _____
→ _____

Explorar e descobrir

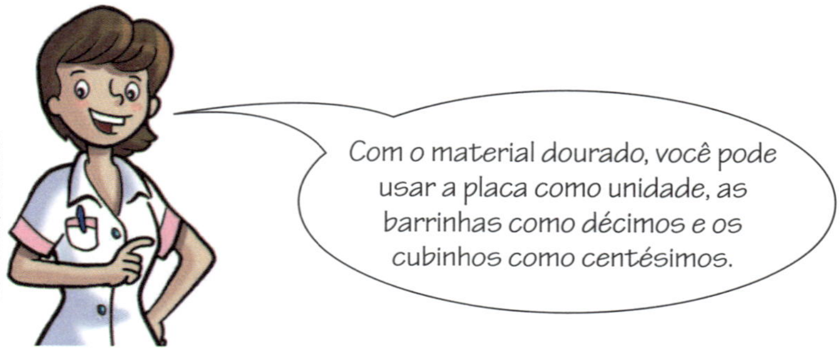

Com o material dourado, você pode usar a placa como unidade, as barrinhas como décimos e os cubinhos como centésimos.

Complete.

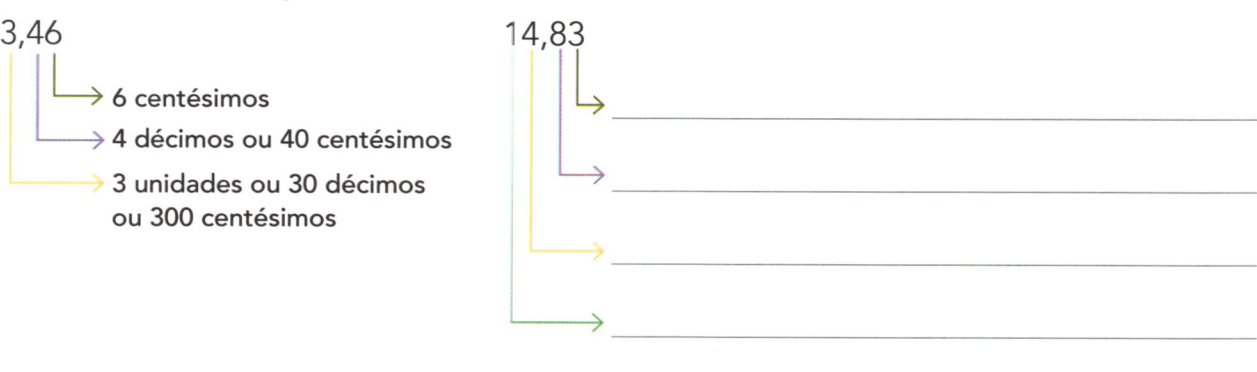

Material dourado	Outra representação
Unidade 1 — Décimo 0,1 — Centésimo 0,01	Unidade — Décimo — Centésimo

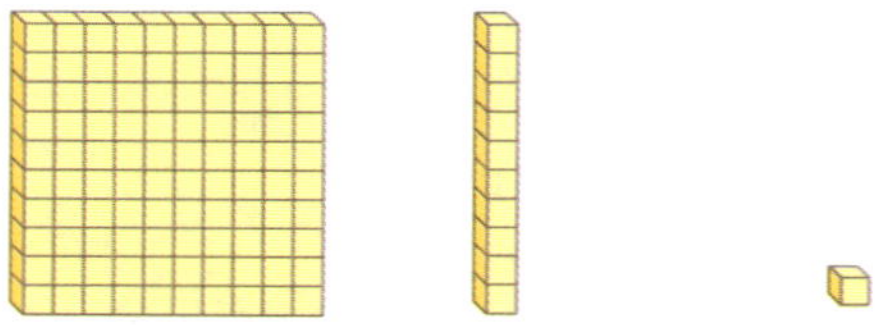

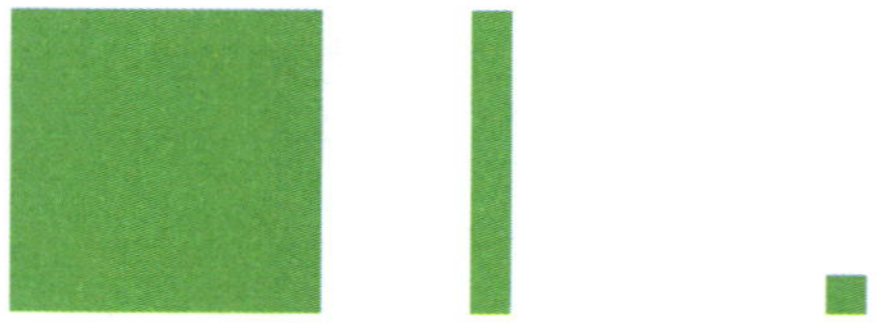

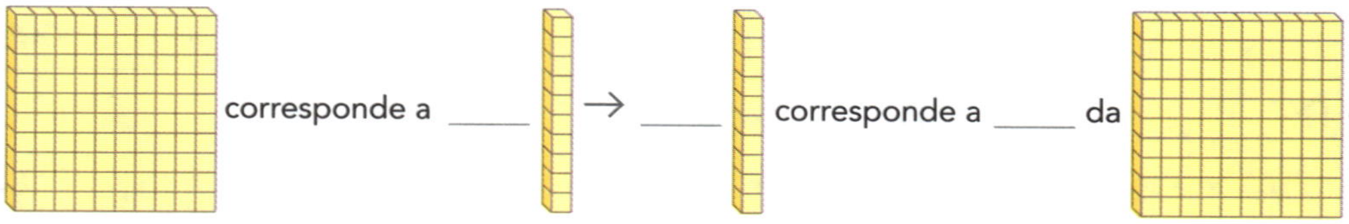

_____ corresponde a _____ → _____ corresponde a _____ da _____ ou _____.

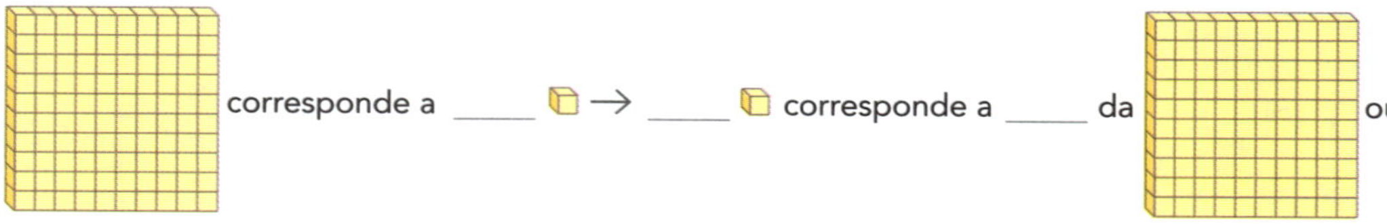

_____ corresponde a _____ → _____ corresponde a _____ da _____ ou _____.

5 Escreva o decimal ou faça desenhos para representar o decimal de cada item, como no exemplo.

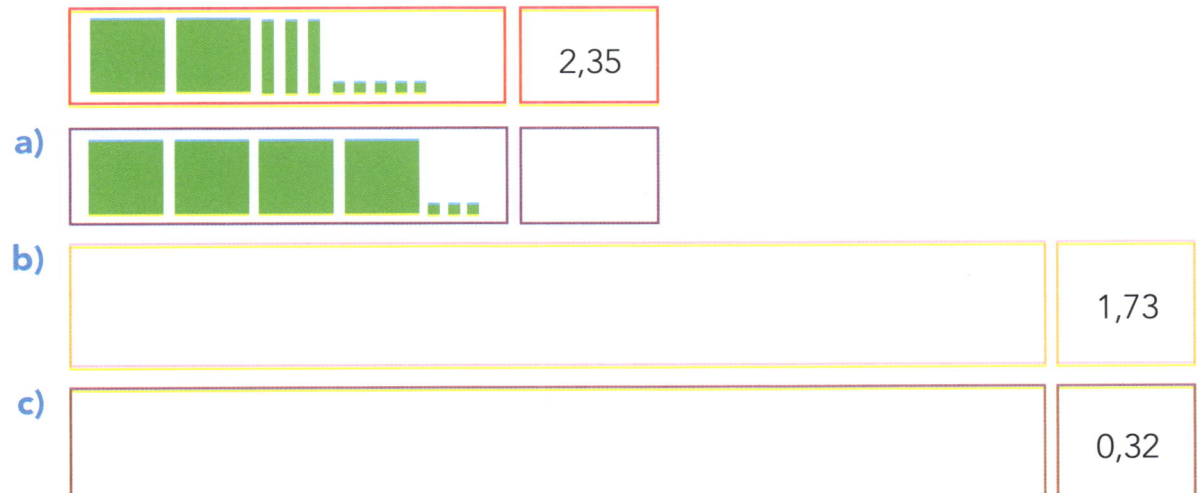

a) [representação]

b) _____ 1,73

c) _____ 0,32

6 Veja as correspondências que Ivo fez entre os decimais usando o material dourado e considerando a placa como unidade.

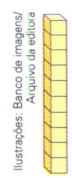 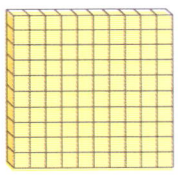 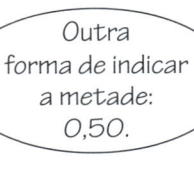

1 décimo ou 10 centésimos.   2 décimos ou 20 centésimos.   10 décimos ou 1 unidade.

0,1 = 0,10   0,2 = 0,20   1,0 = 1

Outra forma de indicar a metade: 0,50.

Agora, faça este.

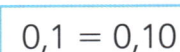 _____

_____

7 Pinte os quadros que indicam a metade de uma unidade.

$\frac{1}{2}$	$\frac{3}{8}$	6 em 12	1,2	0,5	50%
$\frac{5}{8}$	0,50	7 em 10	$\frac{4}{8}$	3 em 6	25%

trezentos e onze 311

Comparação de decimais

1) Nesta foto aparecem as 3 pirâmides egípcias mais famosas, que eram as sepulturas dos faraós Quéops, Quéfren e Miquerinos.

Pirâmides de Gizé (de Quéops, de Quéfren e de Miquerinos), no Egito. Foto de 2016.

Veja a medida da altura dessas pirâmides.

Miquerinos: 62 m   Quéops: 148,2 m   Quéfren: 136,5 m

a) **ATIVIDADE ORAL EM GRUPO** Converse com os colegas e depois responda.

- Qual dessas pirâmides é a mais alta? _____
- Qual delas é a mais baixa? _____

b) Complete com o sinal de **é maior do que (>)**, **é menor do que (<)** ou **é igual a (=)** entre os números dessas medidas, tomados 2 a 2.

62 _____ 148,2   62 _____ 136,5   148,2 _____ 136,5

2) **ESTIMATIVAS**

a) Faça estimativas e responda.

- Qual é maior: 0,2 ou 0,20? _____
- Qual é maior: 0,3 ou 0,14? _____

b) Agora, verifique se suas estimativas foram boas pintando as partes indicadas, comparando-as e colocando >, < ou = entre os números.

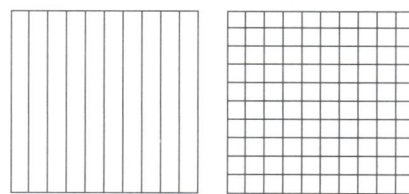

0,2 _____ 0,20

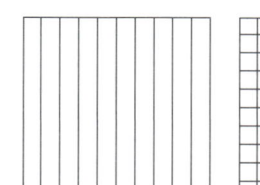

0,3 _____ 0,14

3 **ATIVIDADE EM DUPLA** Escrevam, cada um em seu livro, os símbolos >, < ou = entre os números de cada item. Conversem e procurem justificar as escolhas.

a) 3,72 _____ 4

b) 1,2 _____ 1,7

c) 0,48 _____ 0,39

d) 2,10 _____ 2,1

e) 4,3 _____ 4,14

f) 5,3 _____ 6,14

g) 0,2 _____ $\dfrac{3}{10}$

h) 0,6 _____ $\dfrac{58}{100}$

i) 0,31 _____ $\dfrac{31}{100}$

4 Magda foi à farmácia comprar alguns produtos de higiene pessoal. Analise o preço de cada produto que ela comprou e responda às questões.

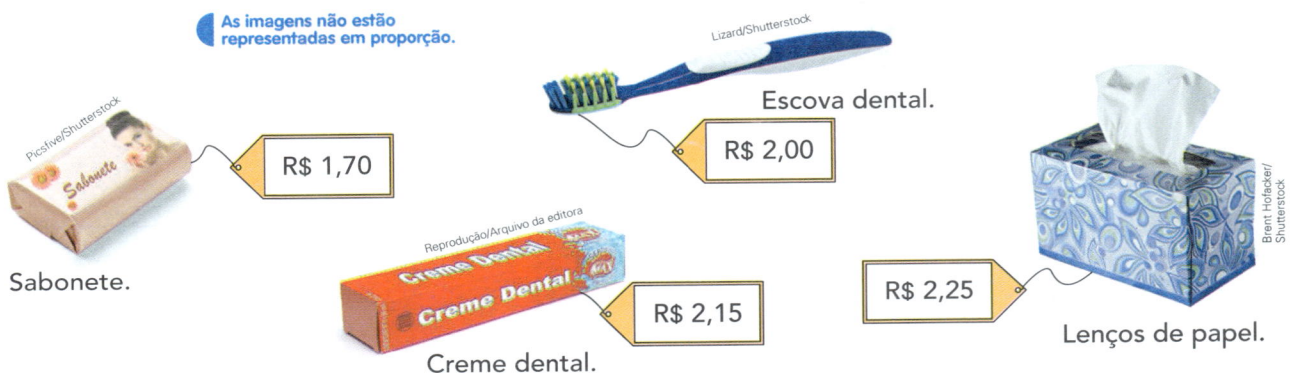

Sabonete. R$ 1,70

Escova dental. R$ 2,00

Creme dental. R$ 2,15

Lenços de papel. R$ 2,25

As imagens não estão representadas em proporção.

a) Qual é o produto mais caro? Quanto ele custa?

_____

b) Qual é o mais barato? Quanto ele custa? _____

c) Quais produtos custam mais do que R$ 2,50? _____

d) Como ficam as 4 quantias escritas em ordem decrescente?

_____

e) **ATIVIDADE ORAL EM GRUPO** Converse com os colegas sobre a importância da higiene pessoal.

5 André completou o percurso de uma corrida em 26,8 segundos e João Paulo completou em 26,42 segundos.
Qual deles completou em menos tempo?

Adição e subtração com decimais

A mesma ideia que você usou com números naturais pode ser usada na adição e na subtração com números na forma decimal.

Basta somar ou subtrair:
- os centésimos,
- os décimos,
- as unidades,
- as dezenas,
- as centenas.

Para isso, no algoritmo usual, deve-se colocar vírgula debaixo de vírgula.

E fazer as trocas necessárias, lembrando que:
- 1 centena = 10 dezenas
- 1 dezena = 10 unidades
- 1 unidade = 10 décimos
- 1 décimo = 10 centésimos

Observe os exemplos.

23,37 + 1,91

D	U,	d	c
	2 ¹3,	3	7
+	1,	9	1
	2 5,	2	8

7c + 1c = 8c
3d + 9d = 12d (1U + 2d)
1U + 3U + 1U = 5U
2D + 0D = 2D

10 décimos foram trocados por 1 unidade.

3,73 − 1,25   1d = 10c

U,	d	c
3,	⁶7̸	¹3
− 1,	2	5
2,	4	8

1 décimo foi trocado por 10 centésimos.

1 Efetue as adições e subtrações com decimais.

a) R$ 3,60 + R$ 5,90 = _____

b) 4,56 + 3,44 = _____

c) 31,47 − 5,2 = _____

d) R$ 25,15 − R$ 8,05 = _____

e) 9,23 − 1,86 = _____

f) 169,4 + 3,72 = _____

2 Joana precisa de 4 m de tecido para fazer uma colcha de retalhos.
Ela tem uma peça com 2,6 m e outra com 1,45 m.
O que Joana tem de tecido é suficiente para o que ela precisa?

_____

3 Márcio e Cláudia foram ao supermercado. Márcio comprou 1 lata de azeite e 1 pacote de soja em grãos e pagou com R$ 17,50.
Para saber quanto Márcio gastou, fazemos uma adição, e, para saber quanto recebeu de troco, fazemos uma subtração.

```
   1                        4 1
  13,70                    17,50
 +  3,59                  - 17,29
 ─────────               ─────────
 R$ 17,29 (gastou)       R$ 0,21 (troco)
```

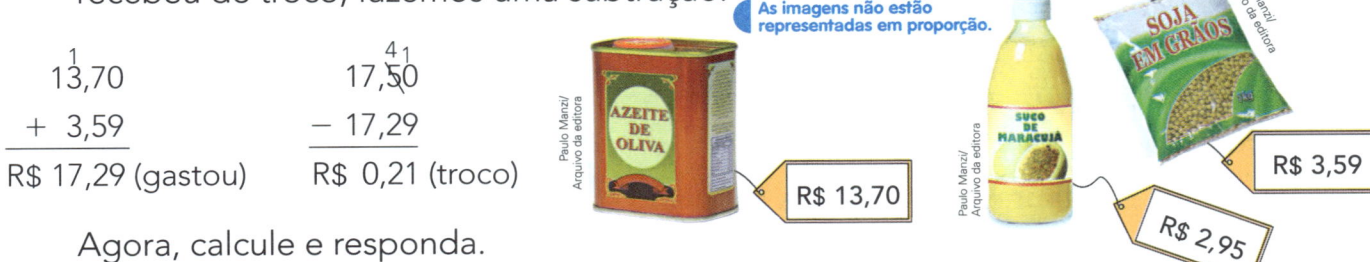

As imagens não estão representadas em proporção.

R$ 13,70 — R$ 2,95 — R$ 3,59

Agora, calcule e responda.

a) O que custa mais: 2 pacotes de soja ou 3 garrafas de suco?

_____

b) Quanto o pacote de soja custa a mais do que a garrafa de suco? _____

c) Cláudia comprou 1 lata de azeite e pagou com R$ 15,00. Quanto ela recebeu de troco? _____

4 Margarete está fazendo uma viagem de automóvel para ir de João Pessoa a Maceió, passando por Recife.
Veja no mapa o caminho que ela está percorrendo.

a) Ela já percorreu 130,5 km. Então, quanto falta para completar o percurso? _____

b) Marque no mapa onde está o automóvel, aproximadamente.

Percurso de Margarete

Adaptado de: IBGE. **Atlas geográfico escolar**. 6. ed. Rio de Janeiro: IBGE, 2012.

Matemática e tecnologia

Calculadora

Operações com a calculadora

Você já observou todas as teclas de uma calculadora? Perceba que alguns modelos trazem uma tecla com um ponto e outras a vírgula. Mas, afinal, qual é a diferença entre usar ponto ou vírgula?

Para descobrir, leia o texto a seguir:

"Na verdade, a tarefa para expressar valores numéricos obedece a certa convenção internacional e, por isso, cuidado especial é exigido na hora de grafar ou ler determinados valores numéricos.

Em 2003, a 22ª Conferência Geral de Pesos e Medidas (CGPM) decidiu que *"o símbolo para o separador decimal deve ser o ponto ou a vírgula sobre a linha"*. De acordo com esta decisão, e seguindo a prática das línguas de origem, por exemplo, nas publicações em inglês são usadas o ponto sobre a linha como separador decimal e, nas publicações em francês, são empregadas a vírgula sobre a linha como separador decimal. No entanto, para fins de uniformização, alguns organismos internacionais como a ISO priorizam a vírgula como separador decimal. No Brasil, de acordo com o Vocabulário Internacional de Termos Fundamentais e Gerais de Metrologia (VIM), versão publicada no INMETRO, o padrão adotado para separação decimal é a vírgula."

Disponível em: <http://www.mundodametrologia.com.br/2016/01/separador-decimal-ponto-ou-virgula.html>. Acesso em: 20 dez. 2019.

Portanto, na calculadora a função da tecla que apresenta a vírgula ou o ponto é a mesma. Mas, quando vamos realizar a representação por escrito de um decimal, aqui no Brasil, usamos a vírgula.

Exemplos:

0,25 – Para digitar em uma calculadora com a tecla .

0 , 2 5

0,25 – Para digitar em uma calculadora com a tecla .

1) Escreva por extenso os decimais representados no visor das calculadoras a seguir.

1 . 7 5 _____

5 3 , 9 _____

2) Use uma calculadora, digite de acordo com o indicado e registre as operações efetuadas e os resultados obtidos.

a) 3 . 7 + 1 2 . 9 = _____

b) 4 . 3 6 − 3 . 6 = _____

3) Efetue as operações e confira usando uma calculadora.

a) 19,4 + 5,1 = _____

c) R$ 25,30 + R$ 4,80 = _____

b) 9 − 2,42 = _____

d) R$ 1 200,00 − R$ 745,80 = _____

4) Resolva usando uma calculadora.

a) Amanda foi à feira com R$ 15,20 e gastou R$ 8,40 na compra de um peixe. Quando voltou para casa, colocou na carteira mais R$ 10,25. Com quanto ela ficou? _____

b) **ATIVIDADE ORAL EM GRUPO** Em uma loja **A**, uma camiseta de R$ 31,00 está sendo vendida com um desconto de R$ 4,70.
Na loja **B**, a mesma camiseta custa R$ 33,25, mas está sendo vendida com um desconto de R$ 5,50.
Em qual das lojas é mais vantajoso comprar essa camiseta? Calcule o preço nas 2 lojas, registre e, depois, converse com os colegas sobre isso.

Loja **A**: _____   Loja **B**: _____

Mais atividades e problemas

1) Paula e Maurício inventaram uma brincadeira. Para cada medida que Paula escrevia usando um número natural, Maurício escrevia uma medida equivalente usando um decimal e outra unidade de medida. Veja algumas medidas que eles escreveram na brincadeira.

> Paula: 45 mm
> Maurício: 4,5 cm

> Paula: 120 centavos
> Maurício: R$ 1,20

Participe dessa brincadeira. Para isso, complete os quadros.

a) Paula: 452 cm
Maurício: _____ m

b) Paula: _____ cm
Maurício: 0,5 m

c) Paula: _____ minutos
Maurício: 1,5 hora

d) Paula: _____ mm
Maurício: 0,8 cm

e) Paula: 345 centavos
Maurício: R$ _____

f) Invente um!
Paula: _____
Maurício: _____

2) Descubra a regularidade do primeiro esquema e complete-o. Depois, use a mesma regularidade para completar o segundo esquema.

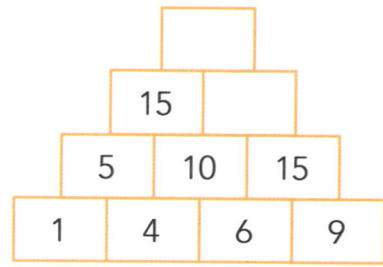
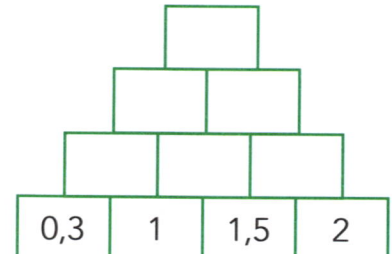

3) Mara viu no jornal as expressões **2,5 mil** e **1,4 milhão**. Veja o que elas significam.

> 2,5 mil = 2 mil + 5 décimos de mil = 2 000 + 500 = 2 500
> 1,4 milhão = 1 milhão + 4 décimos de milhão = 1 000 000 + 400 000 = 1 400 000

Escreva o número natural correspondente a cada expressão.

a) 3,2 mil = _____

b) 5,6 milhões = _____

c) 8,5 milhões = _____

d) 17,5 mil = _____

4 ESTATÍSTICA

Paulo verificou a temperatura em alguns horários de certo dia e construiu o gráfico ao lado. Esse tipo de gráfico é chamado **gráfico de linha** ou **gráfico de segmentos**.

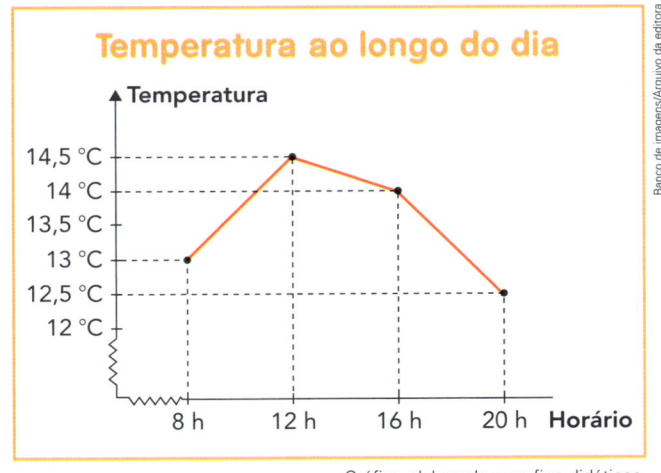

Gráfico elaborado para fins didáticos.

Responda, de acordo com o gráfico.

a) Qual foi a temperatura registrada às 20 horas? _____

b) Dos registros que ele fez, em que horário foi registrada a temperatura máxima? _____

c) Dos registros feitos às 12 h e às 16 h, a temperatura caiu ou subiu? Quantos graus? _____

d) Dos registros feitos às 8 h e às 12 h, o que aconteceu com a temperatura? _____

5

Você já viu que 1,5 significa "um e meio". Por exemplo: 1,5 dia significa 1 dia e meio. Complete de acordo com essa informação.

a) 1,5 dia → _____ horas

b) 1,5 h → _____ minutos

c) 1,5 cm → _____ milímetros

d) 1,5 minuto → _____ segundos

e) 1,5 dúzia → _____ unidades

f) 1,5 m → _____ centímetros

6

Observe os caminhos e as medidas de seus comprimentos. Determine as medidas de comprimento dos seguintes percursos.

a) A → B → C: _____

b) B → D → E: _____

c) D → E → C: _____

d) A → D → E → A: _____

7 POLEGADA

O tamanho das telas retangulares dos aparelhos de TV é indicado pela medida do comprimento da diagonal (**d**), conforme mostra a figura ao lado.
Essa medida é dada em polegadas.

> 1 polegada (1") corresponde a aproximadamente 2 cm e meio (2,5 cm)

a) Desenhe 2 segmentos de reta.

$\overline{AB}$ de aproximadamente 1 polegada.

$\overline{RS}$ de aproximadamente 2 polegadas e meia.

b) Quantas polegadas tem, aproximadamente, o segmento de reta $\overline{MN}$ abaixo?

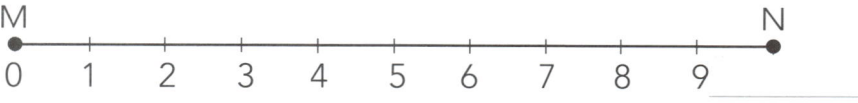

c) Quantos centímetros, aproximadamente, tem a diagonal da tela em uma TV de 32"? _____

8

A figura ao lado mostra uma armação de arame em forma de paralelepípedo. Nela, uma formiga percorreu o caminho pintado de verde e uma aranha percorreu o caminho pintado de azul.

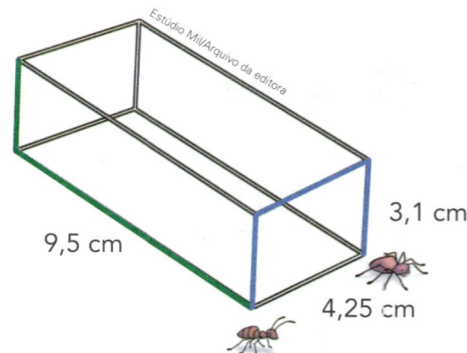

9,5 cm 3,1 cm 4,25 cm

a) Qual animal percorreu a distância maior?

b) Quantos centímetros ele percorreu a mais do que o outro? _____

Vamos ver de novo?

1 **POSSIBILIDADES**

Quiuí. Maçã.

Morango. Ameixa.

Maria Helena tem 4 tipos de frutas, mostradas ao lado, para servir de sobremesa em seu restaurante.

a) Pedro vai pedir 2 frutas diferentes.
Quantas e quais são as possibilidades de escolha das frutas?

_____

b) Ana vai pedir 2 frutas, que podem ou não ser iguais. Quantas possibilidades de escolha ela tem? _____

c) Fausto vai pedir 3 frutas diferentes. Quantas e quais são as possibilidades de escolha que ele tem?

_____

_____

2 Em um saquinho foram colocadas as seguintes moedas.

a) Tirando 1 moeda sem olhar, qual é o valor que tem mais chance de ser obtido? _____

b) Tirando 2 moedas, qual é o valor máximo que pode ser obtido? E o valor mínimo? _____

c) Tirando 2 moedas é possível que o valor total obtido seja de 30 centavos?

_____

d) Tirando 3 moedas é possível que o valor total obtido seja de 30 centavos?

_____

e) Tirando 2 moedas é certeza que o valor total obtido é maior do que 15 centavos? _____

3 ESTATÍSTICA

Veja o que vovó Marina perguntou a cada um de seus netos e netas.

> Qual é seu animal de estimação favorito: gato, coelho, peixe ou cachorro?

Veja as escolhas.

Renato: **cachorro**. Rute: **coelho**. José: **peixe**. Rogério: **cachorro**.
Paula: **gato**. Luísa: **gato**. Sérgio: **coelho**. Lucas: **coelho**.
Marcos: **gato**. Lauro: **cachorro**. Nina: **peixe**. Vanda: **gato**.

a) Complete a tabela e os gráficos de acordo com as respostas dadas.

Tabela

Animal	Marcas	Votos
Gato	☐	4
Coelho		
Peixe		
Cachorro		

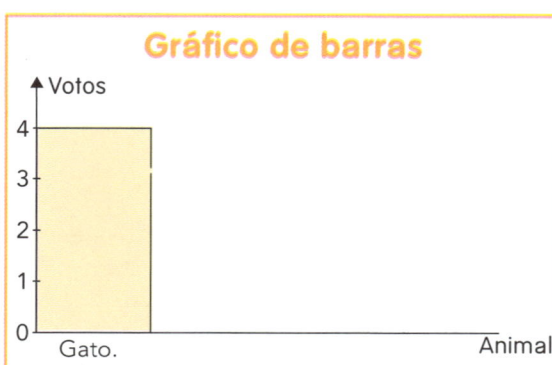

Gráfico de barras

Gráfico de setores

Peixe (2)

Tabela e gráficos elaborados para fins didáticos.

b) Agora, escreva pelo menos 3 conclusões a partir dos resultados da pesquisa.

_____

_____

4

Registre o número indicado pela seta em cada esquema, que está dividido em partes iguais. Nos itens **a** e **d** temos um número natural, no item **b**, um decimal e, no item **c**, uma fração.

a)

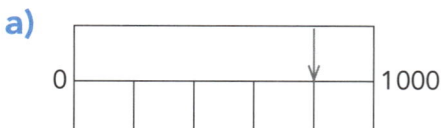

c)

b)

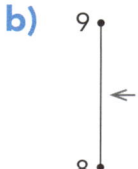

d)

3176   4892

5 **É HORA DE DESENHAR!**

Esboce os desenhos solicitados.

a) Um relógio de ponteiros com números em símbolos romanos, marcando 3 h e 30 min.

b) 4 notas somando um total de R$ 14,00.

c) Um triângulo no qual um dos ângulos é reto.

d) Uma região retangular com 3 cm de medida de largura e 15 cm de medida de perímetro.

e) Uma região retangular com 3 cm de medida de largura e 15 cm² de medida de área.

f) Um círculo com $\frac{1}{3}$ pintado de azul e $\frac{2}{3}$ pintados de vermelho.

6 Observe a construção que Rute fez usando cubinhos coloridos.

Assinale a única figura, entre estas abaixo, que pode ser uma vista de cima da construção de Rute.

   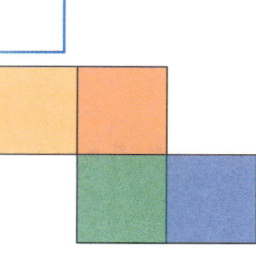

7 Analise o gráfico a seguir e responda às questões.

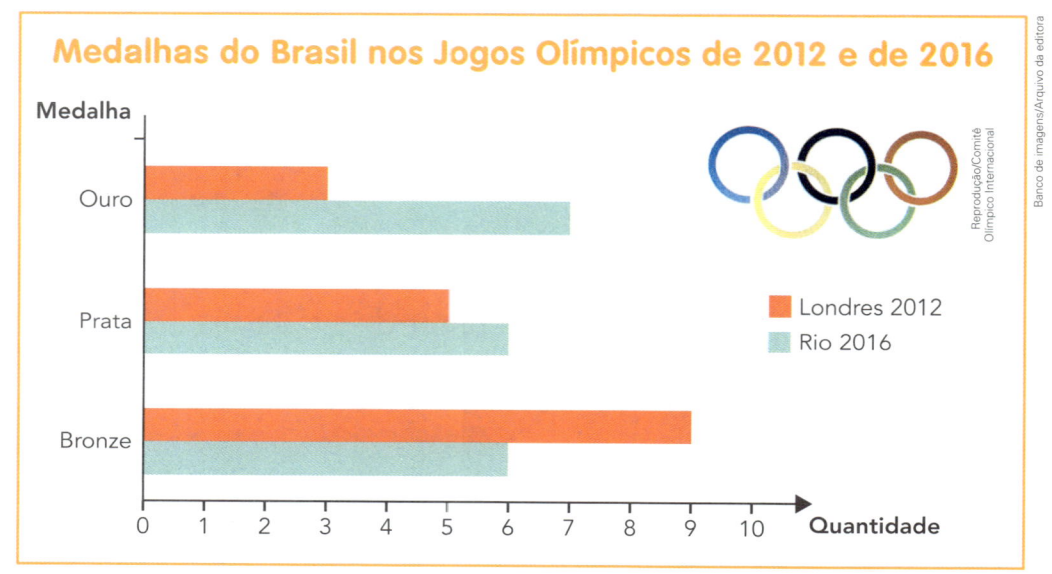

Gráfico elaborado para fins didáticos.

a) Em qual dessas edições dos Jogos Olímpicos o Brasil ganhou mais medalhas? Quantas a mais do que na outra? _____

b) Que tipo de medalha o Brasil ganhou mais em Londres do que no Rio? Quantas a mais? _____

c) Em qual dessas edições o Brasil ganhou menos do que 7 medalhas de prata?

_____

d) Em qual dessas edições o Brasil ganhou exatamente 6 medalhas de ouro?

_____

O que estudamos

Introduzimos os decimais fazendo a correspondência com as frações de denominador 10 (décimos) e de denominador 100 (centésimos).

$0,3 = \dfrac{3}{10}$

$0,25 = \dfrac{25}{100}$

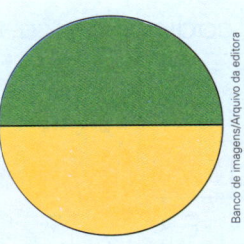

Parte pintada de verde: $\dfrac{1}{2}$ ou 0,5 do círculo.

Usamos decimais em situações de medida, incluindo dinheiro.

5 mm = 0,5 cm   1 cm = 0,01 m   25 centavos = R$ 0,25

Fizemos comparação de decimais e vimos as operações de adição e subtração com decimais.

0,7 < 0,9
2,3 > 1,85

$\overset{1}{3},45$
$+\ 2,73$
———
$6,18$

$\overset{3}{\cancel{4}},\overset{1}{3}$
$-\ 1,5$
———
$2,8$

Desenvolvemos atividades com decimais usando a calculadora.
Para efetuar 13,7 − 8,92 teclamos:

   7 − 8 9

Obtemos no visor: 4.78   Logo, 13,7 − 8,92 = 4,78.

Resolvemos problemas que envolvem decimais.
Lívia comprou 1 caderno de R$ 5,70 e 1 caneta de R$ 2,50 e pagou com 1 nota de R$ 10,00.
Quanto ela recebeu de troco? R$ 1,80

$\overset{1}{5},70$
$+\ 2,50$
———
$8,20$

$\overset{9}{\cancel{10}},00$
$-\ 8,20$
———
$1,80$

- Você tem respeitado os compromissos e as regras na sala de aula? Se sua resposta for não, então procure identificar quais são as atitudes que você precisa modificar.

- E na hora de brincar, você tem respeitado as regras das brincadeiras? As regras ajudam na organização!

Mensagem de fim de ano

Decifre o código, descubra a mensagem e anote-a.

As imagens não estão representadas em proporção.

Código

15 ÷ 15 — A
15 + 3 — É
15 + 15 — S
15 + 0 — O
15 − 3 — F
15 − 15 — R
15 ÷ 3 — B
15 × 3 — I

Mensagem

__B__ __O__ __A__ __S__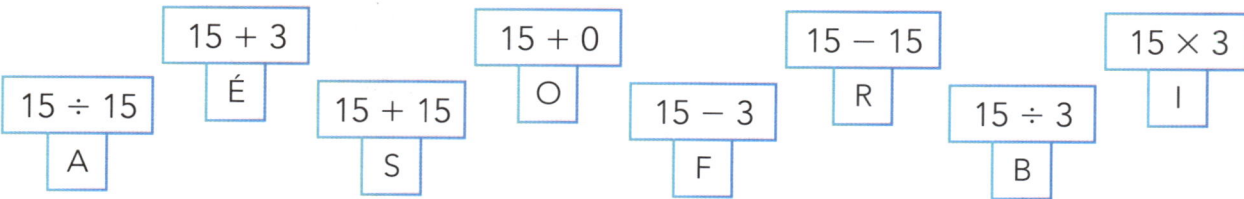
5   15   1   30

__F__ É __R__ __I__ __A__ __S__ !
12   18   0   45   1   30

Você terminou o livro!

- Do que você gostou mais? Em que parte teve mais dificuldade? Converse com os colegas.

- Mostre o que pensa. Você já sabe: pode fazer colagens, desenhos ou escrever alguma coisa. Faça do seu jeito!

- Agora, mostre ao professor e aos colegas o que você fez e veja também o trabalho deles.

No livro do 5º ano você vai rever muitas coisas que estudou aqui e aprender uma porção de novidades.

Espero você lá!

O autor

Glossário

Algoritmo (página 138)

Esquema para simplificar cálculos. As "continhas" são exemplos de algoritmo.

Algoritmo usual da adição
$$\begin{array}{r} {\scriptstyle 1}\\ 38\\ +45\\ \hline 83 \end{array}$$

Ângulo (página 82)

Tipo de figura geométrica.
Os 2 ponteiros de um relógio (ponteiro das horas e ponteiro dos minutos), juntos, dão ideia de ângulo.

O ângulo formado às 9 horas é um ângulo reto.

Área (página 236)

(ver **superfície**)
Medida de uma superfície.

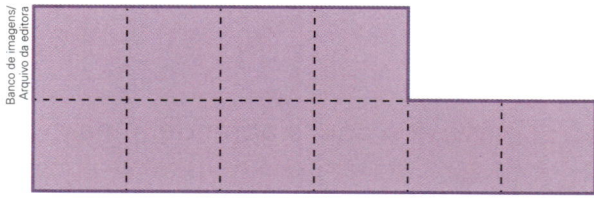

A medida de área dessa região plana é 10 centímetros quadrados (10 cm²).

Arredondamento (página 47)

Aproximação para um número "mais redondo", "mais exato", para facilitar o cálculo.
Para calcular o valor aproximado de 597 + 398, arredondamos 597 para 600, 398 para 400 e efetuamos 600 + 400 = 1 000.

Bloco retangular ou paralelepípedo (página 57)

Tipo de sólido geométrico.
A caixa de sapatos tem a forma do paralelepípedo.

Caixa de sapatos.

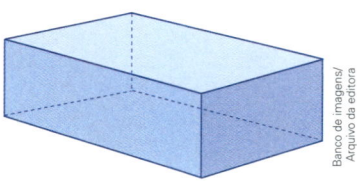

Paralelepípedo.

Capacidade (página 31)

Tipo de grandeza que pode ser medida por mililitro, litro, etc.
A medida da capacidade de uma caixa-d'água pode ser 500 L, 1 000 L, etc.

Centésimo (página 305)

Uma das cem partes iguais em que foi dividida a unidade.

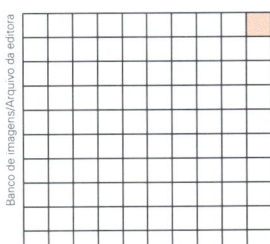

Representação fracionária: $\frac{1}{100}$

Representação decimal: 0,01

Centésimo na numeração ordinal (página 305)

Indica a posição número 100 em uma ordenação.

Em uma fila com 100 pessoas, a última pessoa é a centésima (100ª) da fila.

Centímetro quadrado (página 254)

Unidade de medida de área correspondente a uma região quadrada com 1 centímetro de lado. A abreviatura de centímetro quadrado é cm².

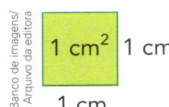

Cilindro (página 58)

Tipo de sólido geométrico.
Algumas latas, como esta, têm a forma de cilindro.

Lata.

Cilindro.

Comprimento (página 25)

Tipo de grandeza que pode ser medida com o palmo, o passo, o metro, o quilômetro, etc.

A medida do comprimento deste lápis é 5 centímetros.

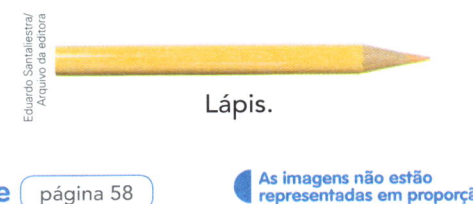
Lápis.

Cone (página 58)

As imagens não estão representadas em proporção.

Tipo de sólido geométrico.
O chapéu tem a forma de cone.

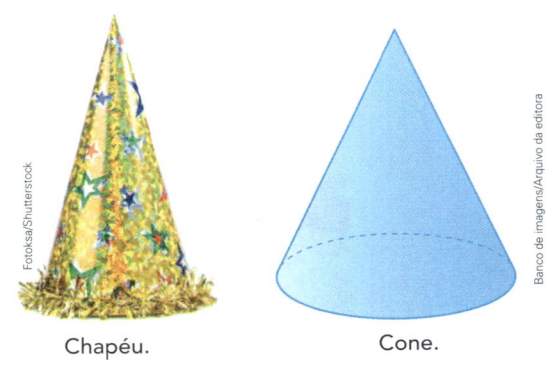

Chapéu.   Cone.

Contorno (página 73)

Observe uma região plana e seu contorno.

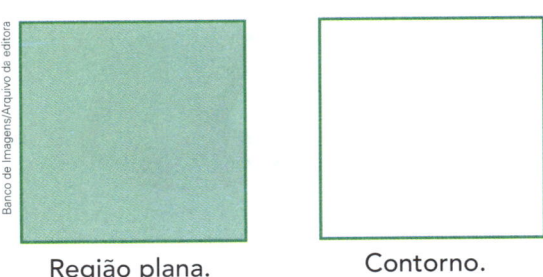

Região plana.   Contorno.

Cubo (página 55)

Tipo de sólido geométrico.
O dado tem a forma de cubo.

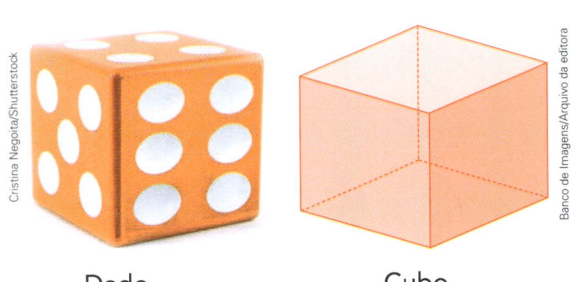

Dado.   Cubo.

Década (página 113)

Unidade de medida de intervalo de tempo que corresponde a 10 anos.

Decimal (página 299)

Nome que damos a um número quando ele aparece representado com vírgula (forma decimal).

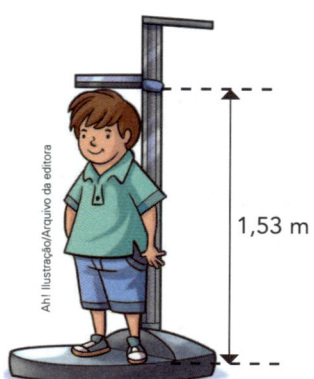

Pizza.

Décimo (página 275)

Uma das dez partes iguais em que foi dividida a unidade.

Representação fracionária: $\frac{1}{10}$

Representação decimal: 0,1

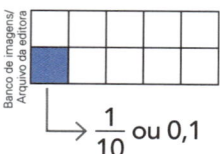

$\frac{1}{10}$ ou 0,1

Décimo na numeração ordinal (página 299)

Indica a posição número 10 em uma ordenação. Outubro é o décimo (10º) mês do ano.

Denominador de uma fração (página 272)

Indica em quantas partes iguais o todo (ou a unidade) foi dividido.

A unidade foi dividida em 5 partes iguais e foram pintadas 2 partes de verde.

Parte pintada de verde: $\frac{2}{5}$ ← numerador / ← denominador

Diferença ou resto (página 147)

Resultado da subtração.

Em 35 − 7 = 28, a diferença ou resto é 28.
A diferença entre 728 e 3 é 725, pois 728 − 3 = 725.

Dimensão (página 58)

Veja o desenho de figuras com 3 dimensões, 2 dimensões e 1 dimensão.

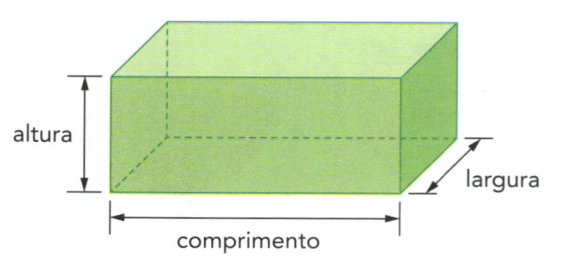

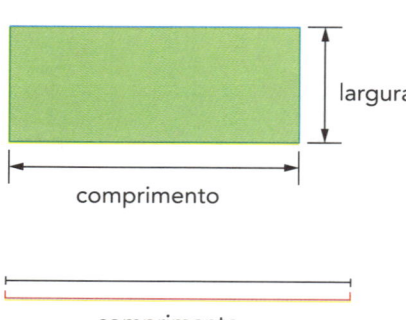

Dividendo (página 202)

O primeiro número da divisão.

600 ÷ 20 = 30
↑
dividendo

Divisor (página 202)

O segundo número da divisão.

500 ÷ 10 = 50
↑
divisor

Eixo de simetria (página 68)

(ver **simetria**)

Esfera (página 58)

Tipo de sólido geométrico.
A bola de futebol tem a forma de esfera.

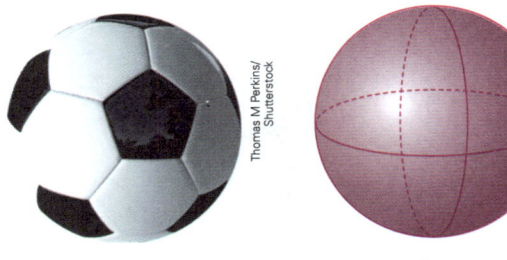

Bola de futebol.   Esfera.

Estatística (página 22)

Parte da Matemática que estuda a coleta de dados e a elaboração e a interpretação de tabelas, gráficos, etc.

Vamos representar a quantidade de cada vogal na sentença a seguir.

A Matemática está presente em tudo.

Tabela das vogais

Vogal	Marcas
A	⊠
E	⊠|
I	|
O	|
U	|

Tabela e gráfico elaborados para fins didáticos.

A vogal **E** foi a que apareceu mais vezes.
As vogais **I**, **O** e **U** apareceram 1 vez cada uma.
A vogal **A** apareceu 5 vezes.

Estimativa (página 39)

Avaliação ou cálculo aproximado de algo.
De acordo com estimativas do IBGE, o município de Lagoa Santa, em Goiás, tinha 1 588 habitantes em 2019.

Fator (página 169)

Cada um dos números que são multiplicados para obter o resultado de uma multiplicação.
Em 5 × 4 = 20, os fatores são 5 e 4.

Figura geométrica (página 54)

Nome que podemos dar aos sólidos geométricos, às regiões planas e aos contornos.

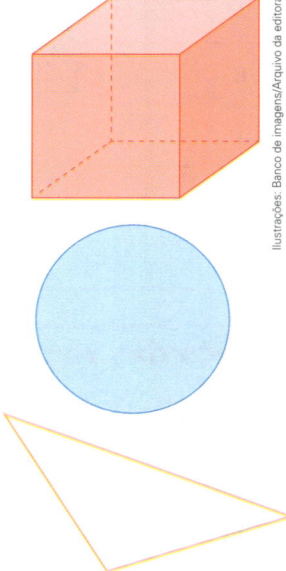

O cubo, o círculo e o triângulo são exemplos de figuras geométricas.
Também são figuras geométricas:

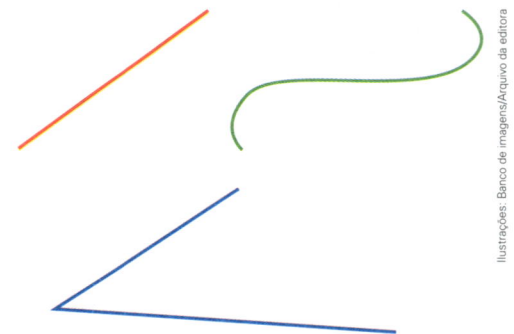

Fração (página 271)

Forma de representar uma ou mais partes iguais em que um todo (unidade) foi dividido.

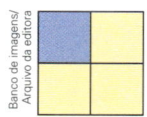

A parte pintada de azul corresponde a $\frac{1}{4}$ da região quadrada.

$\frac{2}{3}$ de 6 = 4, pois 6 ÷ 3 = 2
e
2 × 2 = 4

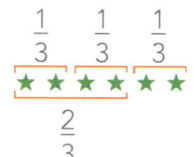

Geometria (página 66)

Parte da Matemática que estuda as figuras como quadrado, cone, círculo, etc.

Gráfico (página 22)

Uma forma de registrar informações.
O resultado de uma pesquisa sobre a cor predileta em um grupo de pessoas está registrado no gráfico de barras a seguir.

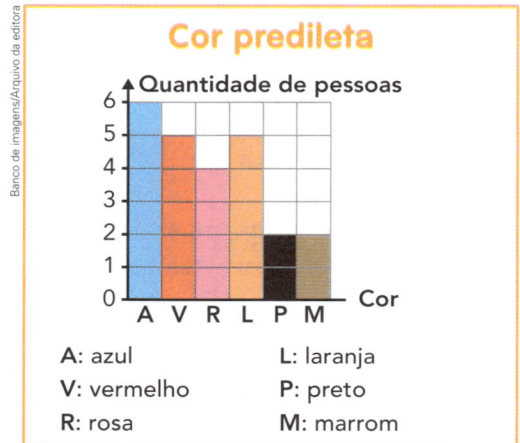

A: azul   L: laranja
V: vermelho   P: preto
R: rosa   M: marrom

Veja mais 2 tipos de gráfico.

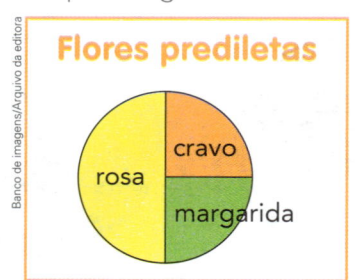

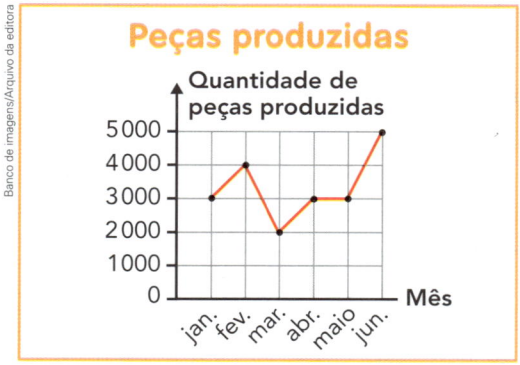

Gráficos elaborados para fins didáticos.

Grama (página 31)

Unidade de medida de massa ("peso").
A abreviatura de grama é g.
1 quilograma corresponde a 1 000 gramas.
Ana comprou 200 g (duzentos gramas) de maçãs.

Grau Celsius (página 118)

Unidade de medida de temperatura usada no Brasil.
O símbolo de grau Celsius é °C.

Intervalo de tempo (página 107)

Tipo de grandeza que pode ser medida usando as unidades minuto, hora, dia, semana, mês, ano, etc.
Júlia demorou 15 minutos no banho.

Lado de um polígono (página 78)

(ver **polígono** e **segmento de reta**)
Cada segmento de reta que forma o polígono.

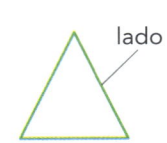

Polígono de 3 lados (triângulo).

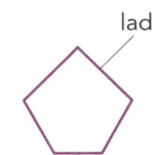

Polígono de 5 lados (pentágono).

Litro (página 21)

Unidade de medida de capacidade.
A abreviatura do litro é L.
O leite costuma ser vendido em caixas ou em garrafas com capacidade de 1 litro.

Lucro (página 158)

Ganho que se obtém em uma situação de compra e venda.
Um comerciante comprou um objeto por R$ 20,00 e o vendeu por R$ 22,00. Ele teve um lucro de R$ 2,00 na venda desse objeto.

$$22 - 20 = 2$$

Massa (página 31)

Tipo de grandeza que pode ser medido em gramas, miligramas, quilogramas, toneladas, etc.
A medida da massa ("peso") de um elefante adulto é, aproximadamente, 5 000 kg ou 5 t.

Material dourado (página 23)

Material pedagógico útil para trabalhar vários assuntos da Matemática, principalmente o sistema de numeração decimal.

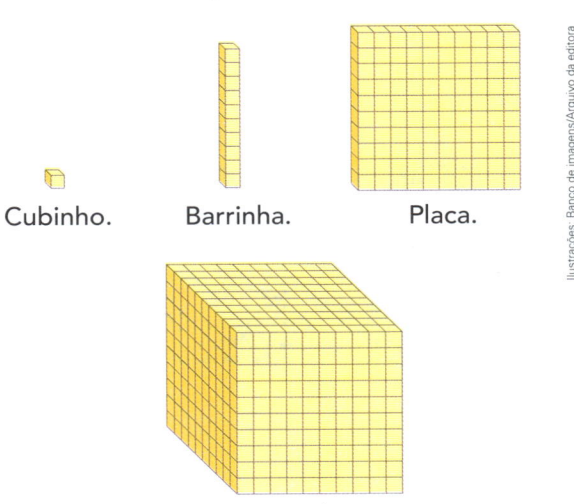

Cubinho.   Barrinha.   Placa.

Cubo.

O cubinho representa a unidade.
A barrinha contém 10 cubinhos e representa a dezena.

A placa contém 10 barrinhas, ou 100 cubinhos, e representa a centena.

O cubo contém 10 placas, ou 100 barrinhas, ou 1 000 cubinhos, e representa a unidade de milhar.

O material dourado pode ser usado também no estudo de frações e decimais. Se a placa representar a unidade (1), então a barrinha representará o décimo $\left(\frac{1}{10} \text{ ou } 0,1\right)$ e o cubinho representará o centésimo $\left(\frac{1}{100} \text{ ou } 0,1\right)$.

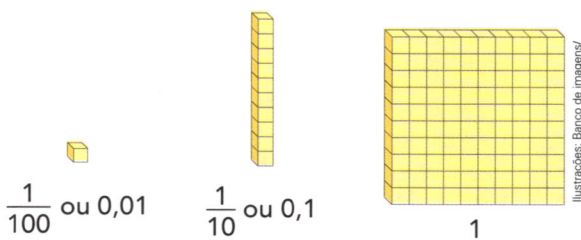

$\frac{1}{100}$ ou 0,01 $\frac{1}{10}$ ou 0,1   1

Metro (página 31)

Unidade de medida de comprimento.
A abreviatura do metro é m.
A largura de uma porta comum mede aproximadamente 1 metro.

Metro quadrado (página 213)

Unidade de medida de área correspondente a uma região quadrada com 1 metro de lado. A abreviatura de metro quadrado é m².
Uma sala de 5 m por 3 m tem medida de área de 15 m².

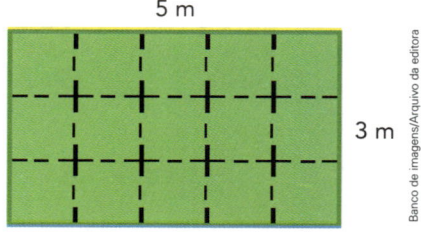

Milênio (página 30)

Unidade de medida de intervalo de tempo que corresponde a 1 000 anos.
Em janeiro de 2001 começamos um novo milênio, que vai até o fim do ano 3000.

Milhar (página 32)

Grupo de mil unidades (1 000).
No número 3 746 o algarismo 3 indica 3 unidades de milhar, ou seja, 3 × 1 000 = 3 000.

Miligrama (página 31)

Unidade de medida de massa ("peso").
A abreviatura de miligrama é mg.

1 grama corresponde a 1 000 miligramas.
A medida de massa de um inseto geralmente é indicada em miligramas: 8 mg, 125 mg, etc.

Mililitro (página 31)

Unidade de medida de capacidade.
A abreviatura de mililitro é mL.

1 litro corresponde a 1 000 mililitros.
Algumas garrafas de água têm 500 mL.

Milímetro (página 243)

Unidade de medida de comprimento que corresponde à décima parte de 1 centímetro.
A abreviatura de milímetro é mm.

1 milímetro é a distância entre 2 risquinhos vizinhos desta régua.

A medida do comprimento do segmento de reta vermelho é 2 cm e 6 mm ou 26 mm.

Milionésimo na numeração ordinal (página 38)

Indica a posição de 1 milhão em uma ordenação. Indicamos assim: 1 000 000º.

Minuendo (página 147)

O primeiro número da subtração.

21 − 3 = 18
↑
minuendo

trezentos e trinta e quatro

Numerador de uma fração (página 272)

Indica quantas das partes iguais do todo ou da unidade foram consideradas.

A unidade foi dividida em 4 partes iguais e foram pintadas 3 partes de laranja.

Parte pintada de laranja: $\dfrac{3 \leftarrow \text{numerador}}{4 \leftarrow \text{denominador}}$

Número (página 21)

Ideia matemática que expressa quantidade, medida, código ou ordenação.

Na sala há 6 pessoas.

Comprei 1,5 m de tecido.

O DDD da cidade de São Paulo é 11.

Marcelo é o 2º mais alto da turma.

Operações inversas (página 153)

- A adição e a subtração são operações inversas entre si.

  $200 + 300 = 500$

  $300 + 200 = 500$

  $500 - 300 = 200$

  $500 - 200 = 300$

- A multiplicação e a divisão também são operações inversas entre si.

  $5 \times 20 = 100$

  $20 \times 5 = 100$

  $100 \div 20 = 5$

  $100 \div 5 = 20$

Ordem em um número (página 45)

Cada algarismo ocupa uma posição ou uma ordem na representação de um número.

9 3 2 6 é um número de 4 ordens.

- 1ª ordem ou ordem das unidades
- 2ª ordem ou ordem das dezenas
- 3ª ordem ou ordem das centenas
- 4ª ordem ou ordem das unidades de milhar

Operação (página 136)

Associa 2 números a um terceiro número.

Operação de adição: $300 + 400 = 700$	Operação de multiplicação: $5 \times 300 = 1\,500$
Operação de subtração: $900 - 100 = 800$	Operação de divisão: $600 \div 3 = 200$

Paralelepípedo (página 56)

(ver **bloco retangular**)

Parcela (página 140)

Cada um dos números que são adicionados para obter o resultado de uma adição.

Em $10 + 5 = 15$, as parcelas são 10 e 5.

Pentágono (página 79)

(ver **polígono**)

trezentos e trinta e cinco **335**

Perímetro (página 130)

Medida de comprimento de um contorno.

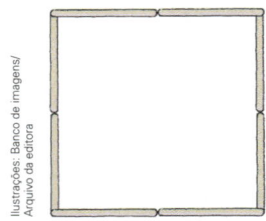

A medida do perímetro deste quadrado é 8 palitos.

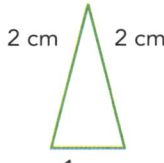

A medida do perímetro deste triângulo é 5 cm.

Pirâmide (página 61)

Tipo de sólido geométrico.

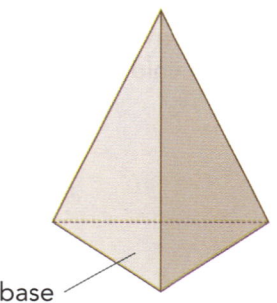 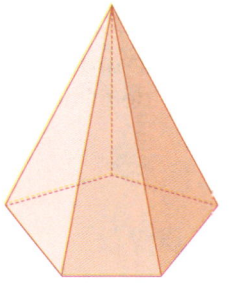

base

Pirâmide de base triangular.   Pirâmide de base pentagonal.

Planificação (página 63)

Região plana que se obtém desmontando a "casca" de um sólido geométrico.

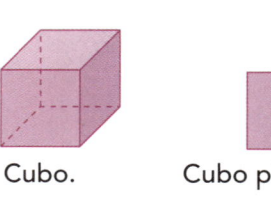

Cubo.   Cubo planificado.

Polígono (página 77)

(ver **contorno** e **segmento de reta**)

Contorno formado apenas por segmentos de reta.

São polígonos:

Não são polígonos:

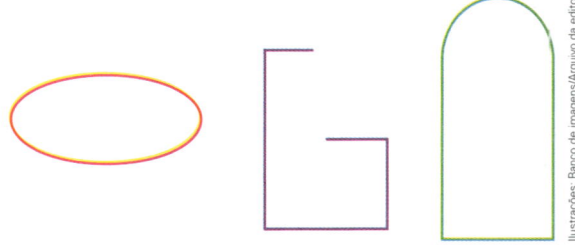

Os polígonos recebem nomes de acordo com o número de lados.

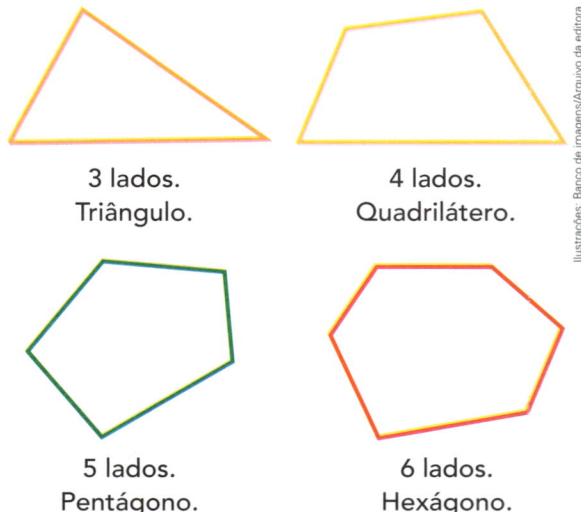

3 lados. Triângulo.   4 lados. Quadrilátero.

5 lados. Pentágono.   6 lados. Hexágono.

Porcentagem (página 286)

Parte de um todo (ou total) considerado cem por cento (100%).

Podemos indicar a metade de um todo por 50% (cinquenta por cento).

A quarta parte de um todo pode ser indicada por 25%.

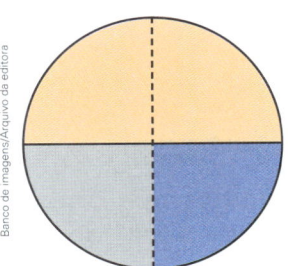

Círculo todo: 100%
Parte laranja: 50%
Parte azul: 25%

Possibilidade (página 26)

Cada fato que tem chance de ocorrer em uma situação.

Quando lançamos um dado, há 6 possibilidades de resultado. Sair o 6 é uma possibilidade. Quando lançamos uma moeda, há 2 possibilidades de resultado.

Coroa. Cara.

Dado.

As imagens não estão representadas em proporção.

Prejuízo (página 158)

Perda que se tem em uma situação de compra e venda.

Um comerciante comprou um objeto por R$ 30,00 e o vendeu por R$ 27,00. Ele teve um prejuízo de R$ 3,00 na venda desse objeto.

30 − 27 = 3

Prisma (página 60)

Tipo de sólido geométrico.

Calendário.

Lápis.

O calendário de mesa lembra um prisma de base triangular.

O lápis sextavado lembra um prisma de base hexagonal.

A posição das mãos mostra que o prisma tem sempre 2 faces paralelas.

Probabilidade (página 285)

Medida da chance de algo ocorrer.

Em um saquinho há 5 bolas: 4 vermelhas e 1 branca. Ao retirar 1 bola ao acaso, sem olhar, a probabilidade de sair uma vermelha é $\frac{4}{5}$ (4 em 5).

Produto página 169

Resultado da multiplicação.
Em 10 × 500 = 5 000, o produto é 5 000.
O produto de 6 e 8 é 48, pois 6 × 8 = 48.

Quociente página 202

Resultado da divisão.
Em 800 ÷ 4 = 200, o quociente é 200.
O quociente de 15 por 3 é 5, pois 15 ÷ 3 = 5.

Quadrilátero página 79

(ver **polígono**)

Quilograma página 25

Unidade de medida de massa ("peso").
A abreviatura de quilograma é kg.
Nos supermercados encontramos pacotes de arroz, sal e feijão com "peso" de 1 kg.

1 kg de arroz.

Quilômetro página 30

Unidade de medida de comprimento.
A abreviatura de quilômetro é km.
1 quilômetro tem 1 000 metros.

Quilômetro quadrado página 44

Unidade de medida de área correspondente a uma região quadrada que tem 1 quilômetro de lado.
A abreviatura de quilômetro quadrado é km².

Região plana página 63

Figura geométrica que obtemos quando desmontamos a "casca" de alguns sólidos geométricos.
A folha de caderno, o fundo de uma lata de leite em pó, a face do dado, etc. lembram regiões planas.
Veja algumas delas e seus respectivos nomes, de acordo com a forma que têm.

Região quadrada.

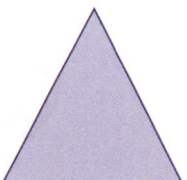

Região triangular.

Região circular ou círculo.

Região pentagonal.

Região poligonal (página 87)
(ver **polígono**)

Região plana cujo contorno é um polígono.

São regiões poligonais:

Resto na divisão (página 201)

O que sobra em uma divisão.

Quando repartimos igualmente 7 canetas para 3 crianças, cada uma recebe 2 canetas e sobra 1 caneta.

dividendo → 7 | 3 ← divisor
− 6 | 2 ← quociente
resto → 1

Dizemos que uma divisão é exata quando o resto é 0 (zero), e é não exata quando o resto é diferente de 0.

Resto na subtração (página 147)
(ver **diferença** ou **resto**)

Resultado aproximado (página 141)
(ver **arredondamento**)

Resultado obtido por arredondamentos.

Para termos ideia de quanto é 497 + 305, arredondamos 497 para 500, 305 para 300 e efetuamos 500 + 300 = 800.

Então, 800 é um resultado aproximado de 497 + 305.

Um caderno custa R$ 4,95. Se Ana comprar 4 cadernos, vai gastar aproximadamente R$ 20,00 (4 × 5 = 20).

Século (página 19)

Unidade de medida de intervalo de tempo que corresponde a 100 anos.

Em janeiro de 2001 começamos o século XXI, que vai até o fim do ano 2100.

Segmento de reta (página 75)

Figura que indica o caminho mais curto que liga 2 pontos.

A———B

Os pontos **A** e **B** são chamados extremidades ou extremos do segmento de reta acima. Representação desse segmento de reta: $\overline{AB}$ ou $\overline{BA}$.

Segundo (página 107)

Unidade de medida de intervalo de tempo.
A abreviatura de segundo é s.
1 minuto tem 60 segundos.

Simetria (página 68)

As figuras abaixo apresentam simetria em relação ao eixo.

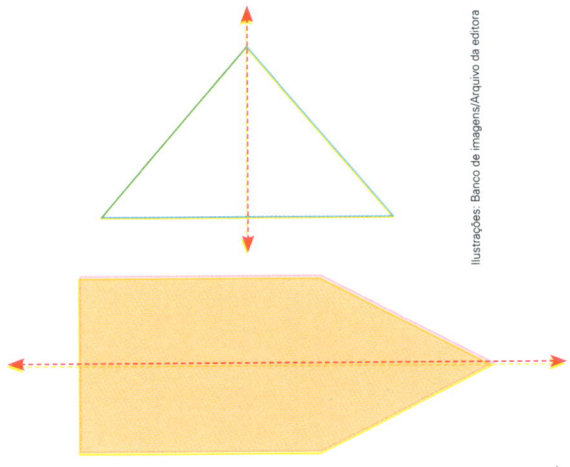

Se dobrássemos cada figura pela linha tracejada (eixo de simetria), suas 2 partes coincidiriam.

Sistema de numeração (página 15)

Conjunto de símbolos e regras que permite representar números.

Veja a quantidade **treze** representada em vários sistemas de numeração.

Egípcio.

Maia.

XIII
Romano.

13
Indo-arábico (sistema que usamos).

Sistema de numeração decimal (página 21)

É o sistema de numeração que usamos.
Ele tem 10 símbolos (algarismos):
0, 1, 2, 3, 4, 5, 6, 7, 8 e 9.
Agrupamos de 10 em 10 para contar.
A posição de cada algarismo no número é importante.

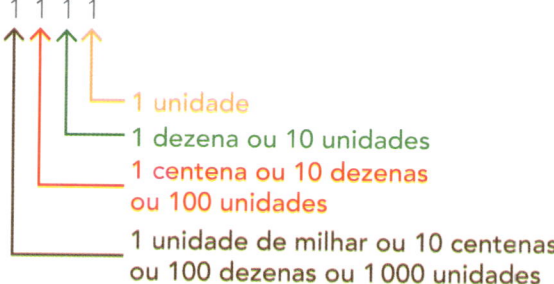

1 1 1 1
- 1 unidade
- 1 dezena ou 10 unidades
- 1 centena ou 10 dezenas ou 100 unidades
- 1 unidade de milhar ou 10 centenas ou 100 dezenas ou 1 000 unidades

Sólido geométrico (página 55)

O dado, a bola, a caixa de sapatos, o calendário de mesa, o chapéu de palhaço, a lata de tinta lembram sólidos geométricos.

Veja o desenho de sólidos geométricos e seu nome de acordo com sua forma.

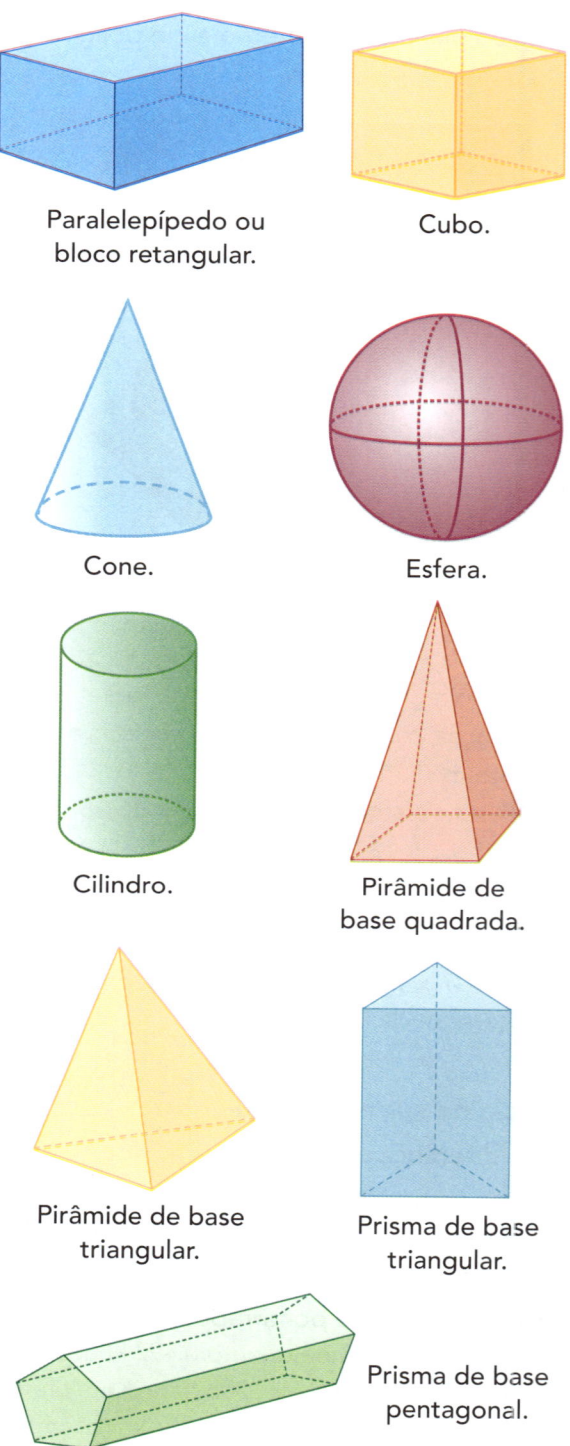

Paralelepípedo ou bloco retangular.

Cubo.

Cone.

Esfera.

Cilindro.

Pirâmide de base quadrada.

Pirâmide de base triangular.

Prisma de base triangular.

Prisma de base pentagonal.

A esfera e o cone são exemplos de sólidos geométricos que podem rolar, dependendo da posição em que são colocados sobre uma mesa. O cubo e a pirâmide não rolam.

Soma (página 131)

Resultado da adição.
Em 312 + 17 = 329, a soma é 329.
A soma de 2 e 3 é 5, pois 2 + 3 = 5.

Subtraendo (página 147)

O segundo número da subtração.

$$\begin{array}{r}6199\\-\ 2178 \leftarrow \text{subtraendo}\\\hline 4021\end{array}$$

Superfície (página 44)

A face de um dado, uma folha de papel, o piso de uma sala, o território de um país, etc. lembram superfícies. A medida de uma superfície é sua medida de área.
A medida de área do Brasil é de aproximadamente 8 515 767 quilômetros quadrados.

Adaptado de: IBGE. **Atlas geográfico escolar**. 7. ed. Rio de Janeiro: IBGE, 2016.

A medida de área correspondente a uma região quadrada com 1 centímetro de lado é 1 centímetro quadrado.

Tabela (página 42)

Diagrama em que se colocam figuras, números, etc. para fornecer alguma informação.

Tabela com as possibilidades de combinar 2 cores e 3 figuras geométricas

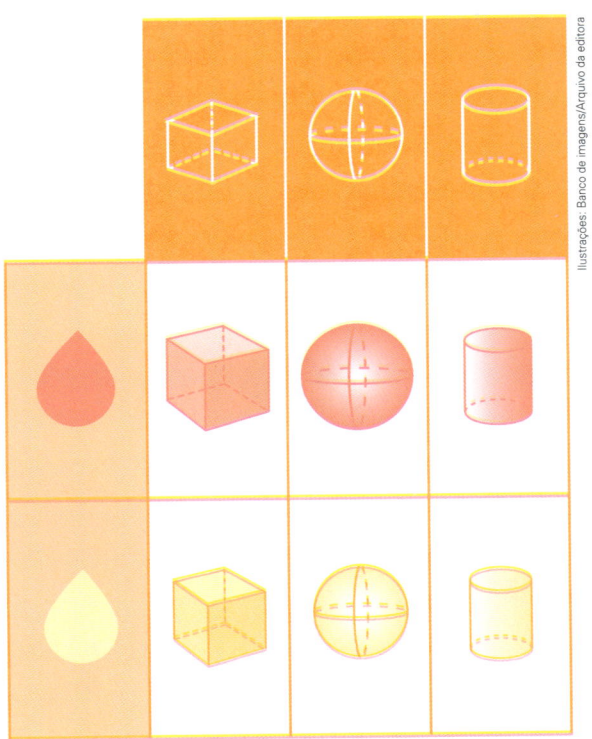

Tabela elaborada para fins didáticos.

São 6 possibilidades de combinação.

Temperatura (página 118)

Tipo de grandeza que, ao ser medida, indica se está "mais quente" ou "mais frio".
A unidade de medida de temperatura usada no Brasil é o grau Celsius (°C).

Tonelada (página 31)

Unidade de medida de massa ("peso") que corresponde a 1 000 quilogramas.
A abreviatura de tonelada é t.

Triângulo (página 79)

(ver **polígono**)
Polígono de 3 lados (*tri* significa 'três').
Veja o desenho de alguns triângulos.

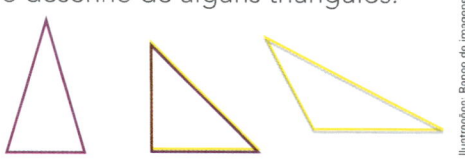

Troco (página 26)

Dinheiro recebido de volta no pagamento de uma compra.
Noemi pagou uma compra de R$ 80,00 com 1 nota de R$ 100,00. Ela recebeu R$ 20,00 de troco.

100 − 80 = 20

Unidade (página 23)

Quando fazemos 1 contagem, cada elemento é 1 unidade.

1 unidade.

10 unidades ou 1 dezena.

Unidade de medida (página 101)

Referência-padrão para realizar uma medição. O litro é uma unidade de medida de capacidade e a hora é uma unidade de medida de intervalo de tempo.

Valor posicional de um algarismo (página 38)

Valor que o algarismo assume dependendo de sua posição no número.

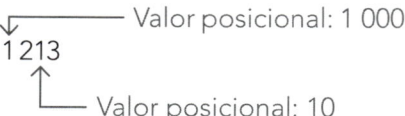

Vértice (página 58)

Ponto de encontro de 3 ou mais arestas em um sólido geométrico, ou ponto de encontro de 2 lados em um polígono.

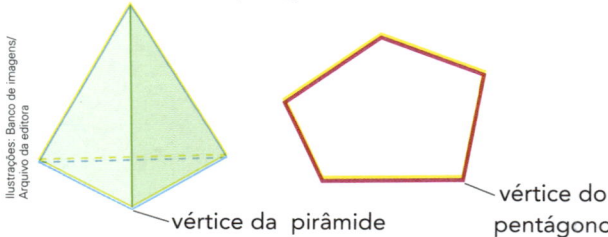

vértice da pirâmide vértice do pentágono

Bibliografia

Você sabe o que é uma **bibliografia**?

É a lista de livros, de artigos e até das leis que o autor consultou para elaborar o livro.

ALFONSO, Bernardo. ***Numeración y cálculo***. 3. ed. Madrid: Síntesis, 2000.

ALVES, Eva Maria Siqueira. ***A ludicidade e o ensino de Matemática**: uma prática possível*. Campinas: Papirus, 2001.

AMARAL, Ana; CASTILHO, Sônia Fiuza da Rocha. ***Metodologia da Matemática**: aprendizagem nas séries iniciais*. 4. ed. Belo Horizonte: Vigília, 1990. v. 1, 2 e 3.

BORIN, Júlia. ***Jogos e resolução de problemas**: uma estratégia para as aulas de Matemática*. São Paulo: CAEM-USP, 2007. v. 6.

BRASIL, Luiz Alberto S. ***Aplicações da teoria de Piaget ao ensino da Matemática***. Rio de Janeiro: Forense Universitária, 1977.

BRASIL. Ministério da Educação. ***Base Nacional Comum Curricular***. Brasília, 2017.

_____. Ministério da Educação. Secretaria de Educação Básica. João Bosco Pitombeira Fernandes de Carvalho (Org.). ***Matemática**: Ensino Fundamental*. Brasília: 2010. v. 17. (Coleção Explorando o ensino).

_____. Ministério da Educação. Secretaria de Educação Básica. Secretaria de Educação Continuada, Alfabetização, Diversidade e Inclusão. Conselho Nacional de Educação. ***Diretrizes Curriculares Nacionais Gerais da Educação Básica***. Brasília, 2013.

_____. Ministério da Educação. Secretaria de Educação Fundamental. ***Parâmetros Curriculares Nacionais**: Matemática*. Brasília, 1997.

BRIGHT, George W. et al. ***Principles and Standards for School Mathematics**: Navigations Series*. 3. ed. Reston: NCTM, 2007.

BRIZUELA, Bárbara M. ***Desenvolvimento matemático na criança**: explorando notações*. Porto Alegre: Artmed, 2006.

BUORO, Anamelia Bueno. ***Olhos que pintam**: a leitura da imagem e o ensino da arte*. São Paulo: Cortez, 2003.

CARVALHO, João Bosco Pitombeira de. As propostas curriculares de Matemática. In: BARRETO, Elba Siqueira de Sá (Org.). ***Os currículos do Ensino Fundamental para as escolas brasileiras***. São Paulo: Autores Associados/Fundação Carlos Chagas, 1998.

CERQUETTI-ABERKANE, Françoise; BERDONNEAU, Catherine. ***O ensino da Matemática na Educação Infantil***. Trad. de Eunice Gruman. Porto Alegre: Artmed, 1997.

COLL, César; TEBEROSKY, Ana. ***Aprendendo Matemática***. São Paulo: Ática, 2000.

D'AMBROSIO, Ubiratan. ***Educação Matemática**: da teoria à prática*. 2. e 3. ed. Campinas: Papirus, 2013.

D'AMORE, Bruno. ***Epistemologia e didática da Matemática***. São Paulo: Escrituras, 2005. (Coleção Ensaios Transversais).

DANTE, Luiz Roberto. ***Formulação e resolução de problemas de Matemática**: teoria e prática*. São Paulo: Ática, 2010.

DORNELES, Beatriz V. ***Escrita e número**: relações iniciais*. Porto Alegre: Artmed, 1998.

DUHALDE, María Elena; CUBERES, María T. G. ***Encontros iniciais com a Matemática**: contribuições à Educação Infantil*. Porto Alegre: Artmed, 1997.

FAZENDA, Ivani Catarina Arantes. ***Didática e interdisciplinaridade***. 17. ed. Campinas: Papirus, 2013.

FERREIRA, Mariana Kawall Leal. (Org.). ***Ideias matemáticas de povos culturalmente distintos***. São Paulo: Global/Fapesp, 2002.

FONSECA, Maria da Conceição Ferreira Reis (Org.). ***Letramento no Brasil**: habilidades matemáticas*. São Paulo: Global/Ação Educativa/Instituto Paulo Montenegro, 2004.

GAZZETTA, Marineusa (Coord.); D'AMBROSIO, Ubiratan et al. ***Iniciação à Matemática***. Campinas: Ed. da Unicamp, 1986. v. 1, 2 e 3.

GEOMETRIA EXPERIMENTAL. Campinas: Premen-MEC-Imecc-Unicamp, 1972.

HUETE, J. A. Fernandéz; BRAVO, J. C. Sánchez. ***O ensino da Matemática**: fundamentos teóricos e bases psicopedagógicas*. Porto Alegre: Artmed, 2017.

IFRAH, Georges. ***História universal dos algarismos**: a inteligência dos homens contada pelos números e pelo cálculo*. Trad. de Alberto Munhoz e Ana Beatriz Katinsky. 2. ed. Rio de Janeiro: Nova Fronteira, 2000. v. 1 e 2.

KAMII, Constance. ***A criança e o número***. Trad. de Regina A. de Assis. 39. ed. Campinas: Papirus, 2013.

_____. ***Aritmética**: novas perspectivas – implicações da teoria de Piaget*. 6. ed. Campinas: Papirus, 1995.

_____. ***Reinventando a aritmética***. 19. ed. Campinas: Papirus, 2004.

_____; DEVRIES, Rheta. ***Jogos em grupo na Educação Infantil***. Porto Alegre: Artmed, 2009.

_____; JOSEPH, Linda Leslie. ***Crianças pequenas continuam reinventando a aritmética**: implicações da teoria de Piaget*. 2. ed. Porto Alegre: Artmed, 2005.

KNIJNIK, Gelsa et al. **Aprendendo e ensinando Matemática com o geoplano**. Ijuí: Ed. da Unijuí, 2004.

LINS, Romulo Campos; GIMENEZ, Joaquim. **Perspectivas em aritmética e álgebra para o século XXI**. 7. ed. Campinas: Papirus, 2006.

LIZARZABURU, Afonso; SOTO, Gustavo (Coord.). **Pluriculturalidade e aprendizagem da Matemática na América Latina**: experiências e desafios. Porto Alegre: Artmed, 2005.

LOPES, Maria Laura (Coord.). **Tratamento da informação**: explorando dados estatísticos e noções de probabilidade a partir das séries iniciais. Rio de Janeiro: Ed. da UFRJ/Projeto Fundão, 1997.

LUCKESI, Cipriano Carlos. **Avaliação da aprendizagem escolar**. 22. ed. São Paulo: Cortez, 2011.

MACHADO, Silvia Dias (Org.). **Aprendizagem em Matemática**: registros de representação semiótica. 8. ed. Campinas: Papirus, 2011.

MILIES, Francisco César Polcino; BUSSAB, José Hugo de Oliveira. **A geometria na Antiguidade clássica**. São Paulo: FTD, 1999.

MOYSÉS, Lucia. **Aplicações de Vygotsky à educação matemática**. 11. ed. Campinas: Papirus, 2013.

NUNES, Therezinha; BRYANT, Peter. **Crianças fazendo Matemática**. Porto Alegre: Artmed, 1997.

PACCOLA, Herval; BIANCHINI, Edwaldo. **Sistemas de numeração ao longo da História**. São Paulo: Moderna, 1997.

PANIZZA, Mabel (Org.). **Ensinar Matemática na Educação Infantil e séries iniciais**. 2. ed. Porto Alegre: Artmed, 2006.

PAPERT, Seymour. **A máquina das crianças**: repensando a escola na era da informática. Porto Alegre: Artmed, 2007.

PARRA, Cecília; SAIZ, Irma (Org.). **Didática da Matemática**: reflexões psicopedagógicas. Porto Alegre: Artmed, 2010.

PIAGET, Jean. **Fazer e compreender**. São Paulo: Melhoramentos, 1978.

PIRES, Célia Carolino. **Currículos de Matemática**: da organização linear à ideia de rede. São Paulo: FTD, 2000.

_____; CURI, Edda; CAMPOS, Tânia. **Espaço & forma**: a construção de noções geométricas pelas crianças das quatro séries iniciais do Ensino Fundamental. São Paulo: PROEM, 2016.

POZO, Juan Ignácio (Org.). **A solução de problemas**: aprender a resolver, resolver para aprender. Trad. de Beatriz Affonso Neves. Porto Alegre: Artmed, 1998.

SEITER, Charles. **Matemática para o dia a dia**. Rio de Janeiro: Campus, 1999.

SMOLE, Kátia Cristina Stocco. **A Matemática na Educação Infantil**: a teoria das inteligências múltiplas na prática escolar. Porto Alegre: Artmed, 2002.

_____; CÂNDIDO, Patrícia Terezinha. **Brincadeiras infantis nas aulas de Matemática**: Matemática de 0 a 6. Porto Alegre: Artmed, 2000.

_____; DINIZ, Maria Ignez (Org.). **Ler, escrever e resolver problemas**: habilidades básicas para aprender Matemática. Porto Alegre: Artmed, 2001.

_____ et al. **Era uma vez na Matemática**: uma conexão com a literatura infantil. São Paulo: CAEM-USP, 1993. v. 4.

TOLEDO, Marília; TOLEDO, Mauro. **Didática de Matemática**: como dois e dois. São Paulo: FTD, 1997.

ZUNINO, Delia Lerner. **A Matemática na escola**: aqui e agora. 2. ed. Porto Alegre: Artmed, 1995.